DU SENS

DU MÊME AUTEUR

Sémantique structurale
Larousse
1966

Pratiques et Langages gestuels
Nº spécial de *Langages*
1967

Dictionnaire
de l'ancien français
Larousse
1968

ALGIRDAS JULIEN GREIMAS

DU SENS

ESSAIS SÉMIOTIQUES

ÉDITIONS DU SEUIL
27, rue Jacob, Paris VIe

Du sens

Il est extrêmement difficile de parler du sens et d'en dire quelque chose de sensé. Pour le faire convenablement, l'unique moyen serait de se construire un langage qui ne signifie rien : on établirait ainsi une distance objectivante permettant de tenir des discours dépourvus de sens sur des discours sensés.

C'est là justement le rêve et le vœu des logiciens : ils ont même inventé l'expression « dépourvu de sens » pour caractériser une certaine classe de mots à l'aide desquels on puisse parler d'autres mots. Malheureusement, l'expression « dépourvu de sens » n'est pas dépourvue de sens : elle est même à l'origine des philosophies de l'absurde. Les mots qu'elle recouvre, d'ailleurs, non plus : en nous interrogeant sur le sens de « et », de « ou », de « si », et en les remplaçant par « conjonction », « disjonction », « condition », nous ne faisons que commencer la course circulaire, interminable, aux synonymes et aux définitions qui se succèdent, en se croisant, dans les pages d'un dictionnaire.

Évidemment, il y a toujours moyen de s'arrêter sur un quelconque palier métalinguistique et de se dire qu'on n'ira pas plus loin, que les concepts inventoriés restent indéfinissables, et que l'on peut passer aux choses sérieuses, c'est-à-dire à l'établissement d'une axiomatique qui, elle seule, permettra de redescendre, par échelons successifs, jusqu'aux sens des mots et aux effets que leurs combinaisons produisent sur nous. C'est peut-être la procédure la plus sage, mais c'est aussi un aveu d'impuissance.

On peut se débarrasser provisoirement de ce sens encombrant en en déplaçant la problématique. Un tableau, un poème ne sont que des prétextes, ils n'ont de sens que celui — ou ceux — que nous leur donnons. Voici le *nous* érigé en instance suprême du sens c'est lui qui commande le filtre culturel de notre perception du monde, lui aussi qui sélectionne et arrange les épistémés qui « s'implicitent » dans les objets particuliers — tableaux, poèmes, récits —, résultats d'enchevêtrements du signifiant. L'opération a réussi, le sens est évacué des objets signifiants, le relativisme a gagné : le sens n'est plus là, tous les sens sont possibles. En fait, rien n'a changé, et la même problématique — avec les mêmes taxinomies épistémiques et les mêmes arrangements syntaxiques — se repose à un niveau plus « profond » ou, tout simplement, autre. Que l'on situe le sens juste derrière les mots, avant les mots ou après les mots, la question du sens reste entière.

On a pensé naguère, on le pense encore aujourd'hui, que l'on peut sortir de la difficulté en affirmant, à la suite de Saussure, que les mots n'ont pas de sens, qu'il n'y a que des oppositions, des relations qui donnent quelque apparence de sens aux termes qu'elles bousculent. Malheureusement, les mots, ainsi privés de sens, ne font que le transmettre aux relations qui, elles, continuent à signifier, quoique, il est vrai, de façon moins directe, plus souple surtout, permettant de réintroduire le fameux dynamisme qui n'est, le plus souvent, qu'une licence méthodologique et qu'une débauche de paroles. Il reste, surtout, un obstacle majeur : notre inévitable insertion dans l'univers clos du discours qui fait que, dès qu'on ouvre la bouche et qu'on se met à parler de relations, celles-ci se transforment comme par enchantement en substantifs, c'est-à-dire en termes dont il faut nier le sens en postulant de nouvelles relations, et ainsi de suite. Tout métalangage que l'on peut imaginer pour parler du sens est non seulement un langage signifiant, il est aussi substantivant, il fige tout dynamisme d'intention en une terminologie conceptuelle.

Aussi arrive-t-on à se dire que nos anciens n'étaient peut-être pas aussi naïfs que l'on pense lorsqu'ils professaient, à la manière d'un Bloomfield par exemple, que le sens existe bien comme une évidence, comme un donné immédiat, mais qu'on ne peut rien en dire de plus. Ils ont au moins eu le mérite de réduire le problème à une échelle plus accessible, en cherchant à étudier les conditions de la manifestation du sens, c'est-à-dire en décrivant cette couverture sonore ou graphique qui, tout en n'ayant rien à faire avec le sens, le laisse filtrer et parvenir jusqu'à nous. Si leur entreprise a finalement échoué, c'est en partie parce que, satisfaits des résultats obtenus dans l'analyse du signifiant, ils se sont attaqués aux morphèmes, c'est-à-dire aux signes, en pensant, à l'aide de procédés formels, tromper en quelque sorte le sens et passer imperceptiblement d'un niveau à l'autre, d'un en-deçà du sens à la distribution des significations. Ils nous ont néanmoins légué le concept de « sens négatif », cette possibilité de dire que « pas » n'est point « bas », qu'il y a entre les deux un *écart* de sens.

Du coup, l'immense travail accompli pour éviter la rencontre avec le sens non seulement se justifie en soi, mais prend un nouveau sens pour nous : les procédures dites de description et de découverte du niveau du signifiant deviennent, pour la sémantique, des procédures de vérification, qui doivent être utilisées simultanément avec la description de la signification. Si le moindre changement dans l'état du signifiant signale quelque changement de sens, on ne doit enregistrer, inversement, le moindre changement de sens s'il ne peut être vérifié par la reconnaissance d'un écart correspondant dans le signifiant.

Il ne faut pourtant pas se faire d'illusions : ces procédures ne nous renseignent en rien sur le sens, elles ne font qu'établir une corrélation de contrôle entre deux plans indépendants du langage. Si la description de la signification reste arbitraire, les procédures de contrôle garantissent, cependant, dans une large mesure, sa cohérence interne. Et la cohérence, on le sait, reste un des rares critères de vérité que l'homme ait imaginés.

Supposons que, pour réfléchir commodément sur cet « écart différentiel », on se mette en condition figurative; et qu'on imagine un écran de fumée dressé pour nous — l'univers du sens —, et juste au-devant de cet écran une toile d'araignée à peine perceptible, faite de milliers d'écarts différentiels entrelacés : c'est la vision saussurienne du langage. On voit bien que cette toile articulée ne correspond point à ce qui est réellement à la portée de notre perception, au monde bariolé, pesant, figé des choses; que les écarts différentiels, par conséquent, ne sont pas donnés immédiatement dans cette « substance »; qu'ils ne sont, au contraire, que des conséquences de la saisie des discontinuités dans un monde dont on ne sait rien; que ce qui constitue l'écart, c'est l'établissement d'une relation, d'une différence entre les aspects comparables des choses.

Pour peu qu'on accepte de reconnaître que cette saisie est logiquement antérieure à l'écart reconnu et qu'on en tire les conséquences — en disant, par exemple, que la substance du signifiant n'est qu'un prétexte permettant la saisie du sens, qu'elle est « informée » par la dite saisie, que la forme du signifiant, c'est-à-dire l'ensemble des écarts, résulte, comme une articulation, des opérations de la saisie —, le problème des conditions de la signification, sagement situé sur le plan du signifiant et du non-sens, rebondit et vient se placer au cœur même du jaillissement du sens. Car le problème de la constitution du signifiant est déjà le problème du sens. Le concept du sens négatif, si rassurant, n'est pas plus fondé que ne le sont, pour le reste, toutes les procédures imaginées par le structuralisme formaliste de naguère.

Ce n'est pas ce retour aux origines du sens qui est gênant, mais bien plutôt la constatation que toute réflexion sur les conditions premières de la saisie du sens — si l'on veut, de la production ou de la génération du sens — ne fait que retrouver des concepts épistémologiques aussi généraux que ceux du même et de l'autre, de la négation et de l'assertion, du sujet et de l'objet, de la forme et de la substance, etc. On se trouve ainsi replongé, sans l'avoir voulu, dans la « philosophie éternelle »; en continuant dans cette voie, on risque de se transformer, de linguiste — métier où l'on se sentait plus ou moins à l'aise — en mauvais philosophe. En effet, réfléchir sur les conditions nécessaires de la manifestation du sens, c'est, tout d'abord, se voir obligé à expliciter et à manipuler tous les concepts que l'on trouve à la base des différentes théories de la connaissance, toutes les catégories axiomatiques avec lesquelles on construit les langages formels : les logiques et les mathématiques.

La voix d'un sémioticien risque de porter peu dans ce concert épistémologique. Est-ce une raison suffisante pour s'en remettre aux autres du soin de définir la sémantique?

Le souci premier du philosophe est de comprendre, en érigeant pour lui-même un discours sur le sens comme une immense métaphore isotope[1] du monde. Il est essentiellement d'ordre contemplatif.

1. Par *isotopie*, on entend généralement un faisceau de catégories sémantiques redondantes, sous-jacentes au discours considéré. Deux discours peuvent être isotopes mais non isomorphes.

C'est de là que vient le malentendu. Car le sémioticien, s'il se voit obligé de conduire sa réflexion dans les domaines qui sont traditionnellement ceux du philosophe, le fait bien malgré lui : il préfère même se cacher derrière le paravent de termes techniques et d'un discours dépersonnalisé. Outre cette clause de style antiphrastique, il y a encore dans son attitude ceci que la réflexion fondamentale n'a de sens pour lui que dans la mesure où elle mène à un faire scientifique. Le savoir sous-tend un savoir-faire, et débouche sur lui. Aussi le sémioticien ne se gêne-t-il pas pour emprunter les idées des autres, pour se servir de renseignements heuristiques de seconde main : que ne trouverait-on pas, en cherchant à reconstituer les sources philosophiques d'un Saussure ou d'un Hjelmslev? Ce qui importe par-dessus tout au sémioticien, c'est la conformité de ces idées avec ce qu'il croit être l'état actuel de sa discipline, c'est aussi l'exigence intime qu'il leur pose de « mordre sur la réalité » : les peuples dits primitifs ont des philosophies du langage qui valent bien les nôtres, mais qui ne se prolongent pas en linguistique.

L'attitude du sémioticien à l'égard des langages formels tient à ceci que l'admiration s'y mêle à la méfiance. Ainsi, il se sent attiré par la logique symbolique : c'est la forme qu'il voudrait, en définitive, pouvoir donner à ses concepts opérationnels et ses relations alors réductibles à de simples calculs. Ce qui l'inquiète, pourtant, c'est le caractère tautologique du calcul logique : il se demande si tout transcodage, si toute nouvelle articulation du sens n'indique pas une augmentation de celui-ci ou, du moins, une différenciation qui mériterait d'être retenue et notée. Il est aussi embarrassé par les modalités du vrai et du faux, surtout lorsqu'elles se réfèrent à une réalité autre que linguistique, et que sa conception du langage lui interdit d'envisager sans lui conférer d'abord un statut sémiotique. Il lui faudrait une logique linguistique qui traiterait, par exemple, le mensonge et le secret, la ruse et la sincérité sur le même plan que la vérité et la fausseté. Il lui faudrait une logique d'équivalences plutôt que d'identités.

Les modèles logico-mathématiques l'attirent tant par leurs titres de gloire anciens que par leur efficacité récente. Il ne s'agit pas, bien sûr, des applications de calcul statistique dont la mode, superficielle, est bien passée, mais du nombre chaque jour croissant de modèles formels qui s'offrent comme autant de techniques et de moules tout prêts pour la construction des grammaires et des langages. Ce qui le déroute, ce n'est pas tellement le nombre de ces modèles, mais bien plutôt l'attitude pragmatique et apparemment arbitraire qui est liée à leur utilisation. Il est évident que le mathématicien n'y est pour rien : opérant au niveau des langages formels, il ne fait qu'offrir un catalogue varié de modèles possibles. Leur choix appartient au sémioticien. Mais, tandis que, dans les sciences dites exactes, ces choix sont sanctionnés par l'efficacité du faire scientifique et se situent à l'intérieur d'un réseau de restrictions fait d'une masse de savoir accumulé, dans les jeunes disciplines en formation les modèles sélectionnés non seulement menacent à tout moment de bouleverser l'économie de la théorie scientifique qui leur sert de support, mais forment et déforment à leur image un fragile stock de savoir. Le degré d'avancement de la science — critère difficile à établir — est donc décisif : les mêmes modèles sont contraignants pour une science établie, ils peuvent être arbitraires pour une discipline à vocation scientifique. Le problème de leur adéquation se pose de manière différente dans les deux cas.

C'est par une porte étroite, entre deux compétences indiscutables — philosophique et logico-mathématique —, que le sémioticien est obligé de conduire son enquête sur le sens. Il ne s'agit pas, pour lui, de fonder, à la manière des philosophes, la sémantique : que de sciences furent ainsi fondées et ne vécurent que le temps d'une rose. Il s'agit encore moins de développer un méta-discours sur le sens : la confusion entretenue entre les propos philosophiques et d'essayistes sur le « structuralisme » et l'approche structurale des sciences de l'homme n'a fait que trop de dégâts. Il faut, pour satisfaire aux besoins réels de la sémiotique, disposer d'un minimum de concepts épistémologiques explicités permettant au sémioticien d'apprécier, lorsqu'il est question de l'analyse des significations, l'adéquation des modèles qu'on lui propose ou qu'il se construit. Le sémioticien a besoin d'un contrôle épistémologique de sa méthode.

L'homme vit dans un monde signifiant. Pour lui, le problème du sens ne se pose pas, le sens est posé, il s'impose comme une évidence, comme un « sentiment de comprendre » tout naturel. Dans un univers « blanc » où le langage serait pure dénotation des choses et des gestes, il ne serait pas possible de s'interroger sur le sens : toute interrogation est *métalinguistique*.

Que veut dire ce mot? Qu'est-ce qu'on entend par là? Aux deux bouts du canal de la communication surgissent des métaphores anthropomorphes, par lesquelles l'homme cherche à questionner naïvement le sens, comme si les mots voulaient vraiment dire quelque chose, comme si le sens pouvait être entendu en dressant l'oreille. Les réponses données ne sont pourtant que des réponses par procuration, entretenant l'équivoque : ce ne sont jamais que des paraphrases, des traductions plus ou moins inexactes de mots et d'énoncés en d'autres mots et d'autres énoncés.

La signification n'est donc que cette transposition d'un niveau de langage dans un autre, d'un langage dans un langage différent, et le sens n'est que cette possibilité de *transcodage*.

En dramatisant un peu, on en arrive alors à dire que le parler métalinguistique de l'homme n'est qu'une série de mensonges, et la communication qu'une suite de malentendus. L'écriture, elle, est évidemment une trahison, tandis que la critique littéraire n'est tout au plus qu'une traduction libre, métaphorique, d'une activité sémiotique qui n'est déjà plus première. Que de variations littéraires sur ce thème, que de prétextes à écrire sur l'impossibilité, l'indécence, l'absurdité d'écrire...

Assez curieusement, pendant que la littérature s'occupe ainsi à se dénoncer elle-même, une activité sémiotique parallèle et synchronique, qui consiste dans la traduction des significations sociales inconscientes, se trouve valorisée sous le nom de démythification. Ce qui n'est que mensonge et source de malheurs sur le plan individuel, devient vérité et libération sur le plan social.

Pour le sémioticien, tantôt inquiet de l'usage idéologique qu'on fait de l'objet de ses recherches, tantôt satisfait de constater qu'elles servent tout de même à quelque chose, mensonge et vérité c'est tout un. La question n'est pas là, elle n'est pas pertinente, dira-t-il dans son jargon. Que l'activité métalinguistique de transcodage du sens puisse être morale ou immorale, euphorisante ou dysphorisante, c'est une constatation qu'on doit retenir et verser à la problématique de ces contenus, investis dans les opérations métalinguistiques, dont le mode d'existence est axiologique. Tout au plus peut-il ajouter

— comme le sociologue publicitaire qui promeut la vente des savonnettes — qu'en décrivant et en objectivant les processus de transcodage, il forge éventuellement une arme de l'avenir qui, comme toutes les armes, peut tomber entre les mains du traître aussi bien qu'entre celles du héros. Il retiendra, comme première, une autre constatation : parce que la langue naturelle n'est jamais dénotative mais multiplane, vivre sous la menace constante de la métaphore est un état normal, une condition de la « condition humaine ».

Si l'on réduit ainsi le problème du sens à ses dimensions minimales, c'est-à-dire à un transcodage de significations, et si l'on dit que ces transcodages se font naturellement, mais mal, on peut se demander si l'activité scientifique dans ce domaine ne doit pas consister à élaborer des *techniques de transposition* qui permettent d'effectuer les transcodages artificiellement, mais bien. La description sémiotique de la signification est, par conséquent, la construction d'un langage artificiel adéquat. Si nous savons à peu près comment construire un langage artificiel — on en confectionne par centaines chaque année —, seule la solution satisfaisante du problème de l'adéquation, c'est-à-dire de l'établissement d'un système d'équivalences entre le langage artificiel et la langue naturelle, peut sanctionner la réussite de l'entreprise. Par un biais différent, nous voilà revenus au problème des rapports entre les modèles de description et la structure élémentaire de la signification, telle qu'elle peut être saisie et explicitée à sa source.

Se dire que, pour rendre compte du sens, il suffit de construire, de façon arbitraire, un langage second, cela peut amener à ériger l'arbitraire en principe. Ajouter que, les critères de l'adéquation n'étant pas solidement établis, on peut concevoir cette construction comme une activité qui, en se faisant, serait en même temps réflexion sur son propre faire, cela peut revenir souvent à se donner trop facilement une bonne conscience sémiotique. Tout discours sur le sens se transforme ainsi en un exercice sémiotique, et la sémiotique éclate en mille morceaux de bravoure. La distance qui sépare la praxis individuelle de la praxis collective, gênante, se trouve oubliée.

Une telle attitude accorde cependant un nouveau souffle à l'exercice de la littérature, qui y trouve sa justification. Ce qui n'était qu'une écriture mensongère trompant son monde devient maintenant une production, une activité constructive qui assume sa condition et en tire le meilleur parti possible. Le sémioticien se transforme en écrivain et l'écrivain devient sémioticien.

Le malheur — ou le mauvais tour que le sens joue, une fois de plus, à ses manipulateurs — consiste en ceci que la praxis, qui se veut une activité bi-face mais globale, éclate sous la plume du praticien en deux niveaux métalinguistiques distincts : un langage sémiotique, donné avec insistance comme sous-entendu, autorise un métalangage réflexif d'interrogations et d'assertions multiples. Sur une sémiotique scientifique encore inexistante s'érige ainsi un discours métasémiotique qui la postule implicitement et impérieusement, apparaissant comme une nouvelle variante de cette écriture « terroriste » naguère reconnue et démythifiée par Roland Barthes.

Une telle activité reflète probablement un moment historique du développement des superstructures, au même titre que les entreprises antérieures de dénonciation ou de démythification du sens : toutes trois constituent des variations paradigmatiques sur le sens à l'intérieur du micro-univers littéraire de ce moment. Mais l'écriture sémiotique n'est pas seulement cette manifestation noble de l'histoire conçue comme une métamorphose des formes. Étant une praxis historique, elle ne peut faire autrement que manipuler des contenus axiologiques et idéologiques, elle se dit même transformatrice de ces contenus, considérant leurs transformations comme le sens ultime de son faire. L'histoire jugera de l'efficacité de ces procédures. Ce que l'on peut retenir dès maintenant, c'est cette ambiguïté novatrice : la production du sens n'a de sens que si elle est la transformation du sens donné; la production du sens est, par conséquent, en elle-même, une mise en forme significative, indifférente aux contenus à transformer. *Le sens, en tant que forme du sens, peut se définir alors comme la possibilité de transformation du sens.*

Lorsqu'on ouvre, une nouvelle fois, le dictionnaire à la recherche du sens du mot sens, on y trouve un groupe d'exemples où « le sens interdit » côtoie des expressions telles que « le sens d'une vie » ou « le sens de l'histoire ». Le sens ne signifie donc pas seulement ce que les mots veulent bien nous dire, il est aussi une direction, c'est-à-dire, dans le langage des philosophes, une intentionnalité et une finalité.

Traduit dans le langage linguistique, le sens s'identifie avec le procès d'actualisation orienté qui, comme tout procès sémiotique, est présupposé par — et présuppose — un système ou un programme, virtuel ou réalisé.

Cette interprétation selon laquelle le sens, pour se manifester, peut prendre tantôt la forme du système, tantôt celle du procès, tout en restant un — car le procès présuppose le système, et inversement —, enrichit de nouvelles possibilités le champ opérationnel de la sémantique. Elle explique que ne soit qu'apparente la contradiction entre les grammaires systématiques et les grammaires syntagmatiques, elle rend compte de ceci qu'un faire peut être à la fois transcrit comme un algorithme processuel et transcodé comme un savoir-faire systématique et virtuel. Elle établit une équivalence entre les axiologies d'ordre systématique, et les idéologies qui sont des représentations — récurrentes — des procès de transformation.

La production littéraire se présente dès lors comme un cas particulier de ce procès d'actualisation du sens virtuel, comparable à la production des voitures automobiles, aboutissant à la construction d'objets sémiotiques occurrentiels, métonymiques quant au projet virtuel du faire. A une différence près, toutefois : l'écrivain se trouve privilégié par rapport à l'ouvrier de chez Renault, en ce qu'il est lui-même le sujet virtuel du programme qu'il réalise, tandis que l'ouvrier n'est que l'opérateur quelconque d'un faire désémantisé.

La désémantisation des procès d'actualisation est d'ailleurs un phénomène axiologiquement ambigu : elle transforme l'artisan en ouvrier spécialisé, mais elle permet aussi la constitution de grandes littératures sans que leurs auteurs se posent les problèmes du langage; elle permet, surtout, à l'homme de vivre, en réduisant des milliers de ses comportements programmés, gestuels ou linguistiques, en automatismes. Peu importe que la gesticulation du pianiste soit absurde, s'il en sort une sonate de Mozart.

Nous retrouvons ainsi le plan sémiotique de la dénotation d'où le sens paraît évacué, où ne subsiste donc qu'un signifiant appauvri, fait d'automatismes de gesticulation et de notre familiarité avec les choses. Vue sous cet angle, la dénotation est à la fois le lieu de l'instauration du sens et de son retrait. Mais si le sens peut ainsi se déplacer à tout moment, c'est parce qu'il existe des parcours métasémiotiques prévisibles de sa transposition : des procédures de transcodage vertical offrent des possibilités multiples d'explicitation et d'implicitation du sens; des procédures de transcodage horizontal rendent compte de la double implication des procès et des systèmes[1]. Si, dans les traductions, les effets de sens jouent sur l'axe de l'évidence et de la profondeur, les procès orientés apparaissent comme des lieux de transformation des sens articulés en systèmes.

On peut dire que les progrès de la sémiotique, dans ces derniers temps, consistent pour l'essentiel dans l'élargissement de son champ de manœuvre, dans l'exploration plus poussée des possibilités stratégiques de l'appréhension de la signification. Sans qu'on sache rien de plus sur la nature du sens, on a appris à mieux connaître où il se manifeste et comment il se transforme. Ainsi, on renonce de plus en plus à le considérer comme l'enchaînement linéaire et uniplane des significations dans les textes et les discours. On commence à se rendre compte de ce qu'il y a d'illusoire dans le projet d'une sémantique systématique qui articulerait, à la manière d'une phonologie, le plan du signifié d'une langue donnée.

A côté d'une sémantique interprétative dont le droit à l'existence n'est plus contesté, la possibilité d'une sémiotique *formelle* qui ne chercherait à rendre compte que des articulations et des manipulations des contenus quelconques se précise un peu plus chaque jour. Déterminer les formes multiples de la présence du sens et les modes de son existence, les interpréter comme des instances horizontales et des niveaux verticaux de la signification, décrire les parcours des transpositions et transformations de contenus, ce sont autant de tâches qui, aujourd'hui, ne paraissent plus utopiques. Seule une telle sémiotique des formes pourra apparaître, dans un avenir prévisible, comme le langage permettant de parler du sens. Car, justement, la forme sémiotique n'est autre chose que le sens du sens.

1. Sur tout ceci, cf. plus loin *la Structure sémantique*, p. 39.

Considérations sur le langage[1]

1. INTRODUCTION

1.1. LA VOCATION DE L'UNIVERSALITÉ.

Depuis quelque temps, on entend, dans certains milieux, parler de plus en plus souvent d'un certain impérialisme linguistique. Bien que les linguistes eux-mêmes n'y soient pour rien, la linguistique apparaît tantôt comme une menace, tantôt comme une promesse : selon les disciplines ou les individus concernés, ou bien on surestime les possibilités méthodologiques de la linguistique, ou bien on n'y voit que les excès néfastes d'une mode passagère.

Les sollicitations auxquelles se trouve exposé le linguiste, mais aussi les réticences qu'elles peuvent lui inspirer, risquent parfois de provoquer une scission au sein même de la communauté linguistique : pour utiliser une expression heureuse, saisie au vol, d'André Martinet, il existe actuellement une linguistique « linguistique » et une linguistique « non linguistique ».

En y réfléchissant, on ne devrait pas s'étonner de la conception, encore assez fréquente parmi les linguistes d'Outre-Atlantique, selon laquelle la voie royale de la linguistique de ces cent dernières années passe de Schleicher, par Bloomfield, à Chomsky. La mise entre parenthèses des enseignements de Saussure et de Hjelmslev, sans parler de celui de Jakobson tout proche, repose en vérité sur quelque chose de plus profond qu'un certain perspectivisme régional particulier, qu'on chercherait à y déceler. C'est que ni Saussure, ni Hjelmslev, ni Jakob-

1. Communication présentée au IIe Symposium international de Sémiologie, à Kazimierz (Pologne), 1966.

son, ni l'ensemble de la tradition saussurienne dans ce qu'elle a de plus remarquable, ne se sont jamais enfermés dans le domaine linguistique *stricto sensu.* Les métaphores de Saussure qui continuent à frapper notre imagination : le jeu d'échecs, le recto et le verso de la feuille de papier, le train de Paris sont toutes extra-linguistiques; et la description des langues naturelles n'est pour lui qu'une tâche particulière située à l'intérieur d'une vaste sémiologie.

Louis Hjelmslev, qui achève et formalise la théorie saussurienne, se situe d'emblée au-delà de la problématique des langues naturelles : celles-ci possèdent bien un statut propre, elles constituent bien un domaine de réflexion privilégié, mais sa théorie du langage est en fait une théorie de la connaissance scientifique des objets de tous ordres dénommés « langages » (et non des seules « langues naturelles »). Le malentendu persiste, et c'est à tort qu'on continue encore à faire à Hjelmslev le procès de la glossématique évaluée en termes d'efficacité : les glossèmes ne sont pour lui que « les formes minimales qu'une théorie (nous) amène à établir comme bases d'explication »; ce sont, par conséquent, des concepts théoriques très généraux, et non les unités des langues naturelles. Dès ces premières formulations, la théorie linguistique ne peut manquer d'affirmer sa vocation à l'universalité.

1.2. STRUCTURALISME ET DIALECTIQUE.

Le paradoxe de cette linguistique « non linguistique » continue : son chef de file en France, Claude Lévi-Strauss, n'est même pas un linguiste, et la théorie du langage connue sous le nom de structuralisme y tient la place réservée naguère à la méthodologie dialectique : rien d'étonnant dès lors à ce que, dans la « revision déchirante » d'aujourd'hui, Saussure soit invoqué comme un grand philosophe de l'histoire (Merleau-Ponty) ou que l'on considère Marx comme le précurseur du structuralisme.

Il semble bien que, sur le plan de la diachronie (et de l'histoire), la dialectique hégelienne ait joué, au XIXe siècle, le même rôle de catalyseur épistémologique que l'on attribue actuellement au structuralisme, en y voyant le seul moyen de déterminer les totalités et de procéder à leur analyse. C'est comme autant d'échos lointains des débats d'autrefois que reviennent, avec les transpositions nécessaires, les mêmes problèmes essentiels : les structures que l'on décrit sont-elles « réelles » ou « construites », existent-elles dans les choses ou dans les consciences?

1.3. LANGUE ET LANGAGES.

L'ambiguïté que le français avait jusqu'ici réussi à éviter grâce à l'opposition de *langue* et de *langage*, mais qui réapparaît déjà dans le terme de *linguistique*, ne réside pas uniquement dans cette polysémie dénominative. La théorie générale du langage se développe, pour ainsi dire, tout *naturellement* à partir des considérations sur le statut des langues naturelles, les recherches linguistiques concrètes la nourrissent ensuite, du fait de la généralisation de leurs procédures et méthodes; mais, d'un autre côté, les langues naturelles ont besoin d'une théorie qui prescrive et fonde les démarches essentielles de leur description. Deux langages au moins — une langue naturelle qu'on se propose de décrire, et un langage artificiel dans lequel se trouvent formulées les conditions théoriques de cette description — sont ainsi nécessaires pour que leur rencontre produise ce troisième langage qu'est la langue particulière décrite dans sa structure et son fonctionnement. Un itinéraire, prévoyant plusieurs relais linguistiques, doit être parcouru pour que paraisse enfin à l'horizon l'objet de la connaissance. Exercer le métier de linguiste, même dans l'ordre de la plus stricte observance, c'est déjà jongler avec plusieurs langages à la fois.

2. LA THÉORIE LINGUISTIQUE ET L'UNIVERS SÉMANTIQUE

2.1. L'OBJET SCIENTIFIQUE : UNE SÉMIOTIQUE.

Une épistémologie qui prend sa source dans la réflexion sur le langage ne peut que reposer, une fois de plus, en termes quelque peu différents peut-être, le problème du statut scientifique de l'objet de connaissance et de ses relations avec le sujet connaissant : *pour autant qu'elle amène à voir dans la science un langage à son tour*. Or, dire que les objets scientifiques sont des langages, consiste à les situer à mi-chemin entre la réalité qu'on cherche à connaître et la théorie qui en organise la connaissance. On voit, d'une part, que la science ne serait pas un langage *sui generis* si elle n'était que l'ensemble des propos des savants sur le monde : complètement immotivée, on ne voit pas comment elle pourrait prétendre être *vraie* de quelque manière que ce soit. La science, d'autre part, n'est pas non plus une adhésion à la réalité du monde, mais une prospection de cette réalité, un effort d'*intelligibilité*, au sens étymologique de ce mot. La science n'est langage que dans la mesure où celui-ci est compris comme un lieu de médiation, comme un écran sur lequel se dessinent les formes intelligibles du monde. La connaissance, dès lors, cesse d'être subjective, sans résider pour autant dans les objets « réels ».

La notion même d'objet scientifique demande, à son tour, à être formulée autrement : ni les *langues-objets* — dans la mesure où ce terme indique une priorité logique ou génétique —, ni les *termes-objets* — signes par lesquels le monde extérieur ou intérieur nous est manifesté — ne sont des objets, ne constituent l'objet de science. Pas plus que l'ensemble des végétaux n'est l'objet de la botanique, l'ensemble des mots d'une langue naturelle ne constitue l'objet de sa description. Qu'ils soient des mots, des concepts ou des symboles algébriques, les termes-objets ne se définissent que comme des aboutissements de relations ou des points d'entrecroisements de catégories prospectives de la connaissance; et la science est indifférente, en dernière analyse, à leur nature de termes.

Le concept de langage, même défini comme système de relations, continue à prêter à confusion, car il sert à désigner et l'objet scientifique et le discours pragmatique du chercheur : on pourrait le remplacer par celui de *sémiotique*, définie, en paraphrasant Hjelmslev, comme « une hiérarchie qui *peut* être soumise à l'analyse et dont les éléments *peuvent* être déterminés par les relations réciproques (et par la commutation) ». Ainsi, chaque science particulière constitue une sémiotique particulière, la totalité des sémiotiques étant visée par le savoir dans son ensemble.

2.2. SÉMIOTIQUE ET DESCRIPTION.

A y regarder de plus près, la définition hjelmslevienne rend bien compte du fait qu'une sémiotique quelconque n'a d'existence qu'implicite, qu'elle n'existe que comme une possibilité de description : le faire descriptif, la démarche connaissante, est seul susceptible de la provoquer à l'existence manifestée. Une présupposition réciproque relie donc la sémiotique à la description : une sémiotique n'existe pas comme un objet en soi, comme une réalité à décrire; et la description, à son tour, n'est possible que s'il y a quelque chose à décrire.

Les progrès de la connaissance peuvent dès lors emprunter deux voies : 1° ils se manifestent sous forme d'une extension horizontale, de par l'instauration et l'annexion par la science de nouvelles sémiotiques; le but ultime de la science est, dans ce cas, l'établissement de l'isotopie entre les dimensions de l'univers sémantique et l'univers scientifique; 2° mais ils apparaissent aussi comme un ensemble de constructions en hauteur, sous forme d'analyses portant sur des sémiotiques déjà décrites : étant donné que la description ne peut se concevoir autrement que comme la production d'un nouveau langage, celui-ci peut devenir l'objet d'une nouvelle description, ayant pour but tantôt de raffiner les outils du savoir-faire descriptif, tantôt de corriger la première description.

Ce progrès vertical, rançon de notre emprisonnement dans l'univers parlé, affecte la théorie du langage elle-même. Même conçue comme une théorie générale, opérant, en vue de leur articulation interne, avec les postulats et les concepts communs à toutes les théories scientifiques particulières, elle ne peut être autre chose qu'une sémiotique et, comme telle, susceptible d'une nouvelle description. Une des particularités de la théorie du langage réside donc dans le fait qu'elle comporte, parmi ses prémisses, l'exigence de son propre dépassement. Malgré son prétendu caractère statique, elle apparaît plus ouverte au progrès que certaines épistémologies se réclamant du dynamisme.

2.3. L'HOMOGÉNÉITÉ DU PLAN LINGUISTIQUE.

Le fait que toute sémiotique est un système de relations et qu'elle est indifférente à la nature des termes-objets (= des signes) simplifie, en apparence, le problème de l'homogénéité de la description : celle-ci, en effet, pourrait être conçue comme la construction d'un réseau de relations à l'aide des dénominations à la fois des relations constatées et des points d'intersection ou de disjonction de celles-ci, lieux privilégiés de la formation des concepts. Une terminologie explicitée se substituerait ainsi aux relations implicites.

Si telle est l'image idéale de la description, on aurait tort d'ignorer que le chemin qu'elle emprunte est parsemé d'obstacles. Les termes-objets sont, il est vrai, exclus de la terminologie une fois que celle-ci est achevée. Il n'en reste pas moins que c'est par la considération de ces termes-objets que débute la description et que leur statut sémiotique est loin d'être univoque. Il ne suffit pas de dire que les termes-objets peuvent être traduits dans n'importe quelle langue, qu'une plante, par exemple, peut recevoir une dénomination latine. En réalité, les termes-objets sont souvent déjà dénommés dans les langues naturelles et l'on n'est jamais sûr que les deux expressions linguistiques — l' « artificielle » et la « naturelle » — qui sont sensées renvoyer à un seul terme-objet, soient équivalentes. Le fait est que la dénomination des objets, à l'intérieur d'une langue donnée, ne se fait pas uniquement en fonction du référent qu'est le monde extérieur, mais aussi et surtout en raison de son découpage classificatoire : une sémiotique implicite s'est déjà chargée de la catégorisation et de l'analyse du lopin du monde qu'elle recouvre.

Deux possibilités s'offrent donc au descripteur, surtout lorsqu'il s'agit de niveaux sémiotiques proches de la réalité du monde sensible : 1° ou bien ne retenir les termes-objets que comme des « noms propres », comme de simples dénominations des figures du monde, en faisant abstraction de la sémiotique implicite qui les organise; 2° ou bien rendre manifeste cette sémiotique. En prenant un domaine sémiotique encore vierge, la peinture, par exemple, — sa description n'a pas encore été tentée de façon systématique —, on voit bien qu'elle est susceptible d'une double description, répondant soit à la question : qu'est la peinture « en soi »? soit à : qu'est-elle pour une communauté culturelle donnée?

Dans un cas comme dans l'autre, la description se fera à l'aide d'une langue naturelle quelconque (ou d'un code qui en sera dérivé). La constatation que les objets scientifiques sont des langages n'est pas, par conséquent, d'ordre métaphorique (même si une définition s'est ensuite substituée à la métaphore) : ils le sont de par leur origine et leur statut. Même si le langage scientifique est entièrement construit, c'est-à-dire même si ses dénominations sont complètement immotivées et ne reposent que sur leurs définitions, et qu'il possède sa propre grammaire (= sa logique), le langage scientifique est pris en charge, lors du processus de la communication, par des catégories sémantiques des langues naturelles qui le déforment à tout instant, en ajoutant de nouveaux éléments de signification à son contenu. Cette double interférence : celle de deux systèmes de relations, celle, aussi, de deux modes de fonctionnement, confère une certaine fragilité aux langages scientifiques.

Il n'empêche que ces inconvénients sont rachetés par un avantage essentiel : l'universalité du plan linguistique sur lequel se situe la connaissance garantit à la fois l'homogénéité des corpus à décrire et la comparabilité des procédures de description.

2.4. LA DESCRIPTION.

Le fait qu'on puisse affirmer ainsi l'existence d'un lieu unique où se situent les différentes procédures de description permet de concevoir, à un certain niveau de généralité, une étude comparative des « méthodologies » et même d'imaginer comme possible un modèle qui les subsumerait toutes. Dans la perspective d'une théorie linguistique qui postule l'articulation du langage en une paradigmatique et une syntagmatique, la totalité des procédures de description fournirait justement la contrepartie syntagmatique à la théorie scientifique considérée, elle, comme une paradigmatique, comme l'achèvement dernier, à un moment donné, de la description. La démarche scientifique, ce langage intérieur et extérieur à la fois, saisi dans son fonctionnement et sa productivité, cesse ainsi d'être une antichambre de la théorie scientifique, pour en devenir une partie constitutive. La description, à la fois le fait de décrire et son résultat, subsume donc les deux termes — « imperfectif et perfectif » — de la catégorie « aspectuelle » connotant l'axe du savoir.

2.5. L'UNIVERS SCIENTIFIQUE ET SES LIMITES.

Les observations qui précèdent permettent de résumer ainsi la conception linguistique que l'on peut se faire de l'univers scientifique :

1. Celui-ci est coextensif avec l'univers sémantique, découpé en sémiotiques particulières, définies chacune comme une hiérarchie relationnelle.

2. Toute sémiotique ne peut être considérée comme telle que dans la mesure où est postulée la possibilité d'une description.

3. La description, impliquant la traduction (ou le réemploi) des termes-objets en signes linguistiques et la dénomination des catégories relationnelles ainsi que de leurs aboutissants que sont les concepts, confère un statut homogène à tous les objets scientifiques, tout en y introduisant nombre d'ambiguïtés dues aux interférences de plusieurs langages.

4. La description, qui s'identifie ainsi avec la construction d'un nouveau langage, se situe nécessairement à un certain niveau stratégique de généralité : il en résulte qu'une fois achevée, elle recouvre nombre de termes-objets (ou de leurs parties) qui n'ont pas été soumis à l'analyse, et qu'elle contient en même temps un certain nombre de concepts qui, tout en étant indispensables à la description, n'ont pas pu être définis dans le cadre de la sémiotique traitée. Chaque description peut, par conséquent, être soumise à une nouvelle description hiérarchiquement supérieure.

L'univers scientifique ainsi envisagé apparaît comme une hiérarchie de sémiotiques, dominée par une théorie générale, susceptible d'analyse et de dépassement. En bas de cette hiérarchie, se trouvent des domaines de signification à vocation sémiotique que l'on pourrait peut-être désigner, antérieurement à leur annexion par la science, comme des micro-univers sémantiques. En haut se situe la méta-théorie qui, tout en étant une sémiotique, se distingue par un trait des autres qui lui sont hiérarchiquement inférieures : tout en possédant, comme les autres, un certain nombre de concepts non analysés, elle ne dispose, à un moment quelconque de l'histoire considéré, d'aucune méta-sémiotique susceptible d'en rendre compte.

Si l'on admet que l'on ne peut considérer comme scientifique une sémiotique que si elle est justifiable à l'aide d'une méta-sémiotique isotope, la méta-théorie scientifique ne peut guère être considérée comme scientifique. Le nom de *théorie sémantique*, soulignant par cette distinction terminologique son caractère particulier, lui conviendrait peut-être mieux : on pourrait ainsi dire que l'*univers scientifique*, fait de juxtapositions et de superpositions de sémiotiques, se situe entre l'*univers sémantique* et la *théorie sémantique*, l'un comme l'autre pouvant être soumis à la description.

3. MODÈLES PARADIGMATIQUES

3.1. SCIENCES DE LA NATURE ET SCIENCES DE L'HOMME.

Les considérations qui précèdent ont cherché à préciser les conditions dans lesquelles un statut scientifique minimal pourrait être attribué à telle ou telle description sémiotique, en évitant soigneusement d'introduire les critères qui, en accordant ce statut aux seules sciences exactes ou aux seules sciences de la nature, exclueraient de l'univers scientifique les sciences de l'homme.

Le problème de leur dichotomie, pourtant, ne manque pas d'importance. En effet, dans la mesure où la théorie du langage, revêtant les dimensions d'une épistémologie générale, se refuse à considérer les termes-objets ou leurs collections comme des objets de connaissance, les mots « nature » et « homme » n'ont plus de sens pour elle, ou, du moins, leur opposition ne suffit plus à fonder la séparation des domaines de la nature et de l'homme. La division des sciences ne peut plus, de ce fait, être fondée que sur les propriétés structurelles ou procédurières des sémiotiques envisagées.

Sans prétendre apporter la solution à une question très controversée, on peut toutefois essayer de dégager quelques éléments qui aideront à la mieux situer. Le meilleur moyen consisterait à procéder empiriquement, en comparant deux sémiotiques isotopes dont l'une relèverait des sciences de l'homme et l'autre, des sciences de la nature.

3.2. LES TAXINOMIES BOTANIQUES.

De tels exemples sont rares : ou bien les domaines de la nature et de l'homme paraissent par trop éloignés ou bien les sciences qui prétendent s'établir sur leurs confins, telles la géographie humaine ou la médecine psycho-somatique, par exemple, semblent peu sensibilisées aux problèmes qui nous préoccupent. Ce n'est que récemment que les recherches de Claude Lévi-Strauss *(La Pensée sauvage)* ont mis en évidence l'existence, dans les sociétés archaïques, de sortes de sémiotiques implicites dont la description pourrait fournir des exemples de taxinomies botaniques et zoologiques, régies par ce que l'auteur appelle « une logique concrète ». Encore plus près de nous, Pierre Guiraud vient de consacrer un chapitre de son ouvrage sur les *Structures étymologiques* (Larousse) à la description d'une taxinomie botanique populaire recouvrant le domaine français. Ainsi, une sémiotique anthropologique, se présentant sous forme d'une taxinomie relativement simple, peut être comparée à une sémiotique cosmologique telle que la classification botanique élaborée au cours des XVIIe et XVIIIe siècles.

Les dépouillements de Pierre Guiraud lui ont permis de constituer l'inventaire d'un millier de paralexèmes de type canonique : « gueule de loup », « oreille d'ours », etc., appartenant au français ou à ses dialectes et servant à désigner les différentes herbes médicinales. Bien que d'autres codes de dénomination des plantes (au nombre de 3 ou 4, probablement) existent parallèlement en français, l'homogénéité de celui-ci et sa ressemblance, du moins superficielle, avec la classification linnéenne, permettent de le considérer comme un terme de comparaison convenable.

3.3. LES TERMINOLOGIES.

Les ressemblances, en effet, sont frappantes. Et d'abord au niveau des *codes* utilisés en vue de la dénomination des *termes-objets.* A la nomenclature scientifique qui prend ses distances par rapport aux langues naturelles en se servant du latin, correspond un code zoologique absolument homogène. Le même couplage de termes en syntagme dénominatif du type syntaxique : déterminé + déterminant, se retrouve des deux côtés, la taxinomie populaire utilisant, en plus, comme élément générique, un terme appartenant au schéma morphologique du corps (limité, pour l'essentiel, à *œil, oreille, gueule, langue, queue* et *patte*), et comme élément spécifiant, un nom d'animal, d'oiseau ou de reptile : on ne voit pas comment, ne disposant pas d'une langue étrangère, elle pourrait faire mieux pour marquer l'autonomie d'un code ainsi institué.

Les différences n'apparaissent qu'après un examen plus attentif. La nomenclature scientifique est, en principe, arbitraire : même si, dans l'esprit de ses promoteurs, elle devait « rappeler, autant que possible, la nature », le syntagme dénominatif latin n'a pour contenu que sa définition, c'est-à-dire l'ensemble des sèmes représentant les relations constitutives de la taxinomie. Le code botanique populaire — du moins celui que nous examinons — est différent : la structure grammaticale de ses termes, qui en fait un groupe nominal canonique, l'utilisation du schéma morphologique corporel pour fournir des classificateurs et de l'inventaire zoologique pour choisir des spécificateurs, tout cela le signale comme code. Mais cette organisation formelle du code en tant que code n'a aucune incidence sur la structure taxinomique qu'il recouvre. Car ce qui nous permet de dire qu'il s'agit d'un code *pour* dénommer et classer une certaine flore, est sans rapport avec sa structure formelle de code : le fait qu'il recouvre une taxinomie implicite réside ailleurs, se retrouve dans son caractère motivé, et les traits classificatoires qui permettent de décrire la taxinomie se manifestent comme des figures de caractère essentiellement visuel, transposant au niveau de la représentation linguistique les configurations d'une fleur (œil de perdrix) ou d'une feuille (oreille d'ours). Seule l'analyse sémique de telles figures visuelles, passant par la médiation d'une métonymie (herbe→ fleur/feuille) permet de reconstituer la taxinomie implicite telle que la décrit Pierre Guiraud, et dont voici un échantillon :

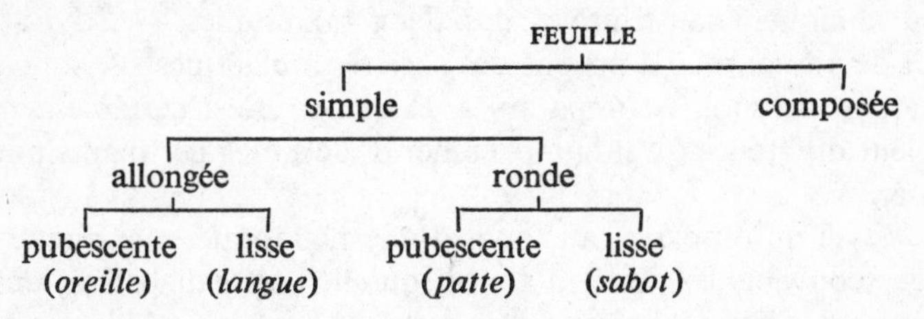

On voit bien que, sans rapport direct avec le code zoomorphologique, les catégories sémiques d'ordre visuel et tactile constituent, à elles seules, la base de la classification.

Le code populaire fonctionne donc de deux manières différentes :

1. il possède un certain nombre de propriétés formelles lui permettant de s'afficher comme code; 2. mais les termes-objets qu'il génère et qui sont sa manifestation comportent, en plus, suffisamment de propriétés sémantiques rendant compte de la sémiotique implicite que l'ethnolinguiste a pour tâche de décrire. La nomenclature scientifique, au contraire, n'a pas besoin de contenir en elle la taxinomie, en principe, antérieure aux procédures de dénomination, et les termes, plus ou moins arbitrairement choisis, servent uniquement de relais conceptualisés, marquant les points d'arrêt des réseaux taxinomiques ou des aboutissements de parcours relationnels sur les ramifications des arborescences.

3.4. ANALYSE DISCRIMINATOIRE ET ANALYSE QUALITATIVE.

On voit que ce qui vient d'être comparé ici, c'est, d'une part, une taxinomie implicite, extraite des termes-objets qui seuls la manifestaient jusque-là, et d'autre part, une taxinomie construite à partir d'un réseau de catégories constitutives et achevée grâce à la dénomination des termes-objets. On aurait tort de croire cependant que le caractère anthropologique de la première de ces taxinomies provienne de la nature linguistique des termes : le langage gestuel, le jeu d'échecs seraient également justifiables d'une description mettant à nu une sémiotique implicite.

Malgré l'inversion syntagmatique des procédures qui semble opposer les deux taxinomies, il est curieux de constater que les catégories sémiques, constitutives des deux taxinomies — Lévi-Strauss l'avait déjà remarqué à propos des sociétés archaïques —, sont sinon identiques, du moins comparables, et que ce n'est certainement pas dans leur différence qu'il faut chercher des critères pertinents pour les opposer.

Qu'est-ce qu'on exige, au fond, d'une taxinomie scientifique pour la juger convenable? Tout d'abord, qu'elle soit exhaustive; ensuite, qu'elle soit cohérente, c'est-à-dire, que chaque terme-objet ne puisse être placé qu'à un seul endroit de l'arbre taxinomique et non à plusieurs; qu'elle soit simple, enfin, et présente la classification sous sa forme la plus économique.

Il en ressort que les catégories sémiques, pour autant qu'elles sont utilisées comme critères de classification, ne le sont pas en vertu de leur signification, mais uniquement à titre *discriminatoire*, leur sens étant mis, provisoirement ou définitivement, entre parenthèses. Les mêmes catégories taxinomiques, au contraire, intéressent l'anthropologue *de par leur signification :* ce n'est pas seulement leur existence, notable en soi, qu'il enregistre avec satisfaction, c'est surtout la possibilité qu'elles offrent de voir comment opère cette logique implicite, de quelle manière l'homme conçoit le monde et l'organise en l'humanisant.

3.5. SÉMIOTIQUES QUALITATIVES.

A supposer donc qu'il existe, dans une société historique quelconque, une taxinomie populaire dont la structure hiérarchique et les catégories sémiques correspondraient terme à terme à celles utilisées par la botanique dite scientifique, il n'en resterait pas moins que le descripteur aurait à envisager deux manières de la traiter : il aurait d'abord à tester, en linguiste, la solidité formelle de celle-ci selon les critères de pertinence déjà énumérés et qui sont valables pour toute description. Mais il aurait aussi à s'interroger, en anthropologue, sur la signification d'une telle sémiotique, tant de son code que de ses catégories constitutives : il serait moins sensible, par exemple, aux qualités combinatoires du code qu'à sa manifestation au niveau zoo-morphologique, servant de médiateur entre le règne végétal et l'homme. En effet, dans l'exemple cité, l'organisation taxinomique, bien que faite d'articulations visuelles ou tactiles, est celle des herbes médicinales et renvoie, en définitive, à l'homme.

Deux sortes d'études, d'ordre hiérarchiquement supérieur, pourraient être conçues à partir de telles sémiotiques du contenu. Il est possible, en effet, une fois qu'on se trouve en possession d'un nombre de taxinomies suffisant, d'envisager l'établissement d'une *typologie* de taxinomies botaniques : il faut reconnaître que tout ce que l'on peut dire de la signification d'une taxinomie particulière, propre à une société donnée, n'a qu'un intérêt relatif, tant que celle-ci n'a pas été comparée avec les taxinomies appartenant à d'autres communautés culturelles. L'étude typologique ne permet pas seulement de faire ressortir, par les articulations ou les traits différenciateurs qu'elle décèle, l'originalité de chaque communauté particulière, elle comporte également une vocation à l'universalité, rendant compte, dans ce cas précis, de la manière dont l'humanité tout entière prend possession d'une parcelle du monde.

Une autre description, empruntant une voie différente, consisterait à établir l'inventaire des catégories sémantiques dont une société humaine a besoin pour organiser sa connaissance du monde et se penser dans ce monde. Un tel inventaire, constitué grâce à la description de toutes les sémiotiques implicites d'une seule société, rendrait compte justement du contenu de cette « logique concrète » dont parle Lévi-Strauss : on voit que « concret » ne signifie, selon nous, rien d'autre que la prise en considération du sens des catégories utilisées, sens que l'on met entre parenthèses, du moins partiellement, dans les logiques formelles. Il va sans dire que l'inventaire exhaustif de ces logiques sociales permettrait, à son tour, de construire un modèle typologique qui les subsumerait toutes.

3.6. SÉMIOTIQUES DISCRIMINATOIRES.

On voit dès lors que ce qui distingue les sémiotiques cosmologiques des sémiotiques anthropologiques n'est pas — comme il est généralement admis — le fait que les premières sont universelles et les secondes, particulières : les unes comme les autres visent le connaissable dans sa totalité. La différence réside dans la médiation sociale qui, transformant les sémiotiques particulières en autant d'objets scientifiques à comparer, intercale une sémiotique typologique entre le particulier et l'universel.

Ce n'est pas non plus le critère d'épuisement du corpus qui permettra de les distinguer. Que telle société indigène ignore telle plante et qu'un botaniste infatigable réussisse à la découvrir est une question de fait et non de droit, est de l'ordre de l'événement et non de la structure. On sait bien, par ailleurs, que le code taxinomique, quel qu'il soit, n'épuise presque jamais ses possibilités et laisse toujours des cases disponibles pour d'éventuelles dénominations des termes-objets.

Si l'on met de côté le problème de la médiation sociale, le seul trait distinctif entre les deux sortes de descriptions paraît donc consister dans le fait que les sémiotiques cosmologiques se satisfont d'une simple constatation d'existence, tout attentives qu'elles sont aux articulations des objets qu'elles analysent, tandis que les sémiotiques anthropologiques se concentrent sur le sens investi dans les catégories qui rendent possible cette articulation. C'est seulement ainsi qu'on peut dire que les discriminations, créatrices de différences sont « naturelles », tandis que le sens, saisi grâce à ces différences, est « humain ».

On s'aperçoit alors que les sciences de la nature sont comparables, dans leur manière de procéder, aux descriptions données du plan linguistique de l'expression où les systèmes phonologiques peuvent être constitués à l'aide d'un petit nombre de traits pertinents, en vertu de leur seul caractère discriminatoire, tandis que les sciences de l'homme correspondent aux descriptions du plan du contenu, dont les traits pertinents sont *à la fois* distinctifs et significatifs. Les deux plans du langage étant complémentaires, la science paraît être, dans sa visée, la construction d'un langage unique.

Si des habitudes, qui ne sont pas encore invétérées, le permettaient, on pourrait réserver le nom de *sémiotiques* aux seules sciences de l'expression, en utilisant le terme, resté disponible, de *sémiologie*, pour les disciplines du contenu.

3.7. MÉTA-SÉMIOTIQUES ET MÉTA-SÉMIOLOGIES.

Dans la mesure où le raisonnement suivi jusqu'à présent est correct, il fait ressortir que la distinction qu'on peut établir entre les sémiotiques et les sémiologies, les sciences de la nature et les sciences de l'homme, du moins au niveau des modèles paradigmatiques choisis pour soutenir cette réflexion, *n'est pas une distinction de structure, mais de procédure*. Tout comme le linguiste doit tester la solidité formelle du modèle anthropologique en mettant entre parenthèses son sens, l'anthropologue a le droit d'interroger le modèle de la botanique « scientifique » pour en extraire la signification et la comparer aux significations des modèles populaires. Le signifiant et le signifié, Louis Hjelmslev l'a déjà remarqué, sont des concepts interchangeables.

Dès lors, si l'on dote du préfixe *méta-* les sémiotiques et les sémiologies qui n'opèrent pas sur des tranches de l'univers sémantique, mais traitent d'autres sémiotiques ou sémiologies, on peut dire qu'à côté des *méta-sémiologies* qui décrivent des sémiologies (les sémiologies typologiques) et des *méta-sémiotiques* ayant pour corpus des inventaires de sémiotiques (typologie des modèles), il y a place pour des *sémiotiques des modèles sémiologiques* et des *sémiologies des modèles sémiotiques*. La théorie sémantique serait une méta-sémiologie des sémiotiques et des sémiologies à la fois.

4. MODÈLES SYNTAGMATIQUES

4.1. L'ACTIVITÉ ET LE DISCOURS.

On se rend bien compte que l'exemple sur lequel reposent ces raisonnements est sans commune mesure avec les conclusions qu'on essaie d'en tirer, et ceci non seulement parce que les modèles taxinomiques sont beaucoup plus complexes et diversifiés qu'on ne l'a laissé entendre, mais surtout parce que ces modèles ne recouvrent qu'une partie de l'univers scientifique. En effet, nous avons sciemment évité de parler jusqu'à présent de l'activité de l'homme (et de l'activité scientifique qui en fait partie) : l'homme agit sur les autres hommes et sur la nature (et le savant informe celle-ci en procédant à des expériences). Il est évident que dans la même mesure où la nature et l'homme se manifestent à nous sous forme de signes qui peuvent, de par la médiation linguistique, être réunis en ensembles, découpés et réinterprétés en tant que systèmes de relations, devenant ainsi des objets scientifiques, les transformations des phénomènes de la nature et les changements résultant de l'activité humaine peuvent également être transcodés, dénommés et donner ainsi lieu à des descriptions portant sur des unités linguistiques possédant le caractère *discursif*.

Nous avons d'ailleurs réservé une place à ces modèles syntagmatiques en faisant remarquer, à propos de la théorie du langage, qu'elle n'est pas seulement une paradigmatique, mais qu'elle comporte, comme partie intégrée, une syntagmatique, subsumant toutes les procédures de description et de découverte. On devrait donc, en bonne logique, repartir maintenant du bas de l'échelle où se trouvent situées, à l'intérieur de l'univers sémantique non analysé, toutes les expressions des activités humaines et « naturelles », pour refaire le chemin suivi à l'occasion des sémiotiques taxinomiques, afin d'arriver, tôt ou tard, à constater la possibilité de concevoir une méta-sémiologie des modèles *technologiques* (discriminatoires) et *idéologiques* (qualitatifs).

4.2. INSUFFISANCES DE NOS CONNAISSANCES.

Si nous y renonçons, ce n'est pas uniquement parce que les dimensions d'un tel exposé dépasseraient les cadres impartis à ces réflexions, mais aussi parce que les difficultés objectives, dues tant aux défaillances de la théorie linguistique qu'à l'inégalité de l'avancement des sciences, ne le permettent pas. En effet, si le statut linguistique des actants (des « noms propres » de la logique) commence à être connu et si l'on peut même concevoir aisément les procédures permettant leur réduction aux concepts, il n'en va pas de même des prédicats, ni des principes de leur organisation en séquences dépassant les limites de la phrase, et qui dénotent normalement les séries de comportements humains algorithmiques. Ainsi, « moissonner » ou « coudre une robe » subsument-ils, en les dénommant hypotaxiquement, de longues séries de comportements susceptibles d'être verbalisés, sans qu'on voie sur quelles bases structurelles reposent de telles condensations qui sont pourtant des dénominations de séquences programmées.

D'autres difficultés relèvent de l'état de nos connaissances. Les Encyclopédistes du XVIIIe siècle étaient vivement intéressés par la théorie des arts mécaniques : leurs efforts ne semblent pas avoir été continués et les descriptions des procédures technologiques, qui seraient d'un intérêt méthodologique certain, nous font, à ce niveau, largement défaut. Les descriptions des méthodes expérimentales dans les sciences naturelles, les procédures de démonstration dans les mathématiques, le calcul tautologique des propositions en logique, tout en fournissant des modèles syntagmatiques de même nature, se situent à des niveaux différents et ne se trouvent pas encore décrits dans une perspective sémiotique.

4.3. LES SÉMIOLOGIES IDÉOLOGIQUES.

Ils constituent cependant, pour la recherche sémiotique, un vaste domaine de modèles technologiques divers dont la valeur, en qualité et en quantité, est sans commune mesure avec celle des modèles idéologiques qui devraient constituer la contrepartie sémiologique de l'entreprise : l'insuffisance des descriptions de ces derniers rend impossible toute tentative de comparaison.

Et pourtant, depuis que Roland Barthes a transposé dans les sociétés modernes, il y a une dizaine d'années déjà, la problématique de la connotation mythique des comportements humains, on ne devrait plus avoir besoin d'aller chercher dans les sociétés archaïques des exemples des sémiotiques implicites dans les algorithmes à la fois pratiques et mythiques de la chasse ou de la pêche : si la mode des « mythologies », petites et grandes, prospère en France, les descriptions des modèles idéologiques restent rares.

Cet état de choses permet de situer et d'évaluer les efforts qui sont poursuivis actuellement dans le domaine de l'analyse des structures narratives. Grâce aux travaux d'anthropologie culturelle relatifs aux mythes, élargis au domaine folklorique et finalement à la recherche portant sur les genres de la littératuré « écrite », les schémas narratifs de plus en plus nombreux constitueront probablement les premiers échantillons de sémiologie syntagmatique.

4.4. LA LITTÉRATURE ET L'HISTOIRE.

Les réticences que rencontrent les recherches visant l'explicitation des modèles idéologiques ont des racines profondes : nous ne croyons pas qu'il s'agisse là uniquement, comme on le dit communément, des réactions de la bourgeoisie défendant ses propres valeurs. Ce qui est en cause ici, c'est l'ensemble des valeurs culturelles — populaires autant que bourgeoises — que la société occidentale assume traditionnellement et qui, sous le nom de « l'humanisme », constituent son « vécu » implicite. On considère assez généralement que la crise de l'Occident réside dans l'existence de deux humanismes, l'un de tradition gréco-latine, l'autre cherchant à intégrer, en une anthropologie unique, toutes les valeurs humaines, celles de la négritude à côté de celles de l'albitude. Le problème, dans la mesure où il n'est situé ainsi qu'au niveau des *contenus* de la connaissance, ne nous paraît pas essentiel : c'est au niveau de la *forme* de ces contenus, de leur articulation implicite, qu'il devrait être posé.

La sémiologie syntagmatique menace, par le fait même qu'elle est possible, les deux bastions de la tradition humaniste : la littérature et l'histoire. Il est évident que ces deux « disciplines » n'ont rien de commun avec les autres sciences humaines. Leur contenu, généralement humain (« la littérature est un humanisme »), est coextensif à l'ensemble des sciences de l'homme, elles prétendent, dans leur projet du moins, englober l'univers sémantique dans sa totalité. Elles ont par là vocation de devenir des disciplines de la forme, articulant d'une certaine manière le savoir humain et organisant en même temps sa diffusion et sa transmission : ainsi l'enseignement littéraire tel qu'il se donne dans les sociétés occidentales ou occidentalisées est en fait la transmission rituelle d'un certain nombre de modèles d'organisation des discours, écrits ou pensés; et l'enseignement de l'histoire, l'apprentissage des modèles du discours historique, c'est-à-dire des schémas diachroniques selon lesquels « l'histoire se fait ».

Aussi les œuvres littéraires, les formes de transmission du savoir (cf. les dissertations et les thèses), les récits de l'histoire « scientifique », autant que différentes philosophies de l'histoire, constituent-ils le domaine privilégié pour la description de ces sémiotiques tantôt implicites, tantôt incomplètement manifestées, dont sont faites les civilisations à histoire. Ce qui paraît choquant — ou prometteur — dans une telle entreprise que l'on commence à peine à envisager, ce n'est pas que les valeurs humaines et les formes de leur manifestation puissent être décrites, ce n'est même pas qu'elles soient comparées avec d'autres contenus et d'autres formes ne devant rien à la tradition gréco-latine, c'est le fait que ces modèles particuliers, démythifiés et cessant d'être, du même coup, porteurs d'un humanisme universel, puissent être confrontés avec les modèles sémiotiques et situés ensemble sur le même plan de « bricolage » artisanal, pour être ensuite intégrés, sans plus, dans la théorie générale du savoir, condition et projet d'une nouvel humanisme.

5. CONCLUSION

Nous ne voulons pas dissimuler l'aspect largement prospectif et le caractère peu assuré des réflexions qui précèdent. L'intention, à notre avis, devrait compter plus que le résultat dans ce genre d'entreprise. Essayer de considérer, sous un angle unique, celui de la théorie du langage, le domaine entier de la science, cherchant à comprendre ses articulations, à distinguer l'essentiel du secondaire, serait un projet trop ambitieux, s'il n'était tempéré par le désir explicite de déceler les immenses lacunes de notre savoir et d'explorer les possibilités de les combler.

Les propositions terminologiques, qui sont ici incluses, n'ont qu'une importance secondaire. Ainsi, il nous est paru opportun de désigner du nom d'*univers sémantique* ce qui est visé par le savoir, avant la constitution de la science, et du nom de *théorie sémantique*, le corps de concepts qui rend possible la science, sans constituer pour autant par lui-même un objet scientifique définitif. Pour éviter la polysémie, nous avons préféré le nom de *micro-univers* pour désigner ces « sémiotiques implicites » en lesquelles se découpe l'univers sémantique au moment de la description, réservant les termes de *sémiotique* et de *sémiologie* aux micro-univers déjà décrits. Comme la différence entre ces dernières n'est que de l'ordre de la procédure, il n'y a pas d'isotopie nécessaire entre la dichotomie ainsi instituée et celle des sciences de la nature et de l'homme. Les noms de *méta-sémiotique* et *méta-sémiologie* sont, enfin, attribués aux descriptions des modèles et des procédures, et non de l'univers sémantique.

La structure sémantique[1]

1. LA STRUCTURE SÉMANTIQUE ET L'UNIVERS SÉMANTIQUE.

Par structure sémantique, on doit entendre la forme générale de l'organisation des divers univers sémantiques — donnés ou simplement possibles — de nature sociale et individuelle (cultures ou personnalités). La question de savoir si la structure sémantique est immanente et sous-tendue à l'univers sémantique, ou si elle n'est qu'une construction métalinguistique rendant compte de l'univers donné, peut être considérée comme non pertinente. Le sens apparaît toujours comme une donnée immédiate : cela suffit à l'homme pour vivre et agir dans un monde signifiant. La question du statut structural de la signification ne se pose qu'avec le projet de sa description scientifique. Le sémanticien peut assumer l'hypothèse structurale en disant soit qu'il existe une structure sémantique organisant l'univers du sens, soit qu'une telle structure est postulée en vue de l'investigation de l'univers sémantique. Les conséquences pratiques seront les mêmes : le sémanticien aura à élaborer une théorie qui lui permette de construire des modèles formels conformes à la structure sémantique préexistante (ou susceptibles de rendre compte des univers sémantiques donnés), et une méta-théorie épistémologique le rendant capable d'apprécier l'adéquation de ces modèles.

2. LA STRUCTURE SÉMANTIQUE EST UNE COMBINATOIRE.

Il semble que le meilleur point de départ pour la compréhension de la structure sémantique consiste, pour le moment, dans la conception saussurienne des deux plans du langage — celui de l'expression

1. Communication présentée au symposium organisé par Wenner-Gren Foundation sur *Cognitive Studies and Artificial Intelligence Research* (Chicago, mars 1969).

et celui du contenu —, l'existence de l'expression étant considérée comme la condition de l'existence du sens.

Une telle conception permet :

a) de postuler le parallélisme entre l'expression et le contenu; et de donner ainsi une idée approximative du mode d'existence et d'articulation de la signification;

b) de considérer le plan de l'expression comme constitué d'écarts différentiels, conditions de la présence du sens articulé, et par conséquent instruments d'appréciation de l'adéquation des modèles utilisés pour la description du plan sémantique (conformément à la règle, dérivée du principe de parallélisme, selon laquelle à tout changement d'expression correspond un changement de contenu).

L'hypothèse de l'isomorphisme entre les deux plans autorise donc à concevoir la structure sémantique comme une *articulation* de l'univers sémantique en unités de significations minimales (= ou sèmes), correspondant aux traits distinctifs du plan de l'expression (= ou phèmes); ces unités sémantiques sont formées, de la même manière que les traits de l'expression, en *catégories sémiques binaires* (la binarité étant considérée comme une règle de construction et non nécessairement comme un principe statuant sur leur mode d'existence).

Il est dès lors facile d'imaginer comment un très petit nombre de catégories sémiques peut générer, à l'aide d'une combinatoire, un nombre considérable d'unités sémantiques plus larges ou *sémèmes* (= acceptions particulières de mots polysémiques, par exemple). Mais il est tout aussi aisé d'observer que l'isomorphisme que nous avons posé entre des structures sémantiques et phonologiques situées à un niveau qu'on peut dire profond du langage, ne peut plus s'appliquer lorsqu'il s'agit d'évaluer les dimensions des unités manifestées au niveau — superficiel — des langues naturelles. On dira qu'il existe un isomorphisme entre les sèmes et les phèmes, et que comme la combinaison des phèmes produit des phonèmes, la combinaison des sèmes produit des sémèmes; mais on voit que les dimensions syntagmatiques d'un phonème ne correspondent plus à celles d'un sémème (dimensions équivalentes *grosso modo* à celles d'un lexème). En poursuivant la comparaison, on peut encore observer que des combinaisons de phonèmes constituent des syllabes, tandis que des combinaisons de sémèmes produisent des énoncés sémantiques.

Cette comparaison, si elle n'est pas satisfaisante lorsqu'on ne considère que le niveau de la manifestation linguistique, établit toutefois un parallélisme intéressant entre les unités de l'expression et celles du contenu prises antérieurement à leur manifestation. Ainsi, si l'on accepte le principe de l'isomorphisme entre les syllabes et les énoncés sémantiques, les considérations relatives à la construction et aux possibilités combinatoires des syllabes seront chaque fois valables pour la compréhension de la structure sémantique prise au même niveau d'articulation. Ceci peut être formulé de la manière suivante :

a) Conformément à l'écart reconnu entre les possibilités structurales de la combinatoire syllabique et le nombre très restreint de syllabes utilisées par une langue naturelle quelconque, une combinatoire d'énoncés sémantiques réalisée ne recouvre qu'une zone réduite de la structure sémantique (les termes d'*usage sémantique* pour les univers culturels, et de *performance sémantique* pour les univers individuels, pourraient désigner ces restrictions).

b) Conformément à la reconnaissance d'incompatibilités syntagmatiques dans la construction des enchaînements syllabiques, des *règles de restriction* doivent être conçues et formulées pour la construction des énoncés sémantiques et des combinaisons transphrastiques.

La structure sémantique apparaît alors comme une combinatoire virtuelle mais exhaustive de catégories sémiques, tandis que les usages et les performances sémantiques correspondent à des manifestations restreintes, particularisées selon la forme des cultures et des personnalités. Deux approches, parallèles mais différentes, sont donc possibles : *a*) une exploration d'univers sémantiques virtuels et ouverts, considérés comme des *possibilités* créatives de l'homme; *b*) une description d'univers sémantiques, passés ou présents, mais restreints et *réalisés*, recouvrant l'ensemble des dimensions historiques et typologiques de l'humanité.

3. LA FORME SÉMIOTIQUE ET LA FORME SCIENTIFIQUE.

Selon la conception saussurienne de la *forme linguistique* — mais présentée dans sa formulation hjelmslevienne, plus élaborée —, tout langage peut être défini comme *une forme* obtenue par la *conjonc-*

tion de deux substances différentes ayant chacune *leur forme propre :* la substance de l'expression et la substance du contenu. Une application prudente du principe d'isomorphisme entre ces deux substances nous permet de transposer notre connaissance du plan de l'expression, et d'introduire ainsi quelque clarté dans le domaine de la sémantique.

a) Si la substance de l'expression peut varier dans sa forme (cf. deux différentes descriptions non isomorphes de traits distinctifs phonémiques et graphémiques, où une catégorie telle que *p* vs *b*, voisé *vs* non voisé, n'a rien de commun avec la catégorie *m* vs *n*, trois bâtonnets *vs* deux bâtonnets) sans introduire de changement dans les conditions de la signification, nous devons admettre que non seulement le choix de telle ou telle substance du signifiant n'est pas pertinent pour la manifestation du sens, mais aussi postuler l'existence dans chaque cas d'une *forme de la substance*, variable mais autonome, indépendante en tous cas de la *forme linguistique*.

b) Si l'on reconnaît l'existence d'une forme particulière, propre à chaque substance utilisée au plan de l'expression, on doit accepter en même temps que la *forme* qu'on appellera *sémiotique* de la substance soit différente de ce qu'on pourrait appeler la *forme scientifique* de la même substance : si, par exemple, la chimie en tant que science est une organisation formelle particulière d'un domaine de substance donné, alors les éléments chimiques sont ces unités minimales (= ces traits distinctifs) dont la combinatoire produit, au plan de la manifestation, un des aspects de ce qu'on appelle, faute d'un terme plus approprié, le monde du sens commun. La chimie est une forme scientifique dont la manifestation superficielle est utilisée pour la construction, à l'aide d'une nouvelle articulation, de la forme sémiotique qui doit, à travers tous les types de langage, servir à l'expression du sens.

c) Il est facile de faire les mêmes remarques sur la substance sémantique. La forme sémiotique de cette substance (= la structure sémantique) est différente de ses formes scientifiques possibles (si tant est que les sciences humaines et sociales puissent être considérées, dans leur état actuel, comme des formes scientifiques).

La conception du langage comme une forme organisant la co-occurrence de deux *substances* différentes, articulées dans leurs *formes sémiotiques* particulières, lesquelles, en plus, doivent être distinguées des *formes scientifiques* des mêmes substances, peut apparaître comme une complication inutile. Il nous semble néanmoins qu'elle aide à situer la structure sémantique dans l'économie d'une théorie épistémologique générale ; bien plus, elle permet de définir les sciences comme des langages construits, manifestant de façon spécifique la forme de la substance. Une telle conception du langage donne aussi, par exemple, les raisons de malentendus relatifs au rôle de la logique (et de ses modèles) dans ses relations avec les sciences de la nature et la sémiotique. Tandis que la logique peut être définie, dans notre terminologie, comme la forme du contenu utilisée pour vérifier *les formulations linguistiques de la forme scientifique de l'univers comme expression* (cette forme scientifique étant désignée du nom de « sémantique » par les logiciens), la logique dont nous avons besoin en sémantique est une sorte d'*algèbre de la forme de l'expression linguistique* qui nous permettrait de vérifier les articulations de la structure sémantique.

4. LE TRANSCODAGE VERTICAL ET HORIZONTAL.

Il est généralement admis, à l'heure actuelle, que toute explication ou description du sens n'est autre chose qu'une opération de transcodage. Expliquer ce que signifie un mot ou une phrase, c'est utiliser d'autres mots et d'autres phrases en essayant de donner une nouvelle version de la « même chose ». La signification peut être définie, dans ce contexte, comme une corrélation entre deux niveaux linguistiques ou deux codes différents. Toutes les descriptions sémantiques sont de cette nature, et leur statut scientifique ne peut être assuré qu'en introduisant un certain nombre de règles épistémologiques du transcodage (telles que cohérence et simplicité de la description) ou en utilisant, dans la description, des modèles adaptés aux exigences de la transcription sémantique.

Toutefois, des études récentes portant sur le langage et les pratiques gestuels montrent qu'on peut concevoir l'explication du sens d'une tout autre manière : le sens peut être conçu notamment soit comme un projet virtuel, soit comme l'achèvement d'un procès programmé (cf. « le sens de l'histoire » ou le « savoir-faire » d'un cordonnier).

L'application d'une dichotomie *procès* vs *système*, catégorie explicative de caractère très général, pour mieux cerner ce nouveau type de manifestation du sens, permet de concevoir de trois manières la description non seulement d'un micro-univers sémantique délimité, mais du langage pris dans son ensemble :

a) il peut être décrit comme un *système virtuel*, logiquement antérieur au procès à accomplir;

b) il peut être décrit comme un *procès*, c'est-à-dire comme un programme orienté de caractère algorithmique, comportant une finalité reconnaissable *a posteriori* (cf. le développement de l'embryon en génétique);

c) il peut être présenté comme un *système organisant les résultats* du procès programmé.

Ces différentes descriptions — la description étant toujours conçue comme un nouvel encodage — constituent trois phases distinctes du *transcodage horizontal.*

Le plan de l'expression du langage, par exemple, peut être conçu, dans le cadre de la communication, comme la succession d'opérations de transcodage horizontal, chaque phase de ce processus étant caractérisé comme :

a) un système virtuel présupposé, permettant la réalisation du procès gestuel des organes de phonation;

b) le procès gestuel de l'articulation des sons;

c) la structure phonologique réalisée;

d) un système virtuel permettant l'exécution du programme de décodage;

e) le programme de décodage en tant que procès de perception.

Deux remarques sont à faire à ce propos :

1. La première, d'ordre méthodologique : deux descriptions différentes — description des systèmes virtuels ou réalisés, et description des programmes orientés — sont équivalentes. Cela veut dire, par exemple, que les approches méthodologiques et les descriptions de Hjelmslev et de Chomsky peuvent être considérées, *mutatis mutandis,* comme équivalentes.

2. La seconde, d'ordre épistémologique : la constitution de l'expression en tant qu'un des plans des langues naturelles implique une opération de transcodage dont l'homme est le médiateur.

5. DE L'EXPRESSION AU CONTENU.

Cette conception de la forme sémiotique comme susceptible d'être soumise à différents transcodages, tant verticaux (métalinguistiques) qu'horizontaux, et l'interprétation que nous proposons du procès de communication comme une succession d'opérations de transcodage, nous aideront dans notre tentative pour intégrer la structure sémantique dans le cadre d'une épistémologie générale où l'univers est conçu comme la substance, articulée et progressivement décrite à travers les différentes sortes de langages.

Si l'on considère que ce qu'on appelle le monde du sens commun n'est que le niveau où se manifeste la *forme scientifique* (= l'univers en tant que science), on voit que ce monde manifesté, tout en étant la substance de la forme scientifique, se fournit en même temps comme substance à la *forme sémiotique*, qui l'articule en catégories perceptives de qualités visuelles, olfactives ou gustatives. La rencontre de ces deux formes différentes peut être interprétée comme un transcodage spécifique, qui transforme les unités syntagmatiques de la forme scientifique (par exemple, des formules chimiques particulières) en unités paradigmatiques minimales de la forme sémiotique (par exemple, des entités particulières d'odeurs ou de saveurs). L'écart entre le monde physique, comme structure scientifique, et le monde humain, comme structure sémiotique, peut dès lors être aménagé par l'établissement des corrélations entre ce qu'on peut appeler en gros la syntagmatique scientifique et la paradigmatique sémiotique.

Si tant est qu'on puisse rendre compte du procès de la perception, par lequel le monde manifesté est saisi comme « le monde des qualités sensibles », en présupposant un système virtuel en corrélation avec le cerveau et en établissant la forme sémiotique de l'expression de ce monde, un nouveau phénomène de transcodage se laisse observer à ce stade : les unités minimales, ou même des configurations entières de ce plan de l'expression, se trouvent transformées, afin de produire des langues naturelles, en unités et configurations du plan du contenu, ayant les mêmes caractéristiques et les mêmes dimensions. (Ainsi, par exemple, l'analyse sémantique d'un lexème tel que *tête* permet de distinguer une figure nucléaire de nature extéroceptive, constante pour toutes les occurrences et dans tous les contextes, figure qui peut être décrite comme « une extrémité pointue ou sphéroïde » de quelque chose.) La transformation de l'expression en contenu, considérée comme une procédure de la mise en corrélation de deux systèmes virtuels — dont l'un commande le procès de la perception et dont l'autre rend compte de la manifestation linguistique de la structure sémantique —, peut être présentée comme une tentative d'explication du passage du référent extra-linguistique au plan du contenu linguistique, c'est-à-dire à la structure sémantique.

Le langage pris dans son ensemble est alors la conjonction de deux différentes substances toutes deux de nature sensible (l'une constituant le plan de l'expression, l'autre le plan du contenu), articulées en deux formes sémiotiques différentes, et transcodées de deux manières différentes par la médiation de la forme linguistique (le procès de médiation lui-même étant en corrélation avec les activités physiologiques du cerveau). Mais tandis que le plan de l'expression est obtenu par le transcodage d'un *procès* en un *système*, attachés à deux substances différentes, le plan du contenu est le résultat de l'établissement d'une corrélation entre *deux systèmes* dont l'un appartient au plan de l'expression et l'autre au plan du contenu.

En d'autres termes, entre la manifestation de la structure scientifique de l'univers accepté par l'homme comme *existant* et la manifestation de la structure sémantique qui projette cet univers comme *existant et signifiant*, c'est-à-dire comme un univers sémantique, il n'y a pas de solution de continuité, mais seulement une série d'opérations de transcodage.

6. LES UNIVERSAUX DU LANGAGE.

L'analyse d'un corpus représentatif d'unités sémantiques telles que sémèmes ou énoncés sémantiques révèle la présence, au niveau sémantique du langage, de deux différentes sortes de sèmes. Le premier groupe de ces catégories sémiques est constitué de *sèmes d'origine extéroceptive*, qui correspondent aux catégories qualitatives du monde du sens commun. Le second groupe est composé de catégories *intéroceptives* (telles que *êtres* vs *choses*, *objets* vs *opérations*) : elles ne peuvent s'expliquer par des transformations d'unités de l'expression en unités du contenu et doivent être considérées comme des *catégories purement formelles* (en ceci qu'elles sont constitutives de la forme, et non qu'elles sont dépourvues de sens).

Il est facile de constater que ces catégories formelles sont utilisées pour l'encadrement du procès de la communication et rendent ainsi possible la transmission du contenu, conçu comme une combinatoire de catégories extéroceptives. Elles sont donc constitutives des catégories grammaticales, la grammaire n'étant elle-même qu'une organisation particulière des catégories formelles.

Cela ne rend pas compte de tous leurs usages fonctionnels. Quand on essaie de déterminer les conditions minimales de la saisie du sens et qu'on considère que l'existence d'*écarts différentiels* au plan de l'expression constitue une condition privilégiée de l'apparition des différences dans le sens, on est obligé de reconnaître que ces écarts ne se laissent pas saisir si ne sont pas présupposées des catégories formelles aprioriques telles que *identité* vs *altérité* (= différence) ou *conjonction* vs *disjonction.* Cela signifie, en d'autres termes, que nous saisissons non pas deux objets extérieurs distincts, mais seulement la relation entre eux. Le plan de l'expression, en tant que substance, n'est que prétexte nécessaire pour la saisie d'un écart différentiel. Dès lors, cette opération de saisie doit être interprétée comme une organisation particulière de catégories formelles, organisation qui, seule rend compte de la saisie. La forme sémiotique ne fait qu' « informer » la substance, sans appartenir elle-même à la substance.

Et dès lors, cette organisation formelle de l'expression nous permet d'expliquer l'apparition du sens comme une articulation de différences au niveau de l'expression. Deux formes sémiotiques parallèles — une forme de l'expression et une forme du contenu — peuvent être distinguées : elles sont *homologues*, parce qu'elles sont des dérivations d'une seule *forme linguistique;* mais elles ne sont *pas isomorphes*, les plans de l'expression et du contenu étant articulés de deux manières différentes.

Cette conception du parallélisme de deux *formes sémiotiques* nous permet de comprendre le processus de transformation — un des problèmes essentiels de la sémiotique — des catégories de l'expression en catégories du contenu. La forme linguistique étant constituée de deux formes sémiotiques caractérisées par des articulations homologues, le passage de la structure de l'expression à la structure sémantique n'est concevable que si, dans certaines circonstances particulières, ces deux formes se trouvent être non seulement homologues, mais en même temps isomorphes : les catégories qualitatives du monde extérieur sont alors identifiées avec les catégories sémiques de la structure sémantique. L'isomorphisme des formes sémiotiques rend compte, par conséquent, du phénomène de l'intériorisation du monde extérieur.

Un répertoire, même superficiel, de catégories formelles (aux catégories déjà mentionnées il faut ajouter, à titre d'exemples, des catégories comme : *relation* vs *terme*, *négation* vs *assertion*, *procès* vs *système*, *virtuel* vs *actuel*, etc.) montre que ces catégories qui apparaissent comme des outils nécessaires pour l'examen des conditions du sens, non seulement sont les mêmes dont on a besoin pour la construction d'une théorie généralisée du langage, mais servent, en même temps, comme corpus de concepts épistémologiques aux fins de l'investigation et de la théorisation scientifique, c'est-à-dire à la construction de modèles scientifiques particuliers et à l'élaboration de la théorie générale de la connaissance scientifique. Ceci est bien conforme avec notre conception de la sémiotique, selon laquelle les sciences ne sont rien d'autre que des formes scientifiques construites comme des langages.

Si le même inventaire de catégories formelles est utilisé pour la construction des modèles scientifiques et sémiotiques, si les modèles opérationnels sont, *mutatis mutandis*, transcodables en modèles systématiques et inversement, alors un plan homogène peut être postulé pour les descriptions des univers et scientifique et sémantique.

Conditions d'une sémiotique du monde naturel[1]

1. INTRODUCTION

L'affirmation de l'arbitraire du signe, tout en permettant des progrès considérables dans la connaissance de la structure interne des langues dites naturelles, n'a pas manqué d'élargir, par des conséquences d'abord imprévisibles, la problématique du statut du langage, et d'introduire le linguiste à une interrogation sur les possibilités d'une théorie sémiotique généralisée, responsable de toutes les formes et de toutes les manifestations de la signification. Si le rapport entre le signifiant et le signifié, au niveau du signe, c'est-à-dire du mot ou d'une unité syntagmatique quelconque, est arbitraire, il l'est aussi au niveau de *tous* les discours par lesquels la langue est présente à nous : elle est une *forme* — ou, mieux, l'enchevêtrement de deux formes — *indifférente à la substance* dans laquelle elle se trouve manifestée.

Il suffit d'inverser le point de vue pour se rendre compte que la seule présence concevable de la signification dans le monde est sa manifestation à l'intérieur de la « substance » qui englobe l'homme : le monde dit sensible devient ainsi l'objet, dans sa totalité, de la quête de la signification ; il se présente, dans son ensemble et dans ses articulations, comme une virtualité de sens pour peu qu'il soit soumis à une forme. La signification peut se cacher sous toutes les apparences sensibles, elle est *derrière* les sons, mais aussi derrière les images, les odeurs et les saveurs, sans pour autant être *dans* les sons ou dans les images (comme perceptions).

1. Publié sous ce titre dans *Langages*, 7, juin 1968, numéro spécial consacré aux *Pratiques et Langages gestuels*.

Dans certaines théories linguistiques qui sont infléchies par le behaviorisme et ont intégré des éléments de la théorie de la communication, on a pensé — sans se poser le problème des variations du sens au même titre que du signifiant — pouvoir interpréter la diversité de signifiants comme un problème d'encodages diversifiés, la multiplicité et l'autonomie relative des *codes d'expression* relevant d'une typologie des *canaux de transmission*, celle-ci reposant à son tour sur une articulation de notre perception en cinq, six ou sept sens. Cependant, l'hypothèse selon laquelle ces codes d'expression seraient substituables les uns aux autres — le contenu restant invariant et, souvent, inconnu — ne nous semble pas, même si l'on admet qu'en passant d'un code à un autre il peut y avoir rétrécissement ou élargissement du champ du signifié, rendre suffisamment compte de la complexité du phénomène :

a) En admettant que les *substances* d'expression puissent être classées selon les canaux de transmission que la signification emprunte pour parvenir jusqu'à nous, rien n'indique *a priori* ni que les *codes* qui organisent ces différentes manifestations puissent être eux-mêmes *classés* selon le même critère (c'est-à-dire selon les *canaux de transmission*), ni que ces formes d'expression puissent être chaque fois *décrites*, par pure analogie, selon des modèles tirés des *langues naturelles*.

b) L'expérience linguistique *stricto sensu* nous montre déjà la diversité d'approches du signifiant linguistique, qui peut être saisi et codé (c'est-à-dire recevoir une interprétation métalinguistique à l'aide d'un nouveau langage scientifique) tout aussi bien au niveau proprement « physiologique » de la phonation qu'aux niveaux « acoustique » ou « perceptif ». Sans parler des difficultés, non encore résolues, de la mise en corrélation et de la transposition de ces diverses interprétations d'un même code linguistique, rien ne nous indique *a priori* que, selon les *substances* de manifestation considérées, les *codes* d'expression appropriés ne correspondent pas à tel niveau de saisie d'un même phénomène linguistique plutôt qu'à un autre. Nous y reviendrons.

c) Si, finalement, on se refuse à entrer dans le jeu behavioriste et à accepter toutes ses implications, on s'aperçoit que le *problème de la sémiosis*, c'est-à-dire *de la relation sémiotique entre l'expression et le contenu*, constitutive du sens et inhérente à l'axiomatique de toute théorie du langage, se pose à tout instant lorsqu'on réfléchit sur le statut des codes d'expression autres que linguistiques.

S'il nous est quasiment impossible de procéder à la reconstitution archéologique du processus de l'invention de notre écriture, c'est-à-dire, justement, de la transposition du code utilisant la substance sonore dans un code de type visuel, les lenteurs de sa démarche tâtonnante, mais aussi la complexité des problèmes à résoudre dont, en particulier, la constitution d'une phonologie implicite nécessaire à une telle transposition, font penser, non sans raison, que ce n'est peut-être pas le cheval, mais l'écriture, qui est la plus noble conquête de l'homme, qu'une mutation brusque, qualitative, de la pensée humaine doit être mise en corrélation avec cette découverte. Aussi l'effort, actuellement perceptible, pour dépasser une linguistique limitée aux langues naturelles vers une sémiotique générale, annonce-t-il peut-être une autre révolution aussi tâtonnante et aussi difficile. Ceci, évidemment, n'est qu'une métaphore relevant du discours didactique, visant à dissocier la recherche sémiotique des fluctuations passagères de la mode, et désignant tout à la fois l'ampleur des ambitions et la modestie des moyens des réflexions qui suivront.

Les progrès récents de la linguistique ont été parallèles à ceux de la logique; elles sont réunies dans leur préoccupation commune de construire un langage cohérent qui permette de parler avec efficacité d'autres langages. Mais si le souci de la cohérence du langage leur était commun, leur visée d'efficacité les a vite séparées : la découverte du caractère arbitraire des signes a permis à Saussure de proclamer l'autonomie de l'objet linguistique, et dans ce champ dès lors le discours scientifique pouvait se satisfaire de sa cohérence interne pour être adéquat à son objet; le discours logique, tout en testant la solidité de ses propres jugements, se devait, de plus, d'être adéquat par rapport à ce qu'il n'était pas; par rapport au monde extra-linguistique.

C'est ainsi que le concept du *référent* s'est introduit dans le débat linguistique. La position du logicien néo-positiviste affirmant l'existence d'une référence des « noms propres » à des objets du monde, ne pouvait qu'agacer le linguiste, conscient tout ensemble de la participation de la langue à la construction du monde des objets, et de la relativité, correspondant à la diversité des sociétés humaines, du découpage du monde des significations. Dans le même temps, lui-même, se sentant mal à l'aise dans l'univers clos et auto-suffisant du langage, avait tendance à hypostasier celui-ci, allant jusqu'à identifier le monde avec le langage.

L'apparition de la sémiotique, qui se considère comme la théorie de tous les langages et de tous les systèmes de signification, peut probablement mettre fin à ce débat ou le situer, au moins, au niveau de l'épistémologie scientifique et non plus à celui des présupposés philosophiques. Il suffit pour cela de considérer le monde extra-linguistique non plus comme un référent *absolu*, mais comme le lieu de la manifestation du sensible, susceptible de devenir la *manifestation* du sens humain, c'est-à-dire de la signification pour l'homme; de traiter en somme ce référent comme un ensemble de systèmes sémiotiques plus ou moins implicites. Tout en affirmant le caractère privilégié de la *sémiotique des langues naturelles* — celles-ci ayant la propriété de recevoir les traductions des autres sémiotiques —, il nous faut postuler l'existence et la possibilité d'une *sémiotique du monde naturel* et concevoir la relation entre les signes et les systèmes linguistiques (« naturels »), d'une part, les signes et les systèmes de signification du monde naturel, de l'autre, non comme une référence du symbolique au naturel, du variable à l'invariant, mais comme *un réseau de corrélations entre deux niveaux de réalité signifiante*. Parallèlement aux sciences de la nature, les sciences de l'homme peuvent ainsi affirmer leur autonomie, qui provient non pas de la « nature » des objets d'investigation : mots ou choses, nature ou culture, mais *de la méthode d'approche qui les constitue tous en objets humains, c'est-à-dire signifiants pour l'homme*.

2. LE MONDE NATUREL ET SA SIGNIFICATION

En limitant notre réflexion sur le monde sensible au *visuel* — parce que notre thème nous y invite, mais aussi parce que la manifestation du sens par le visible paraît être la plus importante, quantitativement et même qualitativement —, nous pourrons nous interroger, de manière naïve d'abord, sur les modalités de la manifestation du visible. Cette interrogation nous amène immédiatement à reconnaître ce fait que le monde visible, au lieu de se projeter devant nous comme un écran homogène de formes, nous apparaît comme constitué de plusieurs *couches de signifiants* superposées, ou parfois même juxtaposées.

2.1. LES SIGNES NATURELS.

Un premier niveau s'impose à nous comme une réalité objective, comme le monde du sens commun fait d'objets immobiles ou se déplaçant dans l'espace. Tel qu'il se présente, il est constitué d'objets-noms et de procès-verbes, et se prête donc, suivant l'ordre de priorités qu'on accordera, à être interprété soit comme le résultat d'une activité linguistique constructive et catégorisante, soit comme la source du symbolisme linguistique; il autorise dans les deux cas, bien qu'*a posteriori*, l'établissement d'équivalences entre les mots et les choses, entre les procès et les fonctions.

Mais quand, acceptant le principe de ces équivalences, on veut en tirer les conséquences et considérer les choses et les procès comme des signes — qu'on pourrait même désigner comme des *signes naturels* —, on ne doit plus se contenter de la constatation courante qui consiste à dire que les choses *sont*, ou qu'elles sont ce qu'elles sont : et l'on est ainsi amené à se poser la question de leur *statut sémiotique*. En effet, s'il est, pour ainsi dire, dans la nature des signes de signifier, il ne suffit pas de dire que l'objet table a pour contenu « table » — on ne ferait ainsi que renvoyer les choses aux mots —; il faut s'interroger sur le statut du signe naturel *en tant que signe*. On s'aperçoit alors que le trait commun des signes naturels est de *renvoyer* à autre chose qu'à eux-mêmes, mais que cette relation référentielle — tout en pouvant être définie en termes structuraux et alors même qu'en tant que relation, elle peut être considérée comme un invariant — possède des articulations différentes, *variables* en fonction des communautés culturelles envisagées.

Par exemple : le XVIIIe siècle européen qui a justement mis en valeur la notion même de signe naturel[1], le conçoit, quant à lui, comme une référence à un autre signe naturel : le signe « nuage » envoie au signe « pluie ». Deux points doivent être notés à ce propos : *a*) la relation référentielle une fois donnée, on peut constater qu'elle s'articule comme une relation de cause à effet; aussi la relation d'effet à cause qu'on retrouve dans la sémiologie médicale (réflexe rotulien → bonne santé) n'est-elle que l'inversion de la première; *b*) tout en étant une

1. Cf. *Langages*, 7, F. Rastier, *Comportement et Signification*, p. 76-86.

référence, la relation renvoie à un autre signe, mais situé au même niveau que le premier; comme le remarque très justement F. Rastier, si « nuage » renvoie à « pluie », « pluie » peut renvoyer à son tour à « automne », etc., sans que pour autant nous quittions à aucun moment de l'enchaînement causal le niveau des signes-phénomènes.

A une civilisation de ce type, qui conçoit le monde naturel comme l'unique niveau de réalité mais organisé selon les lois syntaxiques du discours, s'opposent d'autres interprétations des signes naturels qui, en postulant un deuxième niveau de réalité naturelle, plus profond en quelque sorte, interprètent le signe comme la référence à cette réalité seconde, et accordent en même temps à cette relation une structure variable de métaphore, de métonymie ou d'antiphrase, c'est-à-dire d'ordre paradigmatique ou systématique.

Un essai de typologie des cultures peut être ainsi tenté, basé sur une typologie des relations structurales définissant les signes naturels (J. Lotman).

Deux conclusions peuvent être tirées de ces réflexions préliminaires. L'hypothèse, d'abord, selon laquelle le monde naturel se laisse traiter comme un objet sémiotique semble consolidée : les signes naturels, du fait de l'existence d'une relation sémiotique, et quelles qu'en soient les articulations, possèdent bien le statut de signes. Cette approche, par contre, ne nous renseigne d'aucune façon sur la nature et l'organisation interne des signes eux-mêmes : relevant d'une interprétation de la relation sémiotique qui est une variable, elle est une réflexion méta-sémiotique sur ces signes, une connotation sémiotique qui transforme de façons diverses les signes naturels en signes culturels.

2.2. LES FIGURES DU MONDE NATUREL.

Si la non pertinence du mot en tant qu'unité significative devient (dans l'ordre des langues naturelles) chaque jour plus évidente, ce n'est pas en prenant pour point de départ les signes naturels qu'on pourra constituer, comme certains semblent le penser, une sémiotique des objets. Aussi faut-il chercher un autre niveau où se situerait une vision plus profonde, moins événementielle du monde.

Gaston Bachelard pensait l'avoir trouvée dans un horizon *figuratif* qui se projette devant l'homme, lequel y puise pour constituer ses inventaires de formes et de configurations mouvantes.

Sans entrer dans les problèmes épineux du schématisme de notre perception et de la conceptualisation que l'on veut en faire dériver, on peut dire, selon les procédures linguistiques les plus classiques, que, pour obtenir le signe naturel « table » en tant qu'invariant, il faut opérer une double réduction qui consistera : *a*) à réduire toutes les tables-occurrences en un invariant-table, qui prendra l'apparence d'une figure géométrique relativement simple; et *b*) en mettant entre parenthèses la signification fonctionnelle de la table (pour manger, pour écrire, etc.), à rechercher, dans l'inventaire d'autres figures obtenues de la même manière, des exemplaires identiques ou équivalents à la figure « table » obtenue d'abord. Au niveau événementiel et accidentel du monde des *objets*, on aura ainsi substitué un niveau des *figures* du monde, entrant dans un inventaire fini, et donnant la première image de ce que pourrait être le monde signifiant considéré comme forme et non comme substance. Autrement dit, c'est cet ensemble catalogué de figures statiques et dynamiques qui constitue le corpus à partir duquel un code sémiotique d'expression visuelle pourrait être construit.

Il va sans dire que l'homme, à l'intérieur d'un tel corpus, n'est qu'une figure parmi d'autres, un volume qui, situé à l'horizon spatial, s'y déplace en traçant sur son parcours un certain nombre de configurations. On voit aussi que c'est dans le corps humain considéré comme objet perçu, situé à côté d'autres objets, que prend sa source la gestualité mimétique qu'elle soit communicative, expressive ou ludique.

2.3. LA CATÉGORISATION DU MONDE NATUREL.

Le projet bachelardien d'un répertoire des formes qui rendrait compte de l'imagination créatrice se heurte cependant à plusieurs objections : *a*) il est loin d'être prouvé qu'un tel répertoire possède un caractère universel; il devrait pour le moins comporter les articulations rendant compte de la diversification culturelle de l'humanité; *b*) des figures matricielles telles que l'*eau* ou le *feu*, pour quasi universelles qu'elles paraissent, ne renvoient pas à des signifiés constants; la solution des homographies ne peut être envisagée que de deux manières : soit par une référence au contexte, ce qui postule une syntaxe « naturelle », soit par un éclatement des figures en leurs éléments constitutifs.

C'est dans cette dernière voie que semble s'être engagé Bachelard dans ses derniers ouvrages.

Une pareille voie consiste à reconnaître l'existence, derrière les figures visibles, d'une vision *catégorielle* du monde naturel, d'une grille constituée d'un nombre réduit de catégories élémentaires de la spatialité, dont la combinatoire produit les figures visuelles, et qui rend compte du fonctionnement du code d'expression visuelle. Si nous insistons là-dessus, ce n'est pas seulement parce que les analyses de la gestualité qu'on lira plus loin se référeront tantôt à l'un tantôt à l'autre de ces deux niveaux de la visualité *(figures* et *éléments);* c'est aussi, entre autre, parce que cette distinction semble rentable pour définir le statut de certains langages artificiels, dérivés par rapport au code visuel naturel. Ainsi, dans une étude récente, A. Zemsz *(Revue d'esthétique)* a montré non seulement comment le langage pictural repose sur un code optique décomposé en catégories élémentaires, mais aussi que la diversité des codes optiques peut être interprétée, comme une articulation structurelle différente à l'intérieur d'un même espace catégoriel. On pourrait en dire autant, évidemment, à propos de l'architecture.

Finalement, dans la mesure où une telle interprétation est correcte, elle ne propose pas seulement une méthode d'approche et une procédure de description de la substance du monde naturel, visant à en extraire la forme de l'expression; elle permet aussi de rendre partiellement compte du type de relations qui peuvent exister entre les deux sémiotiques « naturelle » et linguistique, et contribue à la connaissance du phénomène linguistique lui-même. Par exemple des catégories visuelles telles que *haut* vs *bas*, *prospectif* vs *retrospectif* ou *droite* vs *courbe*, *convexe* vs *concave*, etc., qui paraissent constitutives de la *forme de l'expression* du *monde* naturel, se retrouvent de toute évidence telles quelles lorsqu'on décrit la *forme du contenu* des *langues* naturelles. Il en résulte que : *a*) la corrélation entre le monde sensible et le langage naturel est à rechercher non au niveau des mots et des choses, mais à celui des unités élémentaires de leur articulation [1]; *b*) le monde sensible est immédiatement présent jusque dans la forme linguistique et participe à sa constitution, en lui offrant une dimension de la signification que nous avons ailleurs appelée sémiologique [2].

1. Cf. ci-dessus, p. 45-46.
2. *Sémantique structurale*, Larousse, p. 55 et s.

3. LA GESTUALITÉ NATURELLE ET CULTURELLE

Les observations qui précèdent, tout en se limitant didactiquement à la seule visualité, ne concernent le monde naturel qu'en tant qu'objet global donné : le monde qui est, en termes linguistiques, de l'ordre de l'énoncé et non de celui de l'énonciation. L'homme, en tant que corps, y est intégré à côté d'autres figures, il y est forme comparable à d'autres formes. En restreignant une fois de plus le champ de notre investigation, en le limitant à la seule forme humaine, nous essaierons de garder présent à l'esprit le contexte visuel global dans lequel cette forme particulière se trouve inscrite.

3.1. LES COORDONNÉES APRIORIQUES DU VOLUME HUMAIN.

Le corps humain se meut à l'intérieur d'un contexte spatial qui doit être catégorisé, pour les besoins de la description, antérieurement au volume humain qui le remplit, s'y situe ou s'y déplace. Trois sortes de critères : déplacement, orientation (V. Proca-Ciortea et A. Giurchescu) et appui (P. Condé), semblent devoir être traités préalablement [1].

1. Si l'utilisation de l'*espace tri-dimensionnel* pour la description du volume humain paraît aller de soi, elle implique pourtant au moins trois systèmes différents :

a) un système de coordonnées spatiales permettant de rendre compte du volume humain lui-même;

b) un perspectivisme spatial introduit du fait que le corps humain en tant qu'objet perçu présuppose un spectateur, situé lui aussi dans un espace tri-dimensionnel *englobant* par rapport au corps humain *englobé :* ainsi, dans la perspective latérale, la forme humaine sera-t-elle perçue comme projetée sur un écran, tandis que le déplacement d'un groupe folklorique nécessite probablement, pour être compris, une perspective plongeante du haut en bas;

1. Étudiés ici respectivement dans l'ordre : orientation (1), appui (2), déplacement (3). Pour le détail, se référer au numéro spécial de *Langages* déjà mentionné.

c) *une topologie*, c'est-à-dire une *relativisation* de l'espace devient nécessaire lorsque la ou les formes humaines se déplacent par rapport à un point de l'espace fixe (danse du scalp) ou mobile (la pêche dans l'eau), ou par rapport à d'autres formes humaines (danses par couples ou en groupes).

2. *La pesanteur* du corps humain privilégie, d'une certaine manière, deux axes spatiaux :

a) *l'axe vertical*, dans le sens duquel s'exerce la pesanteur, introduit la catégorie du *contact* vs *non contact* du volume humain par rapport à d'autres volumes, tantôt euphorisant le non-contact par les connotations de libération du corps à l'égard de la pesanteur (ballet), tantôt valorisant certaines postures du fait de leur écart de la norme (marcher sur les mains en acrobate);

b) *l'axe horizontal* constitue, à son tour, la superficie solide (ou liquide, dans le cas de la natation) qui donne son lieu au déplacement « naturel », s'opposant à la posture « naturelle » qui est la station debout. Bien que n'étant que partiellement motivée, l'articulation « terre horizontale » *vs* « homme vertical » est généralement admise comme la position inchoative, antérieure à la mobilité.

3. *L'opposition catégorielle entre l'immobilité et la mobilité*, entre la position et le mouvement, soulève tant de problèmes que même en mettant entre parenthèses les présupposés philosophiques, il est difficile de faire autrement, à l'heure où les recherches d'une notation appropriée n'en sont qu'à leurs débuts, que d'énumérer quelques questions : la position possède-t-elle, en même temps que le contact, un caractère démarcatif, permettant le découpage du texte gestuel en *unités syntagmatiques ?* une description *aspectuelle*, saisissant le mouvement soit dans son aspect inchoatif, soit dans son aspect terminatif et le connotant par les aspects duratifs, itératifs, etc., rendant ainsi compte du temps et du rythme du mouvement, est-elle possible, est-elle préférable à la description des mouvements considérés comme des procès-prédicats?

3.2. MOBILITÉ ET MOTRICITÉ.

Le contexte spatial dans lequel s'inscrit la forme humaine est inséparable tout aussi bien des catégories de la tactilité que de la problématique du dynamisme des formes du monde perçu. Nous l'avons toutefois examiné séparément, considérant qu'une certaine catégorisation du perçu — et même son axiomatisation approximative, en attendant la constitution d'une sémiotique du monde naturel — était nécessaire. Nous l'avons fait non seulement pour insister sur la nécessité de la description du corps en sa qualité d'objet perçu, mais aussi pour marquer la séparation (confirmée par des recherches récentes portant sur l'apraxie) entre l'espace non humain, un *ailleurs*, vers lequel l'homme prolonge sa présence à l'aide du geste ou de l'outil et l'espace humain réduit, un *ici-là* où s'exerce sa gesticulation.

En effet, après avoir réduit le champ d'investigation en l'identifiant au champ de perception de l'objet humain, on peut passer à de nouvelles observations par un changement de point de vue : au lieu de considérer le corps humain comme un *objet* de perception, on peut y voir l'auteur de sa propre motricité.

Cette approche mécaniste, qu'elle soit de principe (V. Proca-Ciortea et A. Giurchescu) ou seulement didactique (Kœchlin)[1], en nous faisant concevoir le corps humain comme un système de leviers et de commandes, non seulement nous permet de circonscrire le champ de la gesticulation et d'enfermer celle-ci dans une sphère géométrique transparente, mais pose comme préalable, une désarticulation morphologique du corps humain, lequel cesse d'être une forme globale pour apparaître comme une organisation d'acteurs métonymiques (bras, jambe, tête, tronc, etc.) agissant en quelque sorte par procuration, chacun dans son espace partiel, au nom d'un actant unique.

1. Cette *désarticulation morphologique* du corps humain, même si elle sert de base à toute description de la gesticulation, n'est pas pourtant un donné immédiat et évident. Comme tout découpage du corps en organes, elle est à la fois naturelle et culturelle, c'est-à-dire soumise à des variations anthropologiques. Un domaine de recherches, insuffisamment défriché, reste ici ouvert : il pourrait puiser des renseignements précieux dans les codes visuels artificiels de caractère tératologique, tel celui qui préside à la confection des

1. Cf. *Langages*, 7, V. Proca-Ciortea et A. Giurchescu, *Quelques aspects théoriques de l'analyse de la danse populaire*, p. 87-93, et B. Kœchlin, *Techniques corporelles et leur notation symbolique*, p. 36-47.

bandes dessinées où C. Bremond a noté l'épanouissement des membres à fonction gesticulante, ou celui qui rendrait compte des procédés utilisés par la charge et la caricature, ou celui enfin de certains langages de théâtre.

2. La clôture des possibilités gesticulatoires que présuppose l'approche mécaniste permet d'imaginer la réduction de la gestualité humaine à un *modèle général de virtualités* touchant gesticulations et postures : chaque code particulier se présentant comme le choix, en vue de la manifestation, d'un nombre limité de ces possibilités. C'est également à l'intérieur d'un tel modèle qu'on pourrait chercher à tracer la limite entre gestualité normale et anormale, cette dernière constituant soit un écart stylistique, soit le lieu où se construit un langage gestuel second, de caractère ludique (cf. la thèse en préparation de P. Bouissac sur le langage du cirque).

3.3. GESTE NATUREL ET GESTE CULTUREL.

On ne peut qu'être d'accord avec B. Kœchlin lorsqu'il dit qu'il n'est plus possible, depuis Marcel Mauss, de se contenter de cette approche mécaniste du corps humain et de considérer, par conséquent, la motricité humaine comme un phénomène naturel. Même si elle est organiquement limitée dans ses possibilités, la gesticulation, apprise et transmise, tout comme les autres systèmes sémiotiques, est un phénomène social. Ce que nous disions de la typologie des cultures basée sur l'interprétation diversifiée des signes naturels, s'applique également à la gesticulation dite naturelle. Une typologie de la gesticulation socialisée ne rendrait pas seulement compte de la diversification entre les cultures (cf. techniques du baiser) ou les sexes (cf. l'opération programmée « ôter un chandail »). Elle expliquerait encore et postulerait l'existence d'une dimension sémiotique autonome qui, ne serait-ce que par les écarts différentiels qu'elle institue entre les cultures, les sexes et les groupes sociaux, fonde les cultures, les sexes et les groupements humains en signification.

Ainsi, la gesticulation naturelle se trouve transformée en gestualité culturelle, et si nous maintenons pour des raisons pratiques l'expression de *geste naturel*, il ne se définit, tout comme le *signe naturel*, que par sa virtualité sémiotique : qu'autant qu'il se révèle un élément constitutif de signification.

Si le terme « naturel » ainsi précisé nous dispense, à l'avenir, de mettre chaque fois entre guillemets le mot qui le dénote, il n'en va pas de même du terme « geste » que nous continuons à employer abusivement.

3.4. LE PROBLÈME DES UNITÉS GESTUELLES.

Ce terme de *geste* paraît d'abord suspect, parce qu'il implique, dans l'usage courant, l'exclusion d'*attitudes;* opposition qui, nous l'avons vu en 3.1.3, est loin d'être fondée.

Surtout, nous ne savons pas à quelle unité du texte gesticulatoire il peut être appliqué. La désarticulation du corps humain, justifiée par les besoins d'une description exhaustive, introduit ce qu'on pourrait appeler les acteurs spécifiques de la motricité humaine, et l'on pourrait penser que des mouvements partiels, spécifiés par les acteurs-membres différents, sont propres à être considérés comme des unités simples de l'expression, et désignés comme gestes. Il suffira cependant de lire attentivement certains passages de l'étude de B. Kœchlin, d'après l'analogie suggérée par Haudricourt entre le processus de l'articulation des phonèmes et la programmation gestuelle, pour être convaincu que la gesticulation est une entreprise *globale* du corps humain, dans laquelle les gestes particuliers des agents corporels sont coordonnés et/ou subordonnés à un projet d'ensemble se déroulant en simultanéité.

Si la division morphologique du corps se trouve ainsi en partie désavouée, il n'en reste pas moins que la distribution respective des rôles attribués à tel ou tel acteur du jeu gesticulatoire, avec prédominances et mises à l'ombre prévisibles, peut conduire, par extrapolation et analogie, à la reconnaissance de la pertinence ou de la non pertinence de tel ou tel *trait* gestuel, et, par voie de conséquence, à la construction de *phonèmes* gestuels correspondant aux opérations globales du corps humain, rendant ainsi à l'actant somatique la responsabilité de l'acte émetteur.

Kœchlin propose, en un autre endroit, une liste indicative de ces comportements naturels simples. Il n'est pas étonnant que cette liste corresponde, *mutatis mutandis*, à une autre liste, tout aussi imparfaite, qui nous vient à l'esprit, celle du Vocabulaire du Français fondamental, constituée sur la base de la fréquence d'emploi des mots français. Dans cet inventaire approximatif de mille mots, on distingue quelque trois cents verbes, facilement réductibles, par une analyse sommaire de parasynonymie, à une centaine, peut-être à moins encore. La ressemblance des deux listes ne paraît pas fortuite si l'on tient compte de la constatation, faite précédemment, selon laquelle les catégories élémentaires du plan de l'expression de la sémiotique naturelle correspondent presque terme à terme à celles du plan du contenu de la sémiotique verbale. Si l'on observe, en plus, que l'isomorphisme qu'on peut postuler entre les deux plans du langage établit la *correspondance structurale* entre *phonèmes* et *sémèmes* — fait au fond insolite sur lequel nous avons déjà eu l'occasion d'insister —, le parallélisme entre les phonèmes gestuels, suggérés par B. Kœchlin, et les sémèmes recouverts par les verbes français, se trouve éclairé.

Il suffit de considérer un peu attentivement ces deux listes, toutes deux verbalisées d'ailleurs et couvrant des comportements tels que : *a*) marcher, courir, coucher, dormir, etc.; *b*) prendre, donner, tenir, tirer, pousser, etc., pour voir qu'elles suggèrent la possibilité d'un inventaire très réduit d'activités corporelles simples et suffisamment générales à la fois; inventaire qui, par son caractère limité, fait penser à son tour au nombre très limité des phonèmes rendant compte de la totalité des articulations connues des langues naturelles. Il va sans dire que le raisonnement logique est parsemé de pièges, que les ressemblances, comme le remarque B. Kœchlin, en s'affirmant, ne font que mieux cacher les différences. Les arguments, cependant, que nous nous efforçons de verser un à un au dossier en faveur d'une conception de la gestualité comme dimension sémiotique de la culture, nous autorisent dans une mesure plus large que par ailleurs, à utiliser l'analogie phonèmes-sémèmes qui s'identifie ici avec la démarche méthodologique par laquelle nous tentons de fonder un inventaire des phonèmes gestuels. Aussi nous paraît-il possible — à condition d'appliquer les procédures d'analyse de la substance gesticulatoire qui la réduisent à des figures du plan de l'expression visuelle, procédures qui impliquent la mise entre parenthèses du sens attribué à ces comportements simples — de formuler l'hypothèse selon laquelle l'inventaire des comportements naturels simples correspond à autant de lieux du texte gestuel, et permet ainsi *le découpage de ce texte en unités manifestées ayant des dimensions minimales au plan de l'expression*, unités minimales dont la combinatoire produit des énoncés gestuels et le discours gestuel lui-même.

4. LA PRAXIS GESTUELLE

Faisons le point. Partant des observations sur le monde visible et sur le sens qu'il peut revêtir pour l'homme, nous nous sommes préoccupé, successivement, de l'homme lui-même en tant que corps; considéré d'abord comme une certaine figure du monde, examiné ensuite comme un mécanisme complexe réunissant, de par sa mobilité, les conditions nécessaires pour la production d'écarts différentiels du signifiant, à partir desquels peut surgir la signification. Cela fait, la démarche suivante pourra consister dans l'introduction de la dimension proprement humaine à l'intérieur du monde naturel.

4.1. LA PRÉSENCE DU SENS.

Il suffit d'ouvrir un dictionnaire français quelconque pour se renseigner sur la signification que peut revêtir le mot *sens :* on s'apercevra qu'il est toujours interprété de deux manières qui paraissent irréductibles : il est compris tantôt comme un *renvoi*, tantôt comme une *direction*. Dans le premier cas, il est saisi comme une superposition de deux configurations, comme le renvoi d'un code — que nous appelons *code de l'expression* — à un autre code, appelé, peut-être tout aussi arbitrairement, *code du contenu*. Dans le second cas, il apparaît comme une *intentionnalité*, comme une relation qui s'établit entre le trajet à parcourir et son point d'aboutissement.

Nous avons vu que le corps humain, en tant que configuration, réunit les conditions pour servir de support à un code de l'expression : la gesticulation sémaphorique artificielle, où une langue naturelle est sous-tendue en tant que code du contenu référentiel, en fournit la preuve supplémentaire. On est donc autorisé à admettre que la configuration mobile du corps, transformée en un système de contraintes par son inscription dans tel ou tel contexte culturel, peut fonctionner comme un code émetteur. Toutefois, pour qu'*une gesticulation naturelle* puisse être considérée *comme un ensemble d'opérations d'encodage* — c'est de cela qu'il s'agit —, il faut que soit reconnue l'existence, antérieure en droit, sinon en fait, de l'axe de la *communication*, et présupposés un destinateur-encodeur comme un destinataire-décodeur.

Il en va quelque peu autrement lorsqu'on applique à la gesticulation humaine la seconde définition du sens. On peut dire qu'un comportement naturel complexe qui correspond à ce que nous dénommons, en langue naturelle, « saisir » sera compris par le spectateur — qui se met ainsi en position de destinataire — comme signifiant « X est en train de saisir Y ». S'il est incontestable que le comportement de X a du sens, on constatera que, le destinataire restant dans les deux cas le même, l'acteur gesticulant a changé de statut, que, de *destinateur*, il est devenu *sujet*. Encore faut-il préciser ce que recouvre cette distinction terminologique.

En décrivant le « saisir », nous avons omis de mentionner l'*objet* de ce comportement qui, constitué par une classe de variables, est néanmoins nécessaire pour la description du comportement même : l'objet fait apparaître l'axe de la *transitivité* sous-jacent à ce genre de gesticulation. Ainsi, en opérant une série de substitutions d'objets, on peut imaginer :

(1) X saisit un bâton,
(2) X saisit un régime de bananes,
(3) X saisit un poisson.

Si, dans le cas le plus simple (1), la perception du sens de la gesticulation par le spectateur proviendra du décodage d'un énoncé gestuel élémentaire, la situation se compliquera pour les cas suivants. En (2), au contenu « saisir » peut correspondre, par exemple, une succession de gestes naturels : X remarquera le régime de bananes au sommet du bananier, s'approchera de l'arbre, se mettra à grimper, etc., et saisira finalement le régime de bananes. En (3), le contenu « saisir », à supposer que l'opération se passe dans l'eau et que le poisson soit mobile, sera recouvert d'une gesticulation apparemment désordonnée et plus complexe encore. Dans ces deux cas, entre la position inchoative et la position terminative du sujet, se trouvera intercalée une série d'énoncés gestuels médiateurs : nous dirons que la gesticulation prendra, dans le cas (2), la forme d'un syntagme algorithmique et, dans le cas (3), celle du syntagme stratégique.

Si l'on s'interroge maintenant sur le statut de la signification de tels syntagmes gestuels, deux séries d'observations viennent à l'esprit.

1. Tout se passe, d'abord, comme si les *énoncés partiels* qui constituent de tels syntagmes (= marcher dans la direction de l'arbre, grimper, etc.), qui étaient porteurs de sens dans la perspective de la combinatoire des gestes naturels que nous avons envisagée, se trouvaient, une fois intégrés dans des syntagmes plus larges, totalement *désémantisés*, ne gardant que leur statut de phonèmes, c'est-à-dire d'unités minimales du plan de l'expression. On dira donc que le syntagme gestuel est une combinaison de ces unités se présentant tantôt comme un sous-programme (de l'ordre de la syllabe dépourvue de sens), tantôt comme un programme (de l'ordre du mot-morphème, ayant les dimensions d'une ou de plusieurs syllabes, et comportant du sens).

2. Le problème du sens n'en est pas pour autant résolu. On peut dire même que le sens, étant donné qu'il est susceptible d'apparaître ou de disparaître lors du processus d'observation de la gesticulation, se dérobe plutôt à nous. Aussi comprend-on facilement certaines prises de positions de sémioticiens qui excluent le *comportement pratique* du champ de leurs préoccupations (cf. les grandes tendances de la sémiotique américaine) et concentrent tous leurs efforts à définir à l'intérieur de la praxis gestuelle le seul « comportement significatif[1] » par opposition à celui-là (F. Rastier).

La difficulté réside, en premier lieu, dans l'impossibilité apparente de la segmentation du texte gestuel en syntagmes porteurs de signification autrement que par recours à la sémantique des langues naturelles. Cette difficulté paraît même insurmontable tant qu'on reste dans la perspective du spectateur-destinateur, tant qu'on considère que la signification est un horizon qui se profile devant nous, qu'elle

1. Cf. l'étude de F. Rastier dans *Langages*, 7, et ce qui en sera dit en 5, sous le titre de « Communication gestuelle ».

est pour l'homme, et non que l'homme en est en même temps le sujet; qu'il est capable de la produire pour lui-même et pour le monde humain.

4.2. L'ÉNONCÉ ET L'ÉNONCIATION.

Le fait que des séquences de gestualité pratique (les gestes de l'ouvrier spécialisé à l'usine, mais aussi les techniques de l'habillement du corps) sont transmises par l'apprentissage et ravalées ensuite au niveau de la gesticulation automatique, tout en montrant leur caractère significatif, créateur d'écarts culturels, confirme le phénomène de désémantisation, qui paraît étrange à première vue. Cependant, si le syntagme programmé « nouer sa cravate » peut être considéré comme constitué d'énoncés vides de sens, il comporte, pris dans sa totalité, une signification précise, à l'intérieur d'un contexte culturel, non seulement pour le spectateur-récepteur du message visuel, mais aussi et surtout, à en croire la pathologie de la gesticulation, pour le sujet-producteur du programme lui-même : que signifierait, sinon la possibilité du découpage par la procédure de la commutation avec le plan du contenu, et l'affirmation du programme en tant que « signe » autonome, cette forme d'apraxie qui rend le sujet incapable d'exécuter le programme « nouer la cravate » mais non le programme « mettre le pantalon »? Peu importe que le contenu du syntagme gestuel soit conscient ou inconscient — cette dichotomie, on le sait, n'est pas pertinente en linguistique — si, dans un cas comme dans l'autre, le programme gestuel donné *est*, pour le sujet, un bloc signifiant démarqué.

C'est *l'introduction du sujet* dans l'analyse de la signification qui semble pouvoir rendre compte des différentes formes que cette dernière est susceptible de prendre, et non la recherche d'une limite problématique entre ce qui est significatif dans le comportement gestuel et ce qui ne l'est pas; non plus d'ailleurs que la classification extrasémiotique, telle que la maintient, à la suite de Haudricourt, B. Kœchlin, et qui repose sur la distinction de *fonctions* de la gesticulation, avec priorité génétique (?) à la gestualité technique.

Il s'agirait donc de reprendre ici la distinction devenue classique entre *le sujet de l'énoncé* et *le sujet de l'énonciation*. On sait qu'au niveau de la sémiotique linguistique, les deux sujets, bien que distincts originellement — le *locuteur* appartenant à l'ordre non linguistique du statut de la communication, en tant qu'émetteur de messages, et le *sujet verbal* relevant de l'ordre du discours linguistique — peuvent entrer en syncrétisme dans des énoncés du type « je marche », où « je » est à la fois sujet dans l'énoncé et sujet de l'énonciation (nous n'introduisons pas ici, pour le moment, le problème du référent). Au niveau de la sémiotique naturelle les deux sujets restent bien distincts : dans la praxis gestuelle, l'homme est sujet de l'énoncé tout en étant un « il » pour nous, il est le « je » agent de l'énoncé, le sujet des fonctions qui constituent son comportement; dans la gestualité *communicative*, l'homme est le sujet de l'énonciation : il est un « tu » pour nous, mais un « je » pour lui-même, dans la mesure où il cherche désespérément à produire et à transmettre des énoncés. Mais ces deux sujets sont à présent situés à l'intérieur d'un même code de l'expression [1], ce qui a pour effet d'*interdire leur présence simultanée.*

La pauvreté de ce qu'on appelle le langage gestuel *stricto sensu* semble provenir de cette impossibilité d'un syncrétisme entre le sujet de l'énonciation et le sujet de l'énoncé. Le code de la communication gestuelle ne permettant pas de construire des énoncés, et celui de la praxis gestuelle ne manifestant le sujet que comme sujet du faire, il n'est pas étonnant que les codes visuels artificiels, pour s'ériger en langages, soient des constructions composites, où les éléments constitutifs d'énoncés sont obtenus par des procédés de description imitative.

4.3. LE MONDE HUMAIN.

Ainsi, par l'intégration de la praxis gestuelle dans les préoccupations de la sémiotique « naturelle », celle-ci limite et élargit en même temps le champ de ses investigations. Elle le limite, car un *monde humain* se trouve ainsi détaché de la totalité du monde « naturel » qui est comme le donné spécifique de chaque communauté culturelle : seuls, ceux des événements du monde sensible dont le *sujet* est l'homme font partie d'une telle sémiotique, et non les événements naturels, un

1. Cf. ce qui en sera là-dessus développé en 5.

tremblement de terre, par exemple. Mais elle l'élargit aussi dans des proportions considérables. C'est en se plaçant dans cette dernière perspective que J. Kristeva[1] suggère d'opposer la *productivité* à la *communication*. En posant que ses méthodes d'approche et d'interprétation pourraient éventuellement rendre compte de la totalité des comportements humains (même si on s'est limité ici, arbitrairement, à leur manifestation visuelle dans le monde sensible), la sémiotique semble vouloir se substituer aux sciences économiques et historiques. En affirmant que les programmes gestuels sont significatifs, elle ne peut plus se dérober à cet élargissement et doit interpréter les *discours gestuels*, dans lesquels s'intègrent ces programmes, comme autant de *pratiques kinésiques* pouvant rendre compte des processus de production. Comme ces pratiques visent, à leur tour, d'une manière ou d'une autre, la transformation du monde par l'homme et qu'elle prétend pouvoir décrire ces transformations, la sémiotique semble, de plus, pouvoir recouvrir la dimension historique du monde humain.

Nous nous rendons pleinement compte de la distance qui existe entre ce qui est théoriquement concevable et ce qui est immédiatement possible. Loin de s'offrir comme des méthodes de rechange pour les autres sciences humaines, ces réflexions théoriques sont d'abord destinées à élargir la problématique de cette dimension « naturelle » de la sémiotique que nous sommes en train d'étudier : c'est à ce prix seulement que les diverses et multiples manifestations de sens peuvent être comprises, interprétées et intégrées dans une théorie sémiotique généralisée. Toute autre approche ne peut aboutir qu'à un inventaire arbitraire, pragmatique, énumératif des pratiques et des langages gestuels.

4.4. LA GESTUALITÉ PRATIQUE ET MYTHIQUE.

Lorsque, parlant des syntagmes gestuels, nous employions l'expression de *praxis* gestuelle (excluant du même coup la *communication* gestuelle, sur laquelle nous reviendrons en 5), nous la prenions dans son sens très général, comprenant par là l'utilisation que fait l'homme de son propre corps en vue de la production de mouvements organisés

1. Cf. *Langages*, 7, J. Kristeva, *le Geste, pratique ou communication?*, p. 48-64.

en programmes ayant un projet, un sens communs. Aussi peut-on distinguer maintenant, à l'intérieur de cette activité programmée générale, une gestualité proprement *pratique*, en lui opposant une gestualité *mythique*. Le fait est que ces deux activités, tout en ayant en commun un même plan d'expression et une même visée très générale (qui est la transformation du monde) se partagent entre elles les significations du monde, mais d'une façon difficile à déterminer à première vue.

Ainsi, en parlant de l'inventaire possible des gestes naturels, avons-nous insisté tout de suite sur la nécessité de dépouiller ces gestes, en les réduisant à des figures, de toute signification que celles-ci comportent nécessairement lorsqu'on veut les verbaliser. Une même figure gestuelle comportant « inclinaison de la tête et avancement du buste en avant et vers le bas », peut signifier « se baisser » sur le plan *pratique* et « saluer » sur le plan *mythique*, sans que nous soyons obligé d'accepter l'interprétation, assez communément admise, qu'il s'agit là d'un geste pratique comportant une *connotation* mythique. Il est plus simple de dire qu'un seul et même signifiant gestuel peut être, selon le contexte, intégré soit dans un syntagme gestuel pratique (travaux des champs, par exemple), soit dans un syntagme mythique (la danse).

Nous avons essayé de justifier cette distinction entre plans pratique et mythique en la fondant sur la dichotomie du *faire* et du *désir*. On peut ainsi opposer la chasse à l'éléphant, prise dans son ensemble, comme activité pratique, à la danse au village qui la prépare, considérée comme une activité mythique. Peu importe qu'il existe, dans la danse, des syntagmes mimétiques se référant à la gestualité pratique; la danse elle-même n'est pas un spectacle cherchant à *communiquer* le sens à ceux qui l'observent, ce n'est pas non plus un faire *objectif*, mais une *intentionnalité* transformant le monde en tant que telle. Qu'il s'agisse, par exemple, de l'accomplissement, comme dans le rêve, d'un meurtre symbolique, dont il ne restera ensuite qu'à superposer le modèle sur le programme pratique de la chasse, pour que l'activité pratique apparaisse un simple effet ayant sa cause dans l'activité mythique, ou un reflet de celle-ci, ce n'est là, pour les sujets qui l'assument, qu'une démarche interprétative seconde, relevant d'une typologie méta-sémiotique des cultures, et non l'affirmation d'une priorité logique du mythique dont le pratique ne serait qu'une connotation. Le problème de la priorité provoque inévitablement l'apparition de deux attitudes métaphysiques opposées dont la sémiotique peut faire l'économie.

Ainsi la gestualité mythique, qui n'est pas une simple connotation des activités pratiques, ne doit être confondue ni avec la gestualité communicative, ni avec les procédures mimétiques qui peuvent se manifester partout, sans constituer pour autant un plan sémiotique autonome. Les deux plans, pratique et mythique, se partagent, inégalement il est vrai selon les cultures envisagées, le domaine de la praxis gestuelle; il n'empêche que les algorithmes magiques ou liturgiques, les discours rituels ou cérémoniels, possèdent une universalité incontestable.

Cette dichotomie une fois admise, on peut chercher à interpréter les formes de gestualité *mixtes*, où le mythique se retrouve *diffus* dans le pratique et inversement. Par exemple, la description, à ce niveau, des structures de la parenté aura à tenir compte, en plus des structures narratives des cérémonies à prédominance mythique, des manifestations diffuses du mythique à l'intérieur des comportements pratiques (manifestations intermittentes de respect, de reconnaissance ou de domination, etc.). Comme le suggère F. Rastier, cette présence surajoutée du mythique semble n'être cependant plus qu'une pression des structures de contenus, axiomatisés au niveau des sociétés ou des groupements sociaux, qui infléchit sans les déformer les programmes de comportements pratiques : ainsi la piété de la communauté cléricale de Stendhal, qui trouve son expression dans les façons lentes de manger, qu'accompagnent les yeux baissés. Il apparaît, dès lors, que la description d'un mythique diffus dans la gestualité pratique exige une connaissance *préalable* du code sémantique qu'il est censé manifester.

5. LA COMMUNICATION GESTUELLE.

Les distinctions fondamentales que nous venons d'établir en classant d'abord tous les phénomènes gestuels selon la dichotomie *énonciation* vs *énoncé*, puis en séparant dans ce dernier la gestualité *pratique* de la gestualité *mythique*, nous permettent maintenant d'introduire des considérations complémentaires : nous allons essayer de mettre un peu d'ordre dans le domaine de la *gesticulation comme « langage »*, domaine confus en apparence, où différents éléments, signes et syntagmes gestuels, leurs programmes et leurs codes, qu'ils soient naturels ou artificiels, se trouvent le plus souvent confondus et emmêlés dans la manifestation. Tout en fondant cet essai de classification sur les *dimensions des unités gestuelles*, nous chercherons à voir comment ces diverses unités se trouvent remaniées pour êtres mises, intégrées, dans des processus de communication, et dans quelle mesure elles sont susceptibles de constituer des codes autonomes ou des langages gestuels.

5.1. LA GESTUALITÉ ATTRIBUTIVE.

Tout le monde s'accorde à peu près pour constater la pauvreté relative des inventaires gestuels réunissant les unités qu'on peut considérer comme proprement destinées à la communication. Nous avons essayé de rendre partiellement compte de ce fait en disant [1] qu'il était dû à l'impossibilité où se trouve le sujet de l'énonciation, lorsqu'il se place en situation de destinateur de la communication, d'être en même temps le sujet de l'énoncé.

Nous nous voyons obligé d'atténuer, ici, quelque peu notre jugement sur la pauvreté de la communication linguistique — tout en pensant qu'il garde sa valeur de critère distinctif — en reconnaissant l'existence d'un champ de signification dont le contenu peut effectivement être communiqué en vertu du code de l'expression sous-jacent aux manifestations mobiles du corps humain. Ce champ de signification recouvre ce qu'on désigne couramment comme des attitudes et des états intérieurs fondamentaux, tels que la peur et la colère, la joie et la tristesse, etc. Il s'agit, en somme, de significations codées selon la première définition du *sens :* c'est-à-dire en une configuration de l'expression qui fonctionne comme une *référence à une autre configuration*, celle du contenu, celui-ci instituant la nature humaine en tant que sens. Outre que la nature humaine ainsi signifiée semble se confondre

1. Cf. ci-dessus, en 4.2.

avec « l'âme animale » — ce qui selon Chomsky, exclut ce code référentiel du domaine où s'exerce la faculté du langage —, son mode d'existence et de fonctionnement peut nous éclairer sur les propriétés spécifiques du code de communication gestuelle.

1. Étant donné que le corps humain, en sa qualité de signifiant, y est traité comme une configuration, il est normal que sa mobilité ne soit considérée, pour une bonne part, qu'en tant que créatrice d'écarts positionnels, et que cette polarisation de mouvements aboutisse à la catégorisation parallèle des contenus. Outre que cela valorise, sur le plan de l'expression, ce qu'il est convenu d'appeler les *attitudes*, au dépens des gestes (et cela explique, par exemple, pourquoi R. Cresswell [1] a choisi les positions inchoatives des gestes et non les mouvements, pour la description des gestes manuels), on se trouve avoir rendu compte de la *sémiosis* qui caractérise la gestualité communicative : elle consiste dans la mise en corrélation d'une catégorie phémique du plan de l'expression [2] avec une catégorie sémique [3] appartenant au plan du contenu. Cette corrélation est à la fois arbitraire et constante : on ne voit pas de raisons « naturelles » de la relation entre les yeux *fermés* vs *ouverts* et une opposition d'ordre sémantique telle que, par exemple, *ruse* vs *innocence* (F. Rastier); néanmoins, la relation est nécessaire et contraignante dans un contexte culturel donné.

2. On remarquera que les contenus qui sont ainsi énoncés, ne le sont que sous forme de *mots-phrases* ou interjections, comme on les appelle aussi. Comme le sujet de l'énoncé, implicite, est toujours le sujet de l'énonciation — il se révèle incapable de raconter le monde, il ne parle en soliloque que de lui-même —, comme (dans la communication) le verbe, implicite, est de la nature de l'*être* et non du *faire*, l'énoncé synthétique ainsi formulé est attributif, qualificatif, et non prédicatif. Ce que nous disions sur l'incapacité de la gestualité communicative de produire les énoncés — énoncés sur le monde ou sur le faire de l'homme — se trouve, par conséquent, confirmé par l'existence de ce sous-code attributif.

> *Remarque :* C'est ici qu'il faut ranger également la gestualité *déictique*, de nature attributive.

1. Cf. *Langage*, 7, R. Cresswell, *le Geste manuel associé au langage*, p. 119-127.
2. Un rapport entre éléments gestuels.
3. Une différence de signification.

5.2. LA GESTUALITÉ MODALE.

La reconnaissance de ce que la corrélation entre les catégories de l'expression et celles du contenu est une constante à l'intérieur d'un contexte culturel donné, nous autorise à articuler nos observations sur la gestualité communicative en partant de considérations sur le contenu, et non, comme il se devrait normalement pour un texte sémiotique quelconque, à partir du plan de l'expression.

Si l'on essayait, par conséquent, en partant du contenu, à trouver le dénominateur commun permettant de réunir l'ensemble des données dispersées et/ou redondantes de différentes études (R. Cresswell, P. Fabbri, C. Hutt, F. Rastier) et de ce que nous savons par ailleurs de cette forme de gestualité, on pourrait dire qu'elles se regroupent toutes autour du statut de la communication et de l'énoncé.

1. Par *statut de la communication*, nous entendons une structure spécifique du contenu, manifestée par des comportements gestuels (mettant tantôt en jeu la motricité du corps seul, tantôt utilisant plus largement l'espace englobant) qui *visent à établir*, à *maintenir*, ou à *interrompre la communication* interhumaine et se distinguent ainsi, par une intentionnalité particulière, des autres programmes gestuels. Il va sans dire que le type — linguistique ou non-linguistique — de la communication qui se trouve ainsi encadrée est indifférent aux conditions objectives qui établissent celle-ci. Un inventaire approximatif et indicatif permettra de préciser notre pensée :

a) les recherches soviétiques sur les cérémoniels (T. Tsivjan), qui étudient l'entrée en (et sortie de) communication non linguistique, constituent un exemple caractéristique de la mise en corrélation des catégories de *contenu social* telles que *inférieur* vs *subordonné*, *jeune* vs *âgé*, *homme* vs *femme*, qui diversifient les prises de contacts interhumains, avec des catégories de l'*expression* telles que *assis* vs *debout*, inclinaison de tête *accompagnée de sourire* vs *non accompagnée de sourire*, *main serrée* vs *main non serrée;*

b) les recherches américaines en proxémique (P. Fabbri [1]) traitent de l'exploitation de l'espace *interhumain;* les catégories *rapproché* vs *éloigné*, la position relative des corps des interlocuteurs :

1. Cf. *Langages*, 7, P. Fabbri, *Considérations sur la proxémique*, p. 65-75.

face à face vs *dos à dos* ou *latéral droit* vs *oblique gauche* (cf. également l'étude de V. Proca-Ciortea et A. Giurchescu sur les mêmes problèmes à l'occasion de la description de la danse) se trouvent ainsi mises en corrélation avec des catégories du contenu telles qu'*acceptation* vs *refus de communication*, ou *euphorie* vs *dysphorie* dans lesquelles ladite communication s'engage ou se poursuit;

c) les recherches de Mme C. Hutt [1] ont mis en évidence l'existence (en plus de la structuration topologique de l'espace) de catégories de l'expression telles que *prospectivité* vs *retrospectivité* des mouvements du corps, *ouverture* vs *fermeture* des gestes des bras, en corrélation avec l'articulation du contenu en *désir* vs *refus de communication* ou de compréhension.

2. Par *statut de l'énoncé* nous entendons, à la suite de R. Jakobson, l'ensemble des modalités de jugement susceptible d'être porté sur un énoncé, telles que *assentiment* vs *refus*, *certitude* vs *doute*, *étonnement* vs *ruse*, etc., sans tenir compte cependant de leur manifestation, au niveau grammatical, dans les sémiotiques linguistiques. On notera à ce propos que seules les catégories modales sont vraiment susceptibles de constituer des micro-codes gestuels autonomes, fonctionnant sans le secours de la parole ou d'énoncés gestuels d'ordre mimétique : il en est ainsi du micro-code de *dénégation* vs *assertion* étudié par R. Jakobson, mais aussi de celui des agents de la circulation, fondé sur la même catégorie, autrement formulée, d'*interdiction* vs *autorisation*. La raison en paraît fort simple : leur emploi présuppose à la fois la communication comme déjà établie, et l'interchangeabilité des interlocuteurs, l'un d'entre eux déniant ou acceptant l'énoncé formulé par l'autre.

Ceci nous amène à remarquer, en passant, que la dichotomie gestes *d'accompagnement* vs gestes *de substitution*, qui sert souvent de critère classificatoire de la gestualité (R. Cresswell), ne nous paraît pas pertinente. En effet, le type de gestualité communicative (et selon Cresswell substitutive) dont nous venons d'indiquer les grandes lignes, est constitué comme un programme complexe de communication parmi d'autres, comme une pratique gestuelle parmi d'autres pratiques, à cela près seulement qu'elle est fondée exclusivement

1. Cf. *Langages*, 7, C. Hutt, *Dictionnaire du langage gestuel chez les trappistes*, p. 107-118.

sur l'intention de communiquer. Sortie de son contexte programmé, une catégorie modale, au lieu de signifier l'assentiment ou le refus, donnera plutôt l'idée d'un effort fait par le sujet pour se débarrasser de mouches qui l'assaillent; une catégorie proxémique pourra faire penser au piétinement sur place de l'enfant qui n'ose pas avouer ses besoins ou, dans le meilleur cas, à la danse. Par contre, quand on retire un geste quelconque, considéré comme inséparable de la parole et non substitutif, de son contexte parlé, pour l'intégrer, par exemple, dans la pantomime, est-on sûr qu'il ait perdu de ce fait toute signification? La procédure de substitution qu'on nous a proposé comme critère de classification repose implicitement sur une conception de la saisie consciente du sens, qui, on le sait, n'est pas applicable en sémiotique.

Ce que l'on doit dire, pour terminer, de la gestualité servant à programmer la communication, c'est qu'étant de l'ordre de l'énonciation, elle a l'énoncé comme terme présupposé. Le sujet de l'énonciation étant incapable de produire en même temps des énoncés gestuels, cette forme de gestualité n'est pas en mesure de se manifester seule et de manière autonome : le contenu qu'elle est censée transmettre doit être manifesté dans une forme sémiotique autre. Ce ne peut être qu'une langue naturelle ou, à la rigueur, un code gestuel artificiel.

5.3. LA GESTUALITÉ MIMÉTIQUE.

Cette incapacité foncière de la gestualité à se constituer en code de communication sémiotique à la fois complet et autonome, nous la retrouvons également en réfléchissant sur une autre de ses manifestations, la gestualité mimétique. Nous entendons par là une certaine manifestation gestuelle des contenus, en vue de leur transmission communicative au spectateur-destinataire. Cette première définition, fort vague, devra être complétée par des considérations sur le statut sémiotique propre de la gestualité mimétique.

1. Les contenus, objets de communication, ont des dimensions de *sémèmes;* ils peuvent être des noms (« pistolet ») ou des fonctions (« asperger »).

2. Les contenus, pour être encodés gestuellement, sont pris en charge au niveau de leur *expression :* ce n'est pas le signe *pistolet* ou le

signe *asperger* qui sont transposés, mais leurs signifiants seulement (F. Rastier).

3. La transposition gestuelle présuppose l'existence d'une sémiotique, antérieure en droit et en fait, déjà articulée en *signes*. Elle peut s'opérer soit à partir de la sémiotique des signes « naturels » (c'est le cas de *pistolet*, donné comme exemple par F. Rastier), soit à partir d'une pratique gestuelle non communicative (le geste mythique *asperger*, cité par C. Hutt).

4. La transposition se fait, en principe, non au niveau de la substance de l'expression ($\simeq$ phonétique), mais au niveau de sa *forme* ($\simeq$ phonologie). Ceci a pour résultat de réduire le signifiant à une figure élémentaire (la main avec l'index pointé pour pistolet; une ligne mince, effilée pour désigner le coureur de R. Cresswell) et de sortir le geste élémentaire de son contexte (absence d'outil et de programme mythique en cas d'aspersion).

5. La transposition a pour résultat d'*identifier le signe, par son signifiant, avec le corps humain;* celui-ci étant censé être en même temps sujet de l'énonciation et ne pouvant produire que des énoncés attributifs, n'est *pas en mesure* de signaler l'articulation de l'énoncé, d'*être simultanément le signe et sa syntaxe :* d'où l'absence d'autonomie de la gestualité mimétique que l'on ne trouve qu'en accompagnement du langage naturel ou qu'intégrée, de manière discontinue, dans les codes de communication artificiels (codes des moines silencieux ou pantomime, par exemple).

Nous pouvons reprendre maintenant notre définition, pour dire que la gestualité mimétique n'est en somme qu'un inventaire de signes gestuels ayant, au niveau du contenu, les dimensions de *sémèmes* et, au niveau de l'expression, celles des *figures*, signes obtenus par la transposition du signifiant pris à une substance manifestante préexistente dans la substance gestuelle qu'est le corps humain.

Cette transposition de substance à substance semble à première vue devoir comporter des exceptions; mais celles-ci ne résistent pas à une analyse un peu approfondie. Tel est le cas, cité par R. Cresswell, du geste de *rotondité* accompagnant l'énoncé en langue naturelle : « ça marche! » Son interprétation nous permettra d'illustrer la définition que nous venons de proposer.

Un contenu identique, l'attitude confiante du sujet, se trouve manifesté ici par deux figures différentes : une figure du *contenu* représentant une *progression linéaire* et rapide de la marche, et une figure de l'*expression*, la rotondité mobile, réduction figurative probable d'une *roue* ou d'une machine en mouvement. Tout en confirmant deux de nos observations antérieures : *a*) que les figures de l'expression du monde naturel correspondent aux figures du contenu des langues naturelles, et *b*) que la transposition gestuelle se fait au niveau de la forme de l'expression ($\simeq$ des figures) et non à celui de la substance, cet exemple souligne simplement le fait que la gestualité mimétique, même lorsqu'elle accompagne la parole, n'est pas une simple illustration de celle-ci — sinon, ses figures seraient toujours isomorphes avec celles du contenu des langues naturelles —, qu'elle est bien plutôt la *transposition d'une sémiotique visuelle dans une autre*.

Un deuxième exemple, toujours emprunté à l'échantillonnage de R. Cresswell : un locuteur, parlant du tempérament, fait accompagner ses considérations linguistiques d'un geste, représentant une figure linéaire, mince et mobile. Se référant au statut social du locuteur qui est professeur d'éducation physique, R. Cresswell remarque, à juste titre, que la médiation entre les deux contenus identiques manifestés de façons différentes doit passer par l'image visuelle du coureur dont la ligne effilée n'est, dans notre terminologie, qu'une réduction figurative. Si cet exemple se prête à la même explication que le premier — à ceci près qu'il nous est difficile de dire, à première vue, quelle serait la *figure* du contenu du sémème « tempérament » (on peut voir, par exemple, que, dans le code étudié par C. Hutt, le contenu « Dieu » est visualisé par la figure du triangle, avant d'être transposé en geste) — il montre toutefois l'existence d'une certaine *distance stylistique* entre le contenu du signe et sa figure dans l'expression.

Cette stylistique immanente apparaît à l'œil nu lorsque, quittant les gestes d'accompagnement, on se penche sur la construction des signes artificiels. Analysant la formation des « mots composés » du code artificiel, C. Hutt cite l'exemple d'*abeille*, dont le contenu trouve sa manifestation à travers *deux* figures de l'expression : la figure *aile* et la figure *doux;* si la première figure passe, au moment de son entrée en composition, du contenu « aile » au contenu « ce qui vole », la seconde figure emprunte une voie encore plus compliquée, passant du contenu « douceur », pris comme propriété des objets doux, au contenu « miel », un individu de la classe des objets doux, le « miel », à son tour, étant considéré comme le résultat de la pratique habituelle de quelqu'un qui vole; c'est à ce titre seulement que la figure *doux* peut servir de déterminant spécifiant la classe des êtres qui volent, signifiée par la première figure, et constituer ainsi, dans sa forme canonique, la définition de l'abeille par genre et espèce.

Si nous nous sommes attardés à imaginer le parcours sémantique provoqué par la rencontre de deux figures gestuelles, c'est *a*) pour montrer la complexité des procédures mises en marche lors de la production d'un texte gestuel, procédures propres à toute manifestation figurative et qui apparentent la pantomime, par exemple, au langage poétique; mais c'est aussi *b*) pour souligner les difficultés d'une syntaxe visuelle, très élémentaire, réduite, du fait de l'absence d'universaux sémantiques manifestables, à la seule distribution linéaire des figures, et comparable en ceci à la syntaxe du rêve telle qu'elle est décrite par S. Freud et analysée par E. Benveniste.

5.4. LA GESTUALITÉ LUDIQUE.

L'angle sous lequel nous considérons en ce moment la gestualité étant celui de la possibilité de la *communication* à l'aide du code gestuel, nous avons, chemin faisant, repéré *deux types d'unités gestuelles* de dimensions différentes : les unes de l'ordre d'un trait distinctif, *phème* ou *sème*, les autres, de l'ordre du *phonème* ou *sémème*. Il s'agit pour nous d'examiner maintenant la possibilité d'intégration, dans le processus de la communication, d'unités plus grandes, d'*énoncés* ou de *discours* gestuels dont nous avons cru pouvoir constater l'existence en réfléchissant sur la praxis gestuelle.

Le problème se complique ici parce qu'il semble impliquer la mise en question et la définition sémiotique préalable de catégories possédant une grande généralité, telles que *sacré* vs *ludique* vs *esthétique*, qui ne sont pas spécifiques de la sémiotique gestuelle, mais se posent aussi au niveau des langues naturelles, lorsqu'il s'agit, par exemple, d'opposer le langage poétique au langage sacré ou, plus simplement, aux phénomènes ludiques tels que les mots d'esprit, ou les mots croisés; catégories qui relèvent d'une typologie à la fois intra- et interculturelle. Si l'on pouvait accepter ces catégories comme des données — du fait de leur évidence, ou parce qu'elles ont déjà été définies dans le cadre d'une théorie sémiotique générale —, il serait aisé de voir la manifestation de la gestualité sacrée dans les danses pratiquées par les sociétés dites archaïques, celle de la gestualité esthétique dans le ballet, celles, finalement, de la gestualité ludique dans la danse folklorique. Tel malheureusement est loin d'être le cas.

Des considérations d'ordre para-génétique peuvent éventuellement éclairer quelque peu cette problématique : ainsi, nous avons délibérément classé les danses sacrées comme relevant de la praxis gestuelle mythique; une autre forme de cette même gestualité mythique, qui apparaît dans les numéros d'acrobatie, se situe dans le cadre des activités du cirque, et il est, avec la présence du monde animal, avec les séquences narratives du dressage, facile de l'interpréter à la manière des procédures mythiques de meurtre symbolique, comme un univers archaïque survivant au milieu de la modernité; la situation de la danse folklorique paraîtrait, dans un tel contexte, ni plus ni moins confortable que celle du conte populaire par rapport au récit mythique.

Et ceci nous amène à formuler l'hypothèse que *toute gestualité programmée dépassant les dimensions des sémème/phonème*, dans la mesure où elle est mise *au service de la communication, est d'origine mythique;* bien plus : qu'elle est la transposition, sur l'axe de la communication, d'énoncés et de programmes gestuels à contenu implicitement mythique. Ceci nous permet de consolider, en utilisant une dichotomie sémiotique, la classification donnée *a priori :*

SACRÉ	LUDIQUE	ESTHÉTIQUE
non communication	et communication et non communication	communication
praxis mythique	*ex.* : danse folklorique	*ex.* : ballet

Nous dirons alors qu'à la danse « archaïque », qui est une praxis gestuelle sans intention de communiquer mais avec intention de transformer les contenus qui y sont exprimés, s'oppose la danse-ballet en tant que praxis gestuelle qui vise d'abord à communiquer et non à transformer les contenus qu'elle recouvre. La danse folklorique occupe une position intermédiaire, dans la mesure où elle est à la fois : *a*) de façon explicite, une communication, pour les spectateurs et pour les participants, et *b*) de façon implicite, un faire mythique. C'est dans ce cadre qu'on peut interpréter la réforme liturgique de l'Église catholique, qui cherche à transformer la messe, devenue spectacle pur, en lui reconférant le statut d'une participation communautaire à un faire mythique.

Ce qui plaide, encore, en faveur de notre hypothèse selon laquelle les unités de la communication ludique sont des unités transposées d'un faire mythique (et non d'un faire pratique), c'est, fait souvent noté, que de tels spectacles comportent des écarts et des déformations gesticulatoires par rapport aux normes de la gestualité naturelle ou pratique. Au lieu de considérer l'acrobatie, mais aussi certains aspects de la danse, esthétique ou folklorique, comme constitués d'écarts stylistiques par rapport à la « nature », il serait plus simple d'y voir les manifestations normales de la « culture » présente dans les énoncés mythiques, même s'ils sont partiellement ou entièrement désémantisés.

Ici reparaît le problème général du sens des énoncés et des programmes gestuels, que nous avons déjà évoqué. Avant de revenir, plus tard, à l'examen du statut particulier de la *sémiosis*, il suffira de dire pour le moment comment le problème se pose, quand il s'agit, par exemple, de l'interprétation de la danse populaire. De façon restrictive, on peut entrevoir dès maintenant deux approches permettant de contourner les difficultés.

La première de ces approches consisterait à reconnaître, à titre d'hypothèse, l'existence de *discours gestuels organisés*, comparables aux structures narratives des discours linguistiques, et susceptibles, de ce fait, de se laisser réduire à des modèles *formels à variables multiples*, lesquels, quoique formels, peuvent être interprétés sémantiquement et fournir les cadres généraux d'une compréhension des discours gestuels. C'est dans cette voie que semble s'être engagée l'équipe internationale qui travaille à la description formalisée de la danse folklorique : à condition toutefois qu'une telle description soit suivie d'une interprétation sémantique. Ainsi, la description des numéros d'acrobatie, entreprise par Paul Bouissac, permet d'espérer le dégagement de syntagmes narratifs comparables à ceux des contes populaires.

Une deuxième approche consisterait à analyser selon une procédure plutôt paradigmatique, les *catégories modales relatives au statut de la communication* (Cf. 5.2.1), pour voir dans quelle mesure la reconnaissance de leurs contenus corrélés peut aider à la compréhension d'un *code* mythique implicite. Au niveau des unités de type phonème/sémème, que l'on peut désigner dans ce cas précis comme des dansèmes, on se demande alors si l'hypothèse du parallélisme entre les figures de l'expression gestuelle et celles du contenu linguistique ne peut pas être utilisée, avec les précautions d'usage, à la reconnaissance de leurs contenus implicites.

Un problème théorique subsiste néanmoins : c'est celui de la désémantisation, toujours possible, des éléments constitutifs des énoncés gestuels, que nous avons évoqué précédemment. Ainsi, on peut se demander, à propos de la gestualité qui se veut esthétique, dans le ballet par exemple — et tout en reconnaissant sa nature de code artificiel, puisque composite, comportant, entre autres, des séquences mimétiques évidentes, et surtout puisque le spectacle n'est dans sa totalité qu'un énoncé produit par ce sujet de l'énonciation, le chorégraphe —, si la « désacralisation » du discours mythique n'a pas entraîné la désémantisation des énoncés gestuels, ne laissant à la gestualité esthétique, pour signifier, que les formes narratives du discours.

5.5. LA COMMUNICATION GESTUELLE.

Ainsi, en utilisant un petit nombre de critères structurels et de catégories sémiotiques, venons-nous de faire un tour de l'horizon gestuel, explorant diverses formes de la gestualité en nous tenant au seul point de vue de la communication. Nous avons reconnu, d'abord, deux types de gestualité :

1. gestualité de communication directe (5.1 et 2);
2. gestualité de transposition (5.3).

Le premier de ces types caractérisé dans son statut sémiotique par la *corrélation des catégories* signifiant/signifié se subdivise selon la possibilité syntaxique de former les énoncés ou de moduler les énoncés, en

a) gestualité attributive (5.1) et,
b) gestualité modale (5.2).

Le second type de gestualité ne pouvant être exploité en vue de la communication que grâce à des procédures de *transposition de signifiants* se subdivise à son tour, selon les dimensions des unités transposables — signes ou énoncés — en

1. gestualité mimétique (5.3) et,
2. gestualité ludique (5.4).

Tout en avouant que la part d'hypothétique et d'arbitraire que comporte la détermination de cette dernière classe de gestualité est aussi importante qu'inévitable dans l'état actuel de nos connaissances, nous pensons qu'elle ne gêne pas outre mesure le projet général de notre réflexion, qui est la recherche d'une classification intrinsèque des formes de gestualité, fondée sur les seules définitions sémiotiques.

Nous avons essayé également de montrer, chemin faisant, l'inaptitude de la théorie de la communication à rendre compte de façon satisfaisante des faits de gestualité. Les catégories et les unités gestuelles, tout en étant reconnaissables, ne sont pas autonomes; elles sont propres à signifier attributivement ou modalement, non à transmettre des contenus objectifs. Elles ne se constituent nulle part en un système de signification comparable aux systèmes linguistiques. Elles donnent lieu cependant à la construction de codes artificiels (mimétiques et ludiques) qui, dans la mesure où ils sont utilisés comme des codes de communication pratique, ne sont, du fait de leur pauvreté désolante, que de pâles reflets de la communication linguistique. Constituées, au contraire, en codes de communication de contenus mythiques, les formes gestuelles s'éloignent de la communication linguistique et retrouvent une nouvelle consistance, du fait de l'apparition du principe d'organisation fonctionnelle et narrative qui régit tous les discours, qu'ils soient de l'ordre du dire ou du faire.

6. LA SÉMIOSIS

Dans la mesure où les réflexions qui précèdent ont réussi à déblayer tant soit peu le terrain, donnant à ce qui était initialement confus les apparences du complexe, il devrait être possible, dans une dernière étape, d'étudier les conditions d'analyse et de description de la gestualité, si l'une et l'autre n'étaient subordonnées à une *interrogation préalable* sur *la nature de la sémiosis qui peut définir la gestualité comme une présence au monde signifiante.* Si nous ne nous posons pas d'abord la question du statut sémiotique spécifique de la gestualité, nous courons le risque de n'opérer que des transpositions de modèles méthodologiques — modèles que nous offre, par exemple, la théorie de la communication —, pour n'aboutir qu'à la constatation négative de leur non-adéquation. Aussi avons-nous reconnu, lors de l'examen de la communication gestuelle, que celle-ci n'était, dans le meilleur des cas, qu'un phénomène limité et secondaire, sans commune mesure avec l'univers sémantique recouvert par le corpus de la praxis gestuelle totale, tel qu'on peut l'imaginer.

6.1. PRODUCTION ET MANIFESTATION DU TEXTE.

Il est tentant, lorsqu'on veut — à ce plan de la sémiosis — imaginer une analyse du texte gestuel, d'essayer de lui appliquer les procédures bien connues et éprouvées de la description phonologique, en considérant la gestualité comme le plan de l'expression d'un langage. B. Kœchlin nous invite à le faire, en proposant d'utiliser comme un modèle analogique les programmes de phonation aboutissant à la réalisation des phonèmes, pour interpréter les opérations complexes du corps humain produisant des gestes-phonèmes et ensuite, par une retro-analyse, reconnaître leur structure phémique. Tout en acceptant le bien-fondé de ce raisonnement dans ses grandes lignes, nous reprochons toutefois à son auteur de ne pas l'avoir poussé jusqu'à ses conséquences extrêmes.

Que la motricité programmée des organes de phonation soit comparable à la gesticulation programmée de l'organisme humain, qu'elle soit de la même nature spatiale et apparaisse de la même manière comme un réseau de relations spatiales; nous l'admettons volontiers. Mais la différence se manifeste dès qu'on compare les résultats des deux programmes gesticulatoires : soit, dans le premier cas, la production de la chaîne parlée articulable en phonèmes, dans le second, la production d'un enchaînement gestuel que l'on cherchera à décomposer en gestes. Il en va de même du programme gestuel du pianiste qui produit une chaîne analysable en sons musicaux que du programme du sujet parlant : les deux programmes gestuels — phonatoire et musicien — ont pour résultat la *transposition* du signifiant d'un ordre sensible dans un autre, de l'ordre visuel dans l'ordre sonore. On peut aller plus loin et dire que dans ces deux cas, du point de vue de la forme de l'expression, les deux signifiants — visuel et sonore —, en tant que configurations de relations indépendantes de la substance manifestante, sont comparables et peuvent être considérés, sous certaines conditions, comme équivalents. Aucune transposition, par contre, n'a lieu dans le cas de la gestualité sémiotique : le programme de la manifestation y est *en même temps* la séquence manifestée. Il est possible, lorsqu'on se trouve en possession, par exemple, de la structure phonologique du texte sonore, de prétendre que le *sens* du programme phonatoire, qui lui est antérieur, est justement la construction de ces objets phonologiques que sont les phonèmes et les syllabes, et que le programme, en tant qu'ensemble de successions et concomitances, est guidé tout au long de son trajet par ce *projet* phonologique. La séquence gestuelle en tant que manifestée (que texte sémiotique), au contraire, n'est rien d'autre que le programme de manifestation dépourvu du projet phonologique.

On voit que notre interprétation de certains programmes gestuels particuliers, comme susceptibles d'instaurer, par transposition, un ordre d'expression nouveau, n'est qu'une manière différente d'envisager le problème de l'arbitraire de la fonction sémiotique et du dédoublement des plans du langage, faisant apparaître certains langages, et notamment les langues naturelles, comme un enchevêtrement de deux algèbres non isomorphes. Autrement dit, c'est la transposition d'un ordre sensoriel dans un autre qui crée les conditions suffisantes pour une articulation autonome du signifiant dont les figures se trouvent ainsi distanciées par rapport aux figures du contenu. Et au contraire, tant qu'une telle transposition n'a pas eu lieu, la signification du monde ne réussit pas à décoller complètement de son plan phénoménal.

6.2. LE STATUT SYMBOLIQUE DE LA GESTUALITÉ.

Dans l'impossibilité d'envisager, à ce stade, pour la gestualité, un plan de l'expression autonome et du même coup la constitution d'une phonologie visuelle, nous sommes obligés de nous en tenir aux unités gestuelles découpées à la fois comme phonèmes et comme sémèmes (cf. les gestes naturels de B. Kœchlin) en acceptant, du moins provisoirement, de considérer la gestualité, selon la terminologie de Hjelmslev comme *un système symbolique et non linguistique :* même si tel est le cas, rien ne nous empêche de postuler l'existence d'une *forme* gestuelle derrière la substance gestuelle.

Cette forme, nous l'avons dit déjà, peut être obtenue à partir de la substance qu'est le volume global d'un geste naturel : en le réduisant, par la procédure de variations de contextes gestuels possibles, à une *figure visuelle* minimale. Un geste naturel tel que *nager* aura le sens « nager » au niveau des comportements pratiques, s'il a un nageur pour sujet et l'eau comme environnement; mais, comme le remarque C. Bremond [1], Superman se déplaçant dans les airs conserve comme prédicat gestuel, la même figure du *nager*. Reste que c'est en partant du contenu des langues naturelles, en cherchant à décrire la figure sémique recouverte par le lexème *nager* dans l'expression « je nage complètement », qu'on verra peut-être le plus vite que cette figure se réduit à un mouvement désordonné des membres.

La constatation réitérée du fait que les figures visuelles de l'expression gestuelle correspondent aux figures nucléaires du contenu linguistique est susceptible de s'intégrer maintenant dans une interprétation plus générale : si le plan de l'*expression* des langues naturelles est constitué à partir de programmes gestuels (par ex. phonatoire) et à la suite de la transposition de ceux-ci dans un ordre sensoriel différent (par ex. auditif), le plan du *contenu* en est constitué, en partie, par ces mêmes programmes gestuels non transposés, donnant lieu à l'apparition de systèmes sémiotiques complexes articulés sur les deux plans.

Or, l'établissement d'une équivalence entre les figures du monde naturel et les figures du contenu des langues naturelles (car les figures gestuelles doivent être complétées par d'autres figures visuelles du monde, et celles-ci, à leur tour, par l'ensemble des figures de tous les ordres sensoriels par lesquels le monde est présent à nous) nous permet, entre autre, d'utiliser analogiquement, dans une mesure raisonnable, les modèles de la sémantique. Ainsi, tout comme les figures du contenu ne suffisent pas à elles seules à établir le texte

1. Cf. *Langages*, 7, C. Brémond, *Pour un gestuaire des bandes dessinées*, p. 94-100.

linguistique (et doivent être organisées par les catégories), de même est-il permis de supposer que la praxis gestuelle ne consiste pas seulement dans le déroulement successif de figures gestuelles, mais implique la mise en place d'un certain nombre de catégories sémantiques, à commencer par la dichotomie pratique *vs* mythique, qui fondait en partie notre classification antérieure. D'un autre côté, parallèlement à la décomposition des figures nucléaires du contenu en sèmes et à la constitution de catégories sémiques, on peut imaginer soit l'existence d'un inventaire de catégories gestuelles, dont la combinatoire rendrait compte de la constitution des figures gestuelles, soit la possibilité seulement de suspendre, dans les figures couplées, tous les traits gestuels au profit d'une seule catégorie pertinente, en expliquant ainsi la constitution des micro-codes gestuels de communication.

6.3. LE STATUT FONCTIONNEL DE LA SÉMIOSIS GESTUELLE.

En parlant des programmes gestuels des organes de phonation, nous avons dit que leur sens consistait dans l'exécution d'un projet phonologique. On peut maintenant généraliser cette constatation; et préciser que, s'il est possible de concevoir une activité gesticulatoire désordonnée et dépourvue de sens tout comme il est possible d'émettre une chaîne de sons du langage dépourvue de sens, il est tout aussi évident qu'il existe une activité gestuelle ordonnée, programmée, qui ne peut être saisie et définie que par son *projet*. Nous dirons donc que le projet du programme gestuel constitue son signifié [1], et que la séquence gestuelle qui recouvre ce signifié est son signifiant. La *sémiosis* d'un programme gestuel sera, par conséquent, la *relation entre une séquence de figures* gestuelles, prise comme signifiant, et *le projet* gestuel, considéré comme signifié. Cette affirmation un peu abrupte demande quelques éclaircissements.

1. Le déplacement de la relation sémiotique qui, tout en partant d'un signifié à dimensions constantes, arrive à le relier à des signifiants de dimensions variables, n'a rien d'inattendu : dans une langue naturelle, un seul phonème (*y*, par exemple) peut constituer un signe,

1. Cf. ci-dessus, 4.1.

mais aussi entrer dans la constitution d'une syllabe *(île)* ou d'une séquence syllabique *(illumine)*.

2. L'extension progressive du signifiant est accompagnée d'un phénomène que nous avons désigné du nom de *désémantisation*. Ainsi, le programme gestuel d'un ouvrier placé devant sa machine, si on le découpe en unités textuelles, fera apparaître des figures gestuelles dont chacune est susceptible de recevoir une interprétation sémantique et de renvoyer à un geste naturel; mais cette motivation segmentée des figures disparaît dans leur enchaînement programmé, sans que les figures elles-mêmes, bien que « vidées de leur sens », en soient touchées. C'est dans ce sens qu'on peut parler, avec J. Kristeva, de la nature anaphorique de la gestualité : les figures gestuelles renvoient toutes à un sens qui n'est là que sous forme de projet. La désémantisation, laissant intactes les figures gestuelles, ne concerne par conséquent que les catégories sémantiques sous-tendues au texte gestuel; en neutralisant les signifiés partiels, elle transforme la relation sémiotique immédiate en une distance sémiotique ayant statut de relation hypotaxique : chaque figure gestuelle, désémantisée, garde sa position métonymique par rapport au signifié global du programme.

3. On voit dès lors que la sémiosis à laquelle nous avons affaire ici n'est pas une relation simple, constitutive d'un signifié et d'un signifiant, mais une structure relationnelle que nous avons désignée ailleurs [1] comme *morphématique* : c'est *à la fois une relation du signifié au signifiant pris dans sa totalité* (le programme gestuel) *et un réseau de relations allant du signifié à chaque figure en tant que partie.*

4. Le programme présuppose, outre l'existence d'un projet, le concept d'*économie :* un programme gestuel peut être plus ou moins économique, plus condensé ou plus étendu, il peut en outre comporter des sous-programmes intercalés. Dans la structure déjà complexe de la sémiosis s'introduit ainsi une part d'arbitraire dont la nature, fonctionnelle, ne pourra être précisée qu'à la suite d'une meilleure connaissance des principes d'organisation des programmes gestuels.

Ces considérations touchant le statut de la sémiosis dans la praxis gestuelle ne peuvent que rejoindre, et cela est normal, les interrogations touchant les contenus prédicatifs des langues naturelles : outre la correspondance, déjà établie, entre les figures du signifiant gestuel

1. Cf. *Sémantique structurale*, p. 105.

et celles du signifié des langues naturelles, l'apparition d'une nouvelle dimension de comparaison permet de préciser la nature fonctionnelle (le terme de fonction étant réservé à l'ensemble des prédicats *non attributifs*) de la sémiotique gestuelle. Nous ne pouvons que souscrire à l'affirmation de J. Kristeva selon qui l'analyse de la gestualité fait apparaître non des unités de base, mais des *fonctions* de base, à condition de préciser que la problématique des fonctions — sémiosis, programme, projet, économie, etc. —, tout en étant propre à la gestualité, se retrouve telle quelle au niveau de l'analyse des contenus des langues naturelles où une longue tradition nominaliste réifiante, toute centrée sur les noms propres, a depuis toujours maintenu dans l'ombre, allant jusqu'à le réduire à une simple relation formelle, le statut sémiotique original de la fonction.

C'est dans ce sens qu'un appel pour *une sémiotique fonctionnelle* — seule approche possible de la sémiotique gestuelle, mais aussi dimension de la sémantique des langues naturelles — prend toute son ampleur.

6.4. LES PROJETS ET LES OBJETS CULTURELS.

Nous pouvons considérer la praxis gestuelle comme une prédication transitive qui, ayant l'homme pour unique sujet, a pour fonction générale l'exécution de projets culturels aboutissant à la création d'objets culturels.

1. Considérés dans leur aspect de *projets culturels*, les différents programmes gestuels nous apparaissent comme des discours clos, dont une analyse de contenu ne peut qu'expliciter les structures narratives d'un type particulier : on peut se les représenter comme des modèles d'un *savoir-faire* pratique ou mythique, modèles dont l'ensemble organisé pourrait rendre compte d'un certain mode d'existence des structures dites économiques et culturelles.

2. Considérés dans leurs résultats, qui sont les *objets culturels*, les programmes gestuels nous apparaissent comme des définitions génétiques des choses et des événements (une robe peut être définie par le programme « coudre une robe »); les programmes sémantiques d'ailleurs, sur le plan des langues naturelles, pourraient définir de la même manière les objets littéraires (roman ou poème). On remarquera

que les objets culturels, une fois réalisés, se présentent à leur tour comme des structures morphématiques (une automobile se décompose ainsi en parties et sous-parties, dont chacune comporte en contrepartie, comme définition génétique, un sous-programme gestuel). Quoi qu'il en soit, la praxis gestuelle, étant de nature prédicative, apparaît comme une syntaxe capable de produire une infinité d'énoncés sous forme d'objets et d'événements culturels de caractère occurrentiel.

3. A côté des définitions génétiques et morphématiques, l'objet culturel peut être déterminé par son mode d'emploi, c'est-à-dire par la fonction d'adjuvant (outil) ou de substitut du sujet (machine) qu'il peut assumer dans un nouveau programme gestuel. Cette nouvelle fonctionnalité des objets culturels permet à son tour d'envisager *a*) soit une hiérarchie de programmes gestuels et de savoir-faire, *b*) soit l'établissement de dimensions culturelles d'une société, définies comme autant d'isotopies des savoir-faire pratiques ou mythiques (alimentaire, vestimentaire, etc.). Mais l'introduction de ces nouvelles considérations dépasserait le cadre de réflexion limitée que nous nous sommes imposé.

6.5. LA NOTATION SYMBOLIQUE.

Les perspectives assez imposantes que cette réflexion sur la sémiosis ouvre à la recherche sémiotique dans le domaine de la gestualité se trouvent malheureusement inexplorées et le resteront probablement aussi longtemps qu'un code de transposition graphique satisfaisant ne sera pas établi.

Les exemples de notation *symbolique* des gestes que présente et discute B. Kœchlin paraissent, malgré leur ingéniosité, des balbutiements en regard de l'importance de l'enjeu. B. Kœchlin semble penser qu'un plus grand arbitraire des signes de la notation doit aider à résoudre les problèmes de la description phonologique du signifiant gestuel, et c'est une raison qui lui paraît suffisante pour lui faire exclure de son examen la notation proposée par la kinésique américaine. Historiquement, il n'a peut-être pas tort : l'exemple de l'élaboration lente et tâtonnante de l'écriture montre une certaine corrélation entre les progrès de l'arbitraire symbolique et le perfectionnement de la transposition. Cependant, les lenteurs de l'élaboration s'y expliquent par la nécessité où s'est trouvé l'homme d'inventer en même temps une phonologie implicite, antérieure en droit à la notation : on peut supposer que l'existence, à l'heure actuelle, de modèles linguistiques comparables doit nous obliger à intervertir les termes du processus inventif et en donnant la priorité à la réflexion méthodologique sur la notation elle-même, à en accélérer le déroulement.

C'est pour cette raison que nous avons dirigé constamment notre effort sur la *reconnaissance des unités* et de leur statut sémiotique : si les nouveaux procédés de conservation de la gestualité (le film) ne sont pas appropriés (malgré l'engouement de notre époque pour ce qu'on appelle l'audio-visuel, lequel correspond aux deux dimensions du monde sensible susceptibles d'enregistrement) aux besoins de la sémiotique, c'est que ces procédés ne font qu'*enregistrer* la gestualité : sans une *analyse* préalable du texte, celle-ci ne peut être reproduite, c'est-à-dire manipulée en tous sens comme n'importe quel langage scientifique. La notation gestuelle ne doit pas par conséquent, obéir seulement aux exigences pratiques facilitant un enregistrement, elle doit être optimisée afin de servir de support à la réflexion scientifique.

Les trois notations présentées par B. Kœchlin qui situent la description au niveau de la *substance*, pèchent toutes par excès de précision et de détail. Censées décrire des unités gestuelles de la dimension des traits phémiques, elles comportent néanmoins une centaine de symboles : si l'on pense qu'une écriture phonétique peut se satisfaire de quelques dizaines de symboles-phonèmes et que le nombre de traits phémiques pertinents est nécessairement et même de beaucoup inférieur à celui de phonèmes, on doit se dire que la notation de la gestualité est décidément mal partie. Aussi pensons-nous qu'il faudrait reprendre le problème sous un autre angle et commencer par une notation simple, choisissant des figures gestuelles dépouillées comme unités de description, et essayant de cette manière de rendre plus maniable une écriture phonématique, quitte à la compliquer ensuite pour les besoins de descriptions particulières.

La démarche proposée par C. Bremond, qui consiste à partir des fonctions sémantiques déjà connues du récit, pour établir les invariants gestuels élémentaires qui leur correspondent, nous paraît pleine d'intérêt et mériterait d'être généralisée.

C'est dans le même sens que s'infléchit le raisonnement de

B. Kœchlin lorsque, tout en affirmant l'engagement total du corps humain dans la production du geste, il pose la nécessité d'extraire de ce volume gestuel un petit nombre de traits pertinents. En suivant la remarque de R. Cresswell selon laquelle l'apparition de l'homme est marquée par le déplacement du centre de l'activité gestuelle depuis le visage et la bouche, caractéristiques de l'animal, vers les bras et les mains, on pourrait peut-être envisager, selon une classification provisoire des programmes gestuels, la notation d'une gestualité fondamentale, où seuls les gestes des bras-mains ou ceux des jambes-pieds seraient pris en considération, quitte à la compléter ensuite par un inventaire de signes diacritiques notant, d'une part, les traits complémentaires et, d'autre part, des traits relevant, eux, de la substance gesticulatoire, importants souvent, en leur qualité de variables stylistiques, pour la notation des écarts inter- ou intraculturels. Autrement, à vouloir noter tout, on arrive, en fin de compte, à ne rien noter du tout.

L'enjeu est de taille : ce n'est qu'en disposant d'une notation symbolique appropriée qu'on pourra penser sérieusement à la constitution d'une sémiotique du monde naturel, condition de la réussite de l'entreprise sémiotique dans son ensemble.

Pour une sociologie du sens commun[1]

1. DÉNOTATION ET CONNOTATION.

Bien que les recherches sur le discours didactique ne soient qu'à leurs débuts, nous sommes à peu près assurés de la vertu bienfaisante d'une double lecture : l'une se poursuit de la première à la dernière page d'un texte; l'autre remonte le texte en sens opposé et permet une première approche, toute subjective encore, du système qui s'y trouve implicitement manifesté. Un grand nombre de discussions et divergences d'interprétation sur les théories de Saussure ou de Hjelmslev sont probablement, pour une grande part, des joutes oratoires, opposant ces deux types de lecture.

Ainsi, la place qu'il convient d'attribuer aux concepts de *dénotation* et de *connotation* dans la théorie hjelmslevienne dépend, dans une large mesure, du mode de lecture de ses *Prolégomènes.*

Hjelmslev reconnaît pour sa part que ses réflexions sur la théorie du langage qui ont pris pour modèle, dès le début de leur exposé, la langue naturelle, s'en sont tenues longtemps à l'hypothèse simplifiante qu'une langue, quand elle est manifestée sous la forme d'un texte déroulé devant nous, est un *système sémiotique simple.* Selon une telle hypothèse, un seul système peut être explicité, à partir d'un texte donné, une seule structure peut rendre compte de son fonctionnement : une langue naturelle serait, dans ces conditions, un système sémiotique *dénotatif.*

Or, il n'en va certainement pas ainsi : un texte, lorsqu'il se présente en une langue naturelle, peut relever, et relève toujours, de plusieurs systèmes à la fois. Cela est tellement vrai que la lutte contre le caractère

1. Étude destinée à paraître dans un *Hommage à Stefan Zolkiewski.* Parue en italien, dans *Rassegna Italiana di Sociologia,* 1968, 2.

logomachique des textes, la recherche de conditions objectives pour l'établissement d'une *isotopie* permettant la lecture est un des principaux soucis de la description sémantique dans sa phase initiale. Mis en présence d'un texte quelconque, l'analyste se trouve donc devant un choix : il doit ou bien chercher à construire un modèle qui rendra compte de l'*isotopie dénotative* du texte, et procéder pour cela à l'élimination de tout ce qui, dans le texte, relève des autres systèmes sémiotiques; ou bien considérer — à titre d'hypothèse, ou parce que cela correspond à l'état d'avancement des connaissances linguistiques — comme déjà connue, la structure dénotative, et s'occuper du recensement des éléments qui, bien que contenus dans le texte, relèvent de systèmes autres que le système dénotatif; il cherche alors à construire des modèles interprétatifs de ces éléments divers. Pour revenir à Hjelmslev, on remarquera que ces éléments étrangers sont pour lui des *connotateurs*, et que les systèmes qui peuvent être postulés et décrits à partir d'isotopies connotatives sont des *langages de connotation*.

2. SYSTÈMES CONNOTATIFS.

On sait que le terme de *connotation* est antérieur à Hjelmslev et se trouve actuellement employé dans des acceptions multiples, parfois contradictoires. Aussi faut-il chercher à replacer avec soin ce concept dans l'économie générale de la théorie sémiotique de Hjelmslev, pour tirer quelque profit de sa double lecture.

1. On est obligé d'avancer, pour commencer, une lapalissade et d'insister sur le fait que les langages de connotation sont, pour Hjelmslev, des systèmes linguistiques : le petit jeu auquel on se livre souvent en découvrant, par-ci par-là, dans la masse touffue des faits de connotation, tel ou tel connotateur isolé, pour s'émerveiller aussitôt de la profondeur retrouvée, va à l'encontre de la théorie hjelmslevienne dont on invoque pourtant le patronage. Cette constatation peut se passer de toute argumentation : elle relève d'un principe général suffisamment explicite, selon lequel l'objet de la sémiotique est l'*étude des systèmes sémiotiques et non des signes*.

2. Les systèmes connotatifs sont donc des *systèmes seconds* par rapport aux systèmes dénotatifs : les langages de connotation sont,

pour Hjelmslev, des langages dont un ou plusieurs plans sont déjà des langages. On voit que l'introduction du concept de connotation a pour conséquence de poser le problème de la *complexité des systèmes sémiotiques* et, du même coup, de leur éventuelle *typologie* qui utiliserait le critère du nombre de plans formels que comporte tel ou tel système.

3. Comme un système sémiotique connotatif est un système de second degré, le modèle qui en rendra compte devra recouvrir le système dénotatif, considéré comme un langage-objet; et les connotateurs (grâce auxquels ce système fonctionne, et à travers lesquels il se manifeste dans le texte), devront s'extraire de tous les plans de ce langage, articulé, on le sait, selon les deux catégories dichotomiques fondamentales : *forme* vs *sens* (substance), et *expression* vs *contenu.* Un système connotatif va, par conséquent, se manifester en même temps sur quatre plans différents, c'est-à-dire,

au niveau de la forme linguistique :
sur le plan de l'expression (ou phonologique) et
sur le plan du contenu (ou grammatical);

au niveau de la substance non linguistique :
sur le plan de l'expression (ou du « sens » phonétique) et
sur le plan du contenu (ou du « sens » sémantique).

Cependant le fait que l'extraction des connotateurs doive s'effectuer sur les quatre plans — puisque ensemble, ils constituent le plan de l'expression du système connotatif — n'implique pas nécessairement que l'analyse de ce nouveau plan méta-linguistique aura à tenir compte de leurs articulations structurelles propres, de la distinction des différents plans, des dimensions plus ou moins grandes de leurs signes ou de leurs figures. Le langage connotatif n'est pas isomorphe au langage dénotatif, et une analyse qui tiendrait compte de la structure de la dénotation aboutirait à la construction d'un modèle méta-linguistique, mais tout aussi dénotatif. La seule procédure possible semble être de considérer le système dénotatif comme un objet opaque porteur des significations secondes qu'il s'agit de déchiffrer. Ainsi, pour prendre un exemple, mauvais mais simple — seuls les mauvais exemples paraissent simples — la connotation désignée en français par « vulgarité » (on peut l'identifier en analysant une sous-classe des langues nationales désignée comme « parler populaire ») aura simultanément pour connotateurs :

a) au niveau de la substance sémantique : tel champ sémantique restreint possédant des configurations assez précises (connotation des termes se référant au travail considéré comme peine, à l'alimentation, à la sexualité);

b) au niveau de la substance phonétique : telle production de phonème ou telle intonation trahissant les origines sociales du locuteur;

c) au niveau de la forme du contenu : telle construction ou tel tour syntaxiques;

d) au niveau de la forme de l'expression : telle neutralisation phonologique, par exemple.

On voit que les dimensions des unités linguistiques qui se trouvent ainsi connotées sont fort variées et ne peuvent servir de critère à une classification des faits d'expression connotative. On voit surtout que ce que l'on construit à partir des connotateurs n'est rien d'autre que le plan du contenu du système connotatif, ce contenu second qui se manifeste de manière diffuse à travers tous les plans du système dénotatif.

3. LES ZONES DE CONNOTATION.

Quand on se pose la question, fort naturelle, de savoir ce qu'il faut attendre d'une telle analyse, et quel genre de contenus connotés traînent avec elles les langues naturelles, on doit reconnaître que la théorie hjelmslevienne relative aux systèmes de connotation est très peu développée. Le peu de ce qui y est dit n'est pas pris au sérieux, ou bien est susceptible d'interprétations diverses : on trouve un inventaire, approximatif et allusif (Hjelmslev l'a établi dans le but unique de « montrer l'existence de ces faits et leur multiplicité ») avec l'indication première que « diverses parties ou parties de parties d'un texte peuvent être rédigées de façon différente » et comportent, par conséquent, des connotations différentes. Si, à partir de là, on essaie de se faire une idée des domaines de contenu connotés, on arrive à distinguer plusieurs zones de connotation.

1. La première de ces zones est faite de connotations qui pourraient

intéresser une discipline naissante, la socio-linguistique (laquelle semble chercher actuellement et son objet et ses méthodes). Ainsi, selon Hjelmslev, les textes — on sait qu'il attribue à ce terme le sens général de procès syntagmatique, comparable à l'infinité des énoncés de la grammaire générative — peuvent être produits en

a) diverses langues nationales,

b) divers types vernaculaires (langue commune, diverses langues de milieux et de métiers),

c) diverses langues régionales (langue standard, dialectes, etc.).

Dans le cadre ainsi esquissé est possible la description de systèmes connotatifs comme mise en corrélation des phénomènes linguistiques avec la *morphologie sociale* qui la fonderaient et seraient fondés par elle.

2. Un deuxième groupe de faits, dits constitutifs des différents *genres de style* (parole, écriture, gestes, etc.), semble ouvrir la possibilité, entrevue par Hjelmslev, de descriptions sémiotiques qui constitueraient, au niveau du contenu connoté, une nouvelle typologie, à la fois comparative et interne, des communautés linguistiques. Une étude de ces genres ne prendrait en considération que le critère de manifestation de la forme linguistique dans telle ou telle substance non linguistique; elle n'aurait pas pour objet une classification des systèmes de communication selon le plan de l'expression mis en jeu, mais *le système de valeurs qui se trouvent attachées à la pratique sociale de ces signifiants*. La division, souvent utilisée, des collectivités humaines en *sociétés à écriture* et *sociétés sans écriture* s'inscrit dans le cadre de recherches ainsi suggéré; en outre, toute la problématique des divers modes de médiation que l'écriture introduit dans les processus de communication (en institutionnalisant certains domaines sémiotiques autonomes — droit écrit, livre sacré — comparables, à la rigueur, par leur poids, à la parole chantée et dansée des sociétés sans écriture) s'ouvre ainsi à la recherche sémiotique.

Il ne s'agit plus ici de la manière dont la société se conçoit et s'articule à travers la langue qui est la sienne, mais de la manière dont elle utilise et apprécie les objets sociaux que deviennent pour elle les substances de l'expression informées par son langage.

3. La troisième zone comprend, à première vue, les connotations constitutives d'une stylistique sociale telle que la concevait le XVIIIe siècle. Ainsi, un texte peut être rédigé, selon Hjelmslev, en

a) « *styles* différents (vers et prose ou le mélange de ces deux types) »; *b*) différentes *espèces de style* (style créateur ou style simplement imitatif, dit style normal; style à la fois créateur et imitatif appelé archaïsant); *c*) différentes *valeurs de style* (style élevé et style vulgaire; style neutre, qui n'est *considéré* ni comme élevé ni comme vulgaire); *d*) différentes *tonalités*.

Ces indications, rédigées en termes traditionnels, ne renvoient certainement pas à la typologie des écritures telle que la comprend R. Barthes, ni aux disciplines qui sont en train de se reconstituer, comme la poétique ou la rhétorique : il suffit de transposer la problématique que notre zone de connotation semble recouvrir de nos sociétés à écriture dans le cadre des sociétés dites archaïques pour voir qu'il s'agit, ici encore, du bon usage (c'est-à-dire de la pratique fondée sur une axiologie) de la langue communautaire. Une étude des formes littéraires ou poétiques, qui met en évidence leur existence spécifique et décrit leur statut structurel particulier, doit être distinguée de l'attitude qu'une société adopte vis-à-vis des signes de son langage. Le philologue a beau démontrer que les *addâd*, termes qui désignent à la fois une chose et son contraire, n'ont pas d'existence linguistique en arabe, il n'empêche que des générations de grammairiens se sont préoccupées de les inventorier et de les codifier. Le système de connotation sous-jacent à chaque langue est immanent à la communauté linguistico-culturelle considérée.

4. On pourrait essayer de concevoir une quatrième zone à partir d'une indication plutôt vague, relative à la diversité des *physionomies* (avec la précision : « en ce qui concerne l'expression : divers *organes* et *voix* »); elle renverrait à une sorte de psychophonétique, à laquelle s'ajouterait une psychosémantique établie à partir des connotateurs de la substance du contenu. Dans tout ce domaine, la description de la connotation établirait des typologies *idiolectales* sous-tendant la substance manifestante, au niveau de l'expression (typologie des « voix » parallèle à la graphologie) et du contenu (reprise, par une approche connotative, de la tradition caractérologique remontant à l'Antiquité). Ici encore, il ne s'agit pas de l'analyse de structures idiolectales proprement dites, d'univers sémantiques individuels, mais de la mise en corrélation des faits linguistiques avec un système de jugements sociaux aboutissant à une sorte de personnologie sociale.

Les extrapolations que nous venons de faire — et que nous nous proposons de continuer — peuvent paraître sans commune mesure avec la liste uniquement allusive de Hjelmslev. Elles le seront certainement moins aux familiers de la pensée du maître danois. Il est difficile d'admettre, en effet, que les pages consacrées, dans le cadre des *Prolégomènes*, aux langages de connotation soient la réintroduction d'une pseudo-stylistique surannée, plutôt que l'établissement d'une nouvelle dimension sémiotique dans l'économie générale de la théorie du langage.

4. L'« ÊTRE » ET LE « PARAÎTRE » DES OBJETS SÉMIOTIQUES.

Cette nouvelle dimension n'est autre chose qu'un second plan de signification possédé par tout objet sémiotique. Bien qu'isotope avec le premier, ce plan est pourtant, par définition, hétéromorphe par rapport à lui : car s'il se manifestait à l'aide des mêmes articulations structurelles, aucune nouvelle signification ne pourrait en être extraite. Par rapport à la forme qui constitue l'être des objets sémiotiques, les systèmes connotatifs sont, par conséquent, des *systèmes déformants*. Comme ils n'en sont pas moins linguistiques, on est en droit de dire que tout objet sémiotique, ou l'un quelconque de ses éléments, est doté d'une double existence, qu'il existe simultanément sur *le mode de l'être* et sur *le mode du paraître*.

Ainsi, on ne peut entrevoir qu'un rapport éloigné entre la division du domaine français en langue d'oc et langue d'oïl selon le traitement de l'*a* accentué libre, et la « phénoménologie » des Français du Midi et du Nord. L'anthropologie compréhensive de Griaule, toute en finesse et en profondeur, n'est suspecte que parce qu'elle ne tient pas compte de la frontière entre l'être et le paraître des structures culturelles. Et c'est encore Freud qui a le mieux fait voir la distance qui existe entre le sens latent et le sens manifeste, résultat d'une élaboration secondaire, camouflante et déformante.

La reconnaissance du phénomène de la connotation a une double importance méthodologique : non seulement elle maintient dans un état de méfiance bénéfique le chercheur en quête d'objets sémiotiques, mais elle oblige à concevoir l'analyse des systèmes connotatifs comme un domaine de recherches autonome; elle permet d'intégrer dans la recherche sémiotique, et de faire bénéficier de la méthodologie de cette dernière, un champ de significations dont l'appréhension scientifique paraît encore impossible et qu'on invoque souvent comme le niveau du vécu et du senti, du quotidien et de l'humain pour l'opposer au caractère abstrait et décharné de la sémiotique. Le jugement de valeur qu'on portera sur ce dédoublement de signification ne remettra pas en question son existence même, mais nous fera considérer ce voile du paraître qui nous aide à vivre comme naturel et nécessaire, ou comme aliénant soit dans son ensemble, soit dans certains de ses éléments (et s'ouvrira alors le procès de démythification).

5. LA RÉALITÉ SOCIALE VÉCUE.

La dimension connotative du langage peut être postulée, en principe, dans les univers sémiotiques individuels aussi bien que sociaux : on peut dire que tout homme camoufle son être sémiotique grâce à un réseau de significations aliénantes, à l'intérieur duquel il croit vivre, sentir, juger et croire. Les indications hjelmsleviennes renvoient cependant nettement à l'aspect socio-culturel des langues naturelles.

Pour peu qu'on se débarrasse de l'une des connotations courantes de notre époque, selon laquelle la langue est un outil de communication; pour peu qu'on lui accorde le statut d'une véritable dimension constitutive de la société, d'un lieu où se situent, pour une large part, les valeurs de la culture et la praxis culturelle; pour peu qu'on dise que les hommes n'utilisent pas la langue, mais sont en partie constitués par elle — on reconnaîtra que les systèmes connotatifs de caractère social portent en eux, et manifestent dans leur fonctionnement, l'essentiel des représentations qui, tout en inscrivant la culture dans l'homme, la projettent devant lui, sous forme d'objets culturels distanciés.

La liste des faits de connotation, établie par Hjelmslev, semble comporter, dans cette perspective, deux grands champs de signification.

1. Le premier champ est constitué des zones (1) et (4) précédemment distinguées. La langue y sert à inscrire l'homme dans la société qui est la sienne, et ce à l'aide de deux taxinomies :

a) La première taxinomie consiste dans l'articulation de la communauté linguistique en classes et sous-classes, suivant des critères différents : stratification sociale ou fonctionnelle, découpage géographique, etc. Une telle classification ne se confond ni avec les distinctions *proprement linguistiques* ni avec l'articulation des structures sociales *non linguistiques;* elle fonctionne cependant comme un système de références au niveau du « vécu », comme une projection de la communauté dans la « conscience » — plus ou moins consciente — des individus.

b) La seconde taxinomie apparaît comme une typologie sociale des individus et sert donc de système de référence à une « psychologie du quotidien » : les hommes sont jugés, loués ou condamnés, passent d'un casier à un autre, en vertu de cette taxinomie à la fois formelle et essentielle. C'est peut-être parce que les taxinomies de ce genre ont pour plan de l'expression la substance et non la forme linguistique, que les caractérologies qui en sont issues paraissent « naturelles », comme relevant de la nature de l'homme.

Ces deux systèmes connotatifs *constituent* en somme *le paraître* de la société et *le paraître* de l'homme.

2. En offrant des cadres sémiotiques à l'intégration de l'homme dans la culture, les systèmes seconds que nous venons d'envisager semblent *abolir en quelque sorte la distance* qui sépare la langue de la société et de l'individu; le second groupe de connotations crée, au contraire, cette distance et établi un *espace sémiotique extérieur*, peuplé d'objets culturels opaques, comparable au monde des choses.

a) L'écran en est constitué par le système connotatif qui rend compte de la diversité des substances à travers lesquelles la langue se trouve manifestée. Une sorte de réification de la structure linguistique en résulte : la langue devient un « fait social », un instrument plus ou moins imparfait; certaines zones sémiotiques — le droit, la religion — prennent l'apparence d'institutions sociales, d'autres — la poésie, le mythe — produisent des effets de sens de vérité, profonde et/ou sacrée, selon les communautés envisagées.

b) Sur cet écran se profilent des objets culturels de toutes sortes et, d'abord, des signes linguistiques de toutes dimensions, depuis des mots, connotés comme lourds de sens ou dotés de puissance, et des proverbes, exprimant des vérités éternelles, jusqu'aux événements qui deviennent historiques à partir de simples structures narratives.

Une praxis sociale variée s'instaure à partir des systèmes taxinomiques ; les rôles sociaux sont joués sur des registres linguistiques constitués par des « espèces » stylistiques que la sémiotique sociale prête aux individus. L'homme est définitivement pris au piège : il se croit maître de la parole, utilisateur et juge des signes et des objets culturels.

Un univers culturel de sens commun, connoté dans son ensemble comme la réalité sociale vécue, apparaît ainsi, au niveau des effets de sens, comme la manifestation de la structure connotative d'une langue.

6. ÉLARGISSEMENTS NÉCESSAIRES.

Ce qu'il peut y avoir d'excessif dans l'essai que nous avons fait pour tracer ici les configurations de la structure connotative s'explique par ceci qu'en ne nous référant apparemment qu'à la langue naturelle (qui constitue une des couvertures essentielles de la communauté culturelle), nous avions constamment présents à l'esprit les autres langages sociaux. Une sociologie de la connotation culturelle n'épouse ses véritables contours que si tous les objets sémiotiques constitutifs d'une culture y sont intégrés. La forme sémiotique étant indifférente à la substance qui la manifeste, tous les objets culturels, qu'ils se présentent comme visuels, auditifs, olfactifs ou gustatifs, comportent, dans leur manière d'être, la double interprétation. Si l'on peut concevoir la culture comme une sémiotique, son existence postule une structure connotative parallèle, dont les manifestations multiples entourent l'homme de toute part et l'enferment dans une ambiance de réalité rassurante.

Une telle sociologie du sens commun — qui n'est d'ailleurs que la connotation de l'anthropologie sociale —, n'a de chances de réussir que si elle débouche sur une typologie générale des cultures et des objets culturels.

Structure et histoire[1]

L'inégalité de rythme des curiosités et insistances dans les sciences humaines, signe de leur faiblesse, ne cesse d'être inquiétante : durant les dernières décennies où la réflexion philosophique et politique avait essayé, du moins en France, de cerner le concept de l'histoire et d'en tirer les postulats méthodologiques susceptibles de fonder une science de la société, la linguistique, science sociale s'il en est, délaissait la dimension historique de son objet et ne cherchait qu'à exploiter la notion saussurienne de synchronie. Maintenant que, pour des raisons sur lesquelles il n'y a pas lieu de s'arrêter ici, le grand débat de l'histoire se trouve dépassionné, on commence à reconnaître — en linguistique et à l'intérieur de l'épistémologie structuraliste en général — les premiers symptômes d'un intérêt croissant pour la diachronie, les premiers efforts pour dépasser cette dichotomie dont les termes paraissaient inconciliables. C'est donc à des considérations à rebours, allant *de l'atemporel vers le temporel*, à des extrapolations (plus ou moins justifiées) *partant de la linguistique* et cherchant à exploiter ses procédures de découverte et ses modèles de description en vue d'une réflexion anthropologique plus large, que seront consacrées les pages qui suivent.

HISTOIRE ET PERMANENCE.

La dichotomie saussurienne de la langue et de la parole a paru pendant longtemps — et paraît encore maintenant — fournir le cadre explicatif qui permet de rendre compte de la permanence d'une

1. Paru sous ce titre dans *les Temps modernes*, nº 246, novembre 1966, p. 815-827.

structure sous-tendant la totalité des événements-messages, contingents et justifiés à la fois. Ce concept de système, immanent à un vaste ensemble de comportements linguistiques, se trouvait, d'autre part, complété par l'évidence de la temporalité linéaire du discours : la structure, indifférente au temps était capable de produire, dans sa manifestation, des séquences de significations à la fois événementielles et temporelles, elle était génératrice des événements historiques.

Sur ce problème de la production de la temporalité à partir des structures, les difficultés, comme presque toujours, surgissent lorsqu'il s'agit d'exploiter les postulats de base en les intégrant, comme éléments d'explication, dans des analyses partielles. Ainsi, le caractère temporel du discours s'estompe dans la description de la syntaxe d'une langue naturelle. Celle-ci, on le sait, n'opère qu'avec des unités du discours ne dépassant pas les dimensions de la phrase : c'est un fait que les structures syntaxiques n'organisent pas le discours dans son ensemble, mais seulement les segments très réduits de celui-ci. Le discours n'est donc pas une articulation de structures successives, mais la redondance d'une seule structure hiérarchique qu'est l'énoncé. De ce point de vue limité, l'auditeur ne perçoit pas la signification comme un étalement dans le temps, mais comme l'itération d'un certain nombre de *permanences*.

Même si, abandonnant la manifestation grammaticale de la réalité linguistique, on se place sur le plan transphrastique des significations dont les éléments semblent bien distribués tout le long de la ligne du temps et constituent le discours comme la manifestation temporelle du sens, on y retrouve les mêmes conditionnements qui transforment la temporalité, considérée comme moyen de transmission, en simultanéité, condition extralinguistique de la réception des messages enchaînés en discours. Ainsi, toute saisie de signification a pour effet de transformer les histoires en permanences : qu'il s'agisse de l'interrogation sur le sens d'une vie ou sur le sens d'une histoire (ou de l'histoire), l'interrogation, c'est-à-dire le fait qu'on se place devant une manifestation linguistique dans l'attitude du destinataire des messages, a pour conséquence ceci : que les algorithmes historiques se présentent comme des états, autrement dit comme des structures statiques.

On peut réserver son jugement quant à la valeur limitative de la conception brøndalienne, selon laquelle la synchronisation de l'information, condition nécessaire de sa mise en structure et, par conséquent, de son pouvoir de signification, ne peut dépasser la saisie simultanée de plus de six termes : il paraît toutefois impossible de ne pas tenir compte du fait qu'au niveau syntaxique, l'énoncé se présente toujours à nous sous forme d'un petit spectacle dont le nombre d'acteurs (sujet, objet; destinateur, destinataire) est fort limité; du fait, aussi, que la signification fondamentale d'une histoire (récit, mythe, conte, etc.) se réduit à une articulation homologuée simple. La temporalité ou la spatialité — dans le cas du discours écrit — du plan de l'expression ne sont, en fait, que les moyens de la manifestation de la signification, laquelle n'est pas pour autant temporelle ou spatiale.

Le problème doit, par conséquent, être posé autrement : de la temporalité, apparente, des comportements linguistiques, on ne peut inférer leur historicité; les structures seules étant visées par la description linguistique, c'est d'elles qu'on doit chercher à comprendre si et comment elles se trouvent ancrées dans l'histoire.

DURÉES ET HIÉRARCHIES.

S'interroger, au sortir d'une séance de cinéma, sur le « sens » du film que l'on vient de voir, consiste à organiser, dans le cadre de son propre langage intérieur, en vue d'une aperception totalisante, un petit nombre d'éléments essentiels, constitutifs de ce récit. Toute démarche ultérieure ne pourra que choisir un de ces éléments pour le décomposer : une nouvelle articulation de la signification se situera à un niveau hiérarchiquement inférieur, ne sera que l'analyse de l'un des termes déjà posés. Toutes les théories du langage sont d'accord sur ce point : le langage est une hiérarchie. Peu importe que, suivant les habitudes acquises ou l'exercice de telle ou telle discipline, on désigne, par une procédure de symbolisation visuelle, le niveau élémentaire de cette permanence comme anagogique et substructurel ou, au contraire, comme situé au sommet de la pyramide, métalinguistique et superstructurel : la signification élémentaire d'une quelconque histoire, prise dans les limites de sa durée totale (ce qui, dans la science historique, correspondrait aux « longues durées » de Braudel), peut être posée comme un invariant, les « durées moyennes » étant considérées comme des variables, les « courtes durées », comme des variations stylistiques et conjecturales.

Une telle mise en corrélation des *durées* et des *niveaux structurels* peut paraître tentante. Un modèle *hiérarchique* unique permettrait ainsi de rendre compte des transformations diachroniques en tout genre, interprétées comme des substitutions paradigmatiques de variables situées à un niveau structurel déterminé. La durée historique ne serait pas pour autant entièrement abolie, mais transcodée dans un nouveau langage descriptif, et l'histoire elle-même serait intégrée dans un univers sémantique plus large. La périodisation, enfin, procédure de description héritée du XIXe siècle, pourrait être assouplie et réinterprétée comme un enchevêtrement de manifestations relevant de structures historiques différentes.

Une telle conception ne résiste malheureusement pas entièrement à l'examen.

On ne voit pas, d'abord, comment fonder l'équation postulant que ce qui dure plus longtemps est plus essentiel que ce qui dure peu. Les mésaventures de naguère sont sur ce point instructives : pour expliquer la permanence de certains phonèmes, on se référait à la facilité de leur articulation; mais dans d'autres cas, on prétendait que la difficulté de leur phonation, demandant un effort supplémentaire d'attention, garantissait leur stabilité. A ce compte, la permanence de la forme ronde du pain plaiderait en faveur de l'intégration de la « rotondité » dans la structure fondamentale de la civilisation méditerranéenne : sans être fausses, de telles considérations risqueraient fort de provoquer des « révisions déchirantes » de l'histoire.

D'un autre côté, l'articulation des durées en longues, moyennes et courtes souligne déjà le caractère opérationnel, et non réel, de la conceptualisation proposée : les trois termes sont sémantiquement articulés selon la catégorie subjective (c'est-à-dire comportant référence au locuteur) de la « mensuration relative ». Et si, en partant de l'exemple du spectateur s'interrogeant sur la structure de signification d'un film-récit, nous avons élargi le problème en cherchant la corrélation possible entre les corpus collectifs et les structures sociales, il en est de même de l'histoire idiolectale d'un Mallarmé où les niveaux fondamental, historique et stylistique correspondent aux mêmes durées relatives.

L'établissement de la corrélation entre les durées et les structures garde, sans doute, sa valeur sur le plan des procédures et facilite le choix stratégique du niveau homogène de description. Mais la durée ainsi entendue ne paraît pas susceptible de servir de pont reliant l'histoire à la structure.

SYNCHRONIE ET DIACHRONIE.

La difficulté qu'on rencontre pour intégrer la dimension temporelle dans les considérations relatives au mode d'existence des structures de signification, ne fait que souligner la non-pertinence, pour nous, de la dichotomie saussurienne de la synchronie et la diachronie. Qu'on les prenne dans leur étymologie ou dans la situation historique de leur formulation, tout imprégnée encore de l'historicisme du XIXe siècle, les deux concepts antinomiques sont pensés essentiellement comme deux aspects complémentaires de la temporalité, l'axe « chronique » étant logiquement antérieur à l'opposition qu'ils sont censés établir. Il n'en va plus de même pour les théories du langage post-saussuriennes : la structure d'un langage quelconque ne comporte, pour elles, aucune référence temporelle, et le terme de synchronie n'y est conservé que par tradition. La description d'une structure n'est rien que la construction d'un modèle métalinguistique, éprouvé dans sa cohérence interne, et susceptible de rendre compte du fonctionnement, à l'intérieur de la manifestation, du langage qu'on se propose de décrire. La dimension historique n'est, pour un modèle de ce genre, qu'un fond de toile sur lequel s'inscrivent les comportements linguistiques, et dont l'étude ne paraît pas, à première vue, pertinente.

Du fait des distances qu'a prises la linguistique d'aujourd'hui par rapport à la diachronie, un véritable malentendu se produit lorsqu'un historien se décide à adjoindre la synchronie au corps de concepts qu'il a l'habitude de manier. Elle signifie alors pour lui la réunion d'un ensemble d'événements ayant lieu en même temps et la description d'une synchronie linguistique impliquerait, à la limite, l'enregistrement de toutes les paroles prononcées, dans un même instant, par des milliers de sujets parlants. Même s'il est obligé d'admettre un certain étalement de messages dans la durée, rien ne lui permet d'en fixer les limites. Une phrase, un paragraphe, un chapitre constituent-ils des unités synchrones? Accordera-t-il une année, ou deux, à la durée d'une synchronie? Cela est oiseux et d'usage courant.

Le rapport entre le fonctionnement d'une structure et l'espace historique qu'elle remplit se trouve un peu précisé par Hjelmslev grâce à l'approfondissement du concept d'*état linguistique*. Un modèle qui cherche à décrire un état linguistique tel que l'ancien français, par exemple, est généralement construit selon une double procédure : il apparaît tantôt comme une *hiérarchie de systèmes et de catégories*, tantôt comme un *ensemble de règles de fonctionnement* (de dérivation, de production, de conversion). Mais on a tort de considérer ces dernières, bien qu'on le fasse assez souvent, comme diachroniques : qu'un Danois, ayant atteint l'âge de vingt ans, soit obligé de faire son service militaire ne veut pas dire qu'à un moment donné, les Danois se transforment en soldats. L'organisation du service militaire est une règle typiquement statique : la réglementation fait, par conséquent, partie de l'état linguistique. Entre la description catégorique et la description réglementaire, il y a une différence de formulation, non de nature, et la transcription d'un code à l'autre est toujours possible. La structure d'un état linguistique apparaît donc comme une sorte de mécanisme *achronique* servant à produire des messages — et à opérer les reconversions de ceux-ci en messages de type différent — en nombre indéfini, remplissant ainsi d'événements un espace historique correspondant.

Cette interprétation de l'état linguistique, bien qu'elle introduise un certain parallélisme entre la structure et l'histoire, n'établit donc pas de relation entre les deux concepts. Elle permet de voir, il est vrai, qu'un grand nombre de « changements » qu'on avait tendance à considérer comme des transformations historiques, ne le sont pas en réalité; elle précise, aussi, les conditions d'une description structurale de l'histoire. Cependant, elle n'établit en rien la spécificité historique de telle ou telle structure, qui subsume pourtant une époque historique; elle n'indique pas pourquoi tel modèle rend compte précisément du fonctionnement de l'ancien français, structure historique unique, et non d'un autre état ou d'une autre langue. En effet, il n'est pas impossible de concevoir qu'il existe, quelque part en Amazonie, une structure linguistique identique ou qu'il en a existé une semblable dans la préhistoire linguistique. Au lieu d'expliquer le caractère historique de la structure, une telle interprétation rend plutôt leur dignité de structure aux totalités signifiantes localisées dans l'histoire.

L'HISTORISATION DES STRUCTURES.

Il semble que la relation entre la structure et l'histoire et, du même coup, une méthodologie commune aux sciences sociales et aux sciences historiques, ne pourra être définie que si l'on sait répondre de façon satisfaisante, à deux ordres de questions : en quoi consiste le caractère historique des structures sociales? comment rendre compte des transformations diachroniques qui se situent entre structures juxtaposées sur une même ligne de succession temporelle?

On sait que la plus belle réussite de la linguistique du XIXe siècle a été la reconstitution, fondée sur les critères de la parenté historique, de familles de langues, allant jusqu'à la construction d'une langue indo-européenne originelle non attestée dans sa manifestation, c'est-à-dire, en somme, d'une structure historique qui se passe de l'histoire événementielle. Bien que ce fût une œuvre considérable, patiemment échafaudée par plusieurs générations de linguistes, sa réinterprétation structurale n'a été tentée, par Louis Hjelmslev, qu'en 1943 (et publiée vingt ans plus tard) : cela suffit à mesurer l'incompatibilité d'humeur qui continue à séparer les deux linguistiques. L'importance de la tentative nous oblige à en résumer ici les grandes lignes.

De la parenté historique (ou génétique, selon la terminologie de Hjelmslev) des langues, il est reconnu qu'elle se situe exclusivement sur le plan du signifiant et consiste dans l'enregistrement des corrélations entre les unités élémentaires de ce plan, les phonèmes, définis à la fois par leur commutabilité et par leur comportement à l'intérieur d'unités du signifiant plus larges, les syllabes. Les bases de comparaison permettant d'établir ce qu'on appelait autrefois la filiation ne sont, par conséquent, pas seulement les unités constitutives du signifiant, mais aussi les cadres contextuels à l'intérieur desquels elles fonctionnent. Bien davantage, l'inventaire des syllabes dont on extrait les phonèmes en vue de cette comparaison corrélante, est restrictif : seules sont prises en considération les syllabes qui peuvent, soit isolées, soit en se combinant entre elles, fonctionner comme des segments du signifiant recouvrant des contenus, c'est-à-dire les syllabes qui servent à la constitution des signes du langage.

Une telle définition de la parenté historique possède une valeur explicative indéniable. Elle permet de voir, tout d'abord, que celle-ci se distingue de la parenté purement *typologique*, du seul fait de la *restriction* du corpus des syllabes retenues pour la description : parmi le grand nombre de possibilités combinatoires que possède toute langue naturelle pour constituer son stock syllabique, seules les syllabes effectivement réalisées comme supports de signification sont prises en considération. L'ancrage historique d'une structure, son caractère de structure réellement manifestée dans un certain *hic et nunc* historique, se définit donc, dans la formulation structuraliste, comme une limitation de ses possibilités de manifestation.

D'un autre côté, cette limitation des virtualités que comporte l'historisation des structures se situe sur le plan des signes, c'est-à-dire des « effets de sens », apparence que prend pour nous toute manifestation d'univers signifiant. Il n'est pas difficile de transposer notre réflexion du plan de l'expression à celui du contenu, et de parler de parenté historique à propos non pas d'unités du signifiant, mais d'unités du signifié : les structures de signification ne seront historiques que dans la mesure où l'inventaire d'effets de sens sera restreint. Or, à l'intérieur de l'univers humain le signe joue, toutes proportions gardées, le même rôle que le morceau de cire de Descartes dans l'univers naturel : si le signe présente les caractères d'une réalité en quelque sorte immédiate et indiscutable, leur réunion institue un niveau de réalité inutilisable, non pertinent pour la description scientifique. Les signes — les mots, les messages, les textes — constituent pour le sémioticien le même écran d'apparences réelles que les objets du monde et leurs diverses reconversions pour le physicien. De même donc que la structure atomique se conçoit aisément comme une combinatoire dont l'univers actuellement manifesté n'est qu'une réalisation partielle, la structure sémantique, imaginée selon un modèle comparable, reste ouverte et ne reçoit sa clôture que de l'histoire.

Si ce raisonnement exploratoire a quelque valeur, l'histoire, au lieu d'être une ouverture, comme on n'a cessé de le répéter, est au contraire une *clôture;* elle ferme la porte à de nouvelles significations contenues, comme virtualités, dans la structure dont elle relève : loin d'être un moteur, elle serait plutôt un frein. Ainsi se trouve justifié notre étonnement, constaté dès les premières pages, de ne trouver partout dans la manifestation que des permanences à la place des novations attendues. La redondance, l'habitude qui fige à tout moment les structures en fonctionnement et les transforme en idiotismes, est certainement un des éléments explicatifs de l'historicité; et la sagesse des nations qui prétend que « plus ça change, plus c'est la même chose » comporte une large part de vérité.

STRUCTURES ET USAGES.

De nouvelles extrapolations sont possibles à partir de la dichotomie hjelmslevienne, très peu explorée, opposant la structure (= le schéma) à l'usage. On peut entendre par usage, opérationnellement, l'utilisation que fait une communauté linguistique de la structure de signification dont elle dispose et le concept d'usage s'identifie alors avec l'historisation de la structure. On peut également se servir du terme *usage*, comme le fait Hjelmslev, pour désigner la *structure fermée par l'histoire*, et dans ce cas le problème des relations entre la structure et sa manifestation historique partielle se trouve situé sur un plan de réflexion homogène. Les rapports entre ces deux concepts peuvent être précisés sous la forme d'une double constatation : si l'on choisit comme objet de description un certain usage, on ne peut expliciter, à partir de cet usage, qu'une seule structure immanente à cet usage. Inversement, une seule structure peut être manifestée, du fait de la diversité des limitations possibles, sous forme de plusieurs usages, donner lieu, autrement dit, à la réalisation de plusieurs structures historiques différentes.

S'il en est ainsi, on voit qu'une seule structure sociale, le féodalisme, par exemple, peut se manifester sous forme d'usages particuliers qu'on pourra désigner comme féodalisme français, japonais ou indien. Dès lors, un certain *comparatisme — historique et achronique à la fois —* paraît plus aisé à concevoir que le comparatisme historique et diachronique. Car des difficultés théoriques plus grandes surgiraient si l'on essayait d'appliquer les mêmes procédures de description à deux états structurels situés sur la même ligne du temps et se succédant l'un à l'autre : il s'agirait, dans ce cas, d'établir la comparaison non plus entre deux usages, mais entre deux structures différentes. En effet, chaque état, pris séparément, est justifiable d'une structure qui lui est immanente, mais que cet état est loin d'épuiser. Les changements qui permettent de parler de la succession de deux états sont des transformations de structures et non des extensions d'usages, puisque, par définition, il ne peut y avoir rupture dans le cours de l'histoire que si le modèle déjà existant ne rend plus compte des événements nouvellement manifestés et qu'un nouveau modèle doit être postulé. Les catégories de la signification sur lesquelles opèrent ces transformations ne sont pas nécessairement celles qui se trouvent déjà réalisées dans l'état *ab quo* ni les mêmes dans les deux usages qui se succèdent. Ne poussons pas trop loin les choses : il n'est pas du tout impossible qu'une certaine corrélation existe entre deux usages historiques successifs et disjoints : mais la méthodologie structuraliste ne semble pas, en tout cas, être en état, à l'heure actuelle, d'en préciser le statut.

LES TRANSFORMATIONS DES STRUCTURES.

L'investigation proprement historique qui chercherait à introduire dans le catalogue de ses instruments opératoires le concept de structure, ne pourra pas négliger cet ordre de priorités : la *description des structures statiques* inhérentes aux usages est logiquement *antérieure aux procédures de comparaison des états structurels successifs.* Mais cette deuxième étape ne diffère pas, à première vue, de la méthodologie achronique utilisée par le comparatisme typologique. Dans un cas comme dans l'autre, il s'agit de la mise en parallèle de contenus historiques réduits à leur forme de modèles. Dans les deux cas, surtout, l'établissement des corrélations entre deux structures de contenu constitue une opération métalinguistique par rapport aux contenus décrits eux-mêmes. Que les différences d'attitudes et de terminologies ne nous trompent pas. Dans le premier cas, il s'agit de rendre compte des transformations reconnues entre deux modèles à l'aide d'une métathéorie de la signification qui subsumerait à la fois les contenus structurés et les transformations effectuées. Dans le second cas, on est obligé d'admettre — de façon plus ou moins explicite — un sujet translinguistique dont l'intervention justifie les transformations diachroniques disjoignant les états structurels, à l'intérieur d'un continu temporel.

Le comparatiste, soucieux des outils de sa description, fait de son mieux pour les maintenir à des niveaux de généralité homogènes et se trouve obligé de reconnaître le caractère métalinguistique des modèles de transformation; ne voulant pas se prendre pour le sujet des transformations qu'il ne fait que décrire, il multiplie les procédures de vérification en vue du transfert progressif de responsabilités sur le modèle qu'il cherche à rendre objectif. L'historien, et surtout l'historien marxiste, pose l'histoire comme immanence : les structures du contenu et les modèles (dialectiques) de transformation sont pour lui immanents à la manifestation de l'histoire : la tâche de les expliciter n'en subsiste pas moins entière. Construction et explicitation des modèles se confondent dans la praxis de découverte et de description. Ce qui manque le plus à l'historien comme au comparatiste, dans l'ordre d'urgence, c'est une meilleure connaissance des modèles de transformation dont ils ont également besoin. Car la praxis descriptive comporte un savoir-faire sous forme d'un catalogue de modèles dont on peut disposer à sa guise.

C'est dans cette perspective qu'on peut mieux comprendre le sens des explorations de Claude Lévi-Strauss. Sans renier l'histoire, comme certains le prétendent, ni surtout le comparatisme historique, sa recherche vise, en définitive, à les intégrer dans une typologie générale des structures de signification. Par la mise en évidence de l'existence de « logiques concrètes », il a donné une idée précise de la manière dont pourraient être conçus les répertoires des éléments constitutifs de ces structures historiques du contenu, condition préalable, nous l'avons vu, de toute description de leurs transformations.

La comparaison des récits mythiques appartenant à des sociétés distinctes, qu'il poursuit actuellement, intéresse le sémanticien à un double point de vue : non seulement comme une tentative pour dépasser les usages en en extirpant les structures rendant possible une typologie des superstructures, mais aussi comme une explicitation progressive des modèles et des types de transformations qui s'y reconnaissent. Loin de constituer une démarche anhistorique, ou même antihistorique, la méthodologie structuraliste prépare probablement un renouveau de recherches historiques. Car une meilleure connaissance des règles générales de transformations structurelles est nécessaire avant qu'on puisse se prononcer avec quelque certitude sur le caractère spécifique des transformations diachroniques. Le passage de la philosophie de l'histoire à la science de l'histoire est à ce prix; la linguistique l'a éprouvé quand, faute de modèles de description, elle s'est complue pendant des siècles dans la contemplation de ses concepts généraux.

LES TRANSFORMATIONS DIACHRONIQUES.

Il se peut que l'originalité des transformations diachroniques réside dans le caractère *irréversible* de leur démarche : il suffirait pour cela de pouvoir définir avec précision un certain type de corrélations permettant de statuer de la façon suivante : étant donné deux structures du contenu, S_1 et S_2, et la corrélation R qui existe entre elles, la structure S_2 peut être la transformation de la structure S_1 et non inversement. Nous sommes, malheureusement, loin encore de pouvoir imaginer de telles règles. On sait, il est vrai, qu'il existe des compatibilités et des incompatibilités entre les éléments et les catégories de la signification, et que leur connaissance permettrait d'établir des règles de sélection et de restriction au niveau de la manifestation : le débat sur l'asémanticité qui s'est instauré en linguistique depuis peu y apportera peut-être quelque clarté. On sait, d'autre part, l'embarras des logisticiens devant les relations orientées qu'ils rencontrent sur leur chemin et qui empêchent la construction d'une logique libérée du discours : c'est peut-être un autre domaine où l'histoire pourrait chercher sa justification. Il faut avouer pourtant que la démarche dialectique qui paraît, à première vue, comme le type même du modèle de transformation diachronique, ne présente pas des garanties d'irréversibilité suffisantes : il semblerait bien, d'après les premières investigations que nous avons tentées, que la démarche dialectique, considérée comme destructrice des corrélations mythiques, dans la mesure où elle nie la conjonction des termes contraires et affirme la possibilité de nouvelles articulations de contenus discrets, a pour corollaire la démarche mythifiante inverse, créatrice de corrélations dites symboliques et qui concilient les inconciliables.

Nous croyons avoir ainsi épuisé les principales possibilités d'extrapolation méthodologique que l'on peut envisager, sans excès d'optimisme, à l'heure actuelle. Cet essai de rapprochement n'a pu manquer de mettre en évidence les lacunes et les carences du structuralisme aussi bien que celles de la conceptualisation de l'histoire : la tâche d'intégrer l'histoire dans la méthodologie des sciences sociales ne pourra être menée à bien que si la science historique montre un empressement égal à accueillir, parmi ses concepts de base, celui de structure.

La mythologie comparée[1]

A GEORGES DUMÉZIL
en hommage déférent

L'intérêt qu'un linguiste ou un sémioticien — puisque le système linguistique n'est qu'une structure privilégiée parmi tant d'autres structures sémiotiques — peut porter à la mythologie est double :

Une mythologie lui apparaît comme un métalangage « naturel », c'est-à-dire comme un langage dont les diverses significations secondes se structurent en se servant d'une langue humaine déjà existante comme d'un langage-objet. Il cherche alors quelles sont, et comment fonctionnent, les « formes » de ce nouveau signifiant complexe pour réaliser les significations mythiques.

Les recherches mythologiques l'attirent, en outre, par la façon évidente, péremptoire avec laquelle s'impose, dans leur domaine, la description de la signification des formes métalinguistiques. Moins indissolublement uni à son signifiant que dans le langage ordinaire, le signifié mythologique est à découvrir, à dégager par un processus d'explicitation lent et souvent fort subtil, exigeant une méthodologie sûre, toute à l'affût de critères d'analyse objectifs. La linguistique structurale, on le sait, s'est longtemps interdit, pour des raisons de principe, toute recherche portant sur la signification; et elle n'envisage que depuis peu avec moins d'horreur l'analyse de la substance, phonique ou sémantique.

L'historien peut observer comment la philosophie présocratique émergea de la mythologie. Il est passionnant de suivre le mythologue dans l'accomplissement d'une tâche parallèle, de voir comment l'interprétation des mythes fait surgir un nouveau langage « idéologique », car c'est bien de cela qu'il s'agit : une analyse de la significa-

1. Paru sous le titre de *la Description de la signification et la Mythologie comparée* dans *l'Homme*, septembre-décembre 1963, p. 51-66. On notera que cette étude, qui date de 1962, est antérieure aux *Mythologiques* de Lévi-Strauss. Même si les procédures de présentation qui y sont utilisées paraissent un peu vieillies, le texte porte une certaine valeur didactique.

tion doit nécessairement se constituer en une nouvelle « terminologie », en un nouveau métalangage. Autrement dit, le mythologue accomplit la traduction du langage mythologique dans un langage idéologique. Le progrès est indéniable : une « sémiotique connotative » est transformée, pour employer la terminologie de Hjelmslev, en une « sémiologie dénotative ». Qui peut le plus peut le moins : ainsi, la recherche mythologique pourrait servir de modèle à l'étude des superstructures, à la description des idéologies sociales.

Dans la diversité des niveaux [1] où se situent les signifiants mythologiques et parmi les nombreuses formes qu'ils épousent, l'attention est tout naturellement attirée par les *mythes*, récits de longueur inégale, où, dans un enchaînement syntagmatique plus ou moins cohérent, se retrouvent, marqués par des redondances et des répétitions, les théologèmes, les mythèmes et autres unités du signifié reliées entre elles, malgré les apparences du récit, par des liens paradigmatiques. La remarquable étude structurale du mythe faite, il y a quelque temps, par Claude Lévi-Strauss [2], ne laisse plus aucun doute là-dessus : la lecture du mythe ne doit pas être syntagmatique et épouser la ligne du récit; elle consiste en une saisie, souvent inconsciente pour l'usager, de rapports entre unités du signifié mythique, distribuées tout le long de ce récit. Ces unités du signifié, malgré la richesse des signifiants, se présentent dans le récit en nombre très limité, et l'expression du mythe peut ainsi être réduite à une proportion mathématique. Choisi comme exemple par Lévi-Strauss, le mythe d'Œdipe se trouve formulé par lui de la façon suivante :

$$\frac{\text{/rapports de parenté surestimés/}}{\text{/rapports de parenté sous-estimés/}} \simeq \frac{\text{/autochtonie de l'homme/}}{\text{/négation de l'autochtonie de l'homme/}}.$$ [3]

1. Les récits ou fragments de récit, utilisables par la mythologie, peuvent se retrouver, G. Dumézil l'a bien fait ressortir, partout et à tous les niveaux : dans les textes sacrés, dans les poèmes épiques, dans les manuels de rituels et de cérémoniels, dans les ouvrages historiques, dans les légendes folkloriques, etc. Les études sur la signification sont indifférentes à la présentation des signifiants.

2. « The Structural Study of Myth », in *Journal of American Folklore*, v. 68, 1955.

3. Nous mettons entre barres /....../ tout mot ou toute expression se rapportant au signifié et ceci pour bien marquer qu'ils n'appartiennent pas au récit mythique lui-même, mais à la « terminologie » de la description mythologique. Cf. à ce sujet nos précisions dans les pages de conclusion.

Une telle formulation du mythe suppose deux conditions :

1. Au moment où l'on considère l'analyse du signifiant mythique comme achevée, l'information qu'il est capable de recouvrir doit se ramener à un petit nombre d'unités du signifié.

2. Ces unités significatives doivent s'organiser en un double réseau relationnel :

a) Chaque paire d'unités du rapport arithmétique constitue un *couple* oppositionnel, caractérisé par la présence et l'absence d'un trait (ou de traits) distinctif du type :

A *vs* non A.

b) Les deux couples sont reliés globalement par une *corrélation*. La formule très simplifiée [1] du mythe sera donc la proportion suivante :

$$\frac{\text{A}}{\text{non A}} \simeq \frac{\text{B}}{\text{non B}}.$$

Nous nous proposons de prendre, à titre d'exemples, un certain nombre de récits mythiques analysés par G. Dumézil, pour voir si ces récits se plient à la formulation unique suggérée par C. Lévi-Strauss. Malgré certaines longueurs imposées par le caractère polémique d'une partie de ses ouvrages, par la nécessité de convaincre et de riposter — raisons qui ne sont plus valables à l'heure actuelle —, l'analyse de G. Dumézil est d'une richesse et d'une finesse telles que notre tâche ne consistera pas à innover, mais uniquement à donner une autre formulation, à utiliser une terminologie parfois un peu différente.

Nous nous proposons de voir, d'autre part, si une analyse plus poussée d'unités significatives, telles qu'elles ont été définies par C. Lévi-Strauss, en *traits distinctifs* (analyse pratiquée surtout en phonologie) est possible : son utilisation dans la description structurale de la substance sémantique pourrait éventuellement être généralisée.

Nous aurons, enfin, à aborder les difficultés de cette double analyse

1. Ayant l'intention de pousser aussi loin que possible la description des traits distinctifs, nous nous contentons de la formulation du mythe qui ressort de l'analyse consacrée à Œdipe, sans nous référer à la formule généralisée proposée plus loin, dans la même étude, par C. Lévi-Strauss.

— en unités du signifié, en traits distinctifs — lorsqu'il s'agira de l'appliquer à l'étude comparative.

LE « MYTHE » DU CONTRAT SOCIAL.

Ceux pour qui l'œuvre de G. Dumézil est tant soit peu familière, connaissent le récit indien de l'avènement du roi Prthu, auquel le mythologue a ensuite ajouté, grâce à une lente reconstruction, les schémas parallèles de l'élection du roi-censeur Servius et de la déposition du roi irlandais Bress. Bien que discutable pour de nombreuses raisons sur lesquelles nous reviendrons plus tard, cet exemple choisi en premier lieu présente un avantage de simplicité : l'identité des unités du signifié et des traits distinctifs dans les deux récits indien et romain nous permet de lever progressivement, une à une, les difficultés du comparatisme.

Georges Dumézil montre bien comment ce récit signifie métaphoriquement le double contrat, passé, lors de l'avènement du roi, entre celui-ci et son peuple. Le récit, divisible en deux parties presque symétriques, relate d'abord la qualification du roi par le peuple, pour raconter ensuite celle du peuple par le roi. La qualification s'interprète elle-même comme une réciprocité, à l'intérieur de la catégorie linguistique de l'échange des messages : le roi est qualifié par des louanges; il distribue des dons (qualifiant) en retour, ou vice versa. Deux cas sont cependant à distinguer : si les dons (et/ou autres bienfaits) précèdent la qualification, nous dirons de celle-ci qu'elle est simple; si, au contraire, la louange qualifiante est antérieure à la distribution des dons, la qualification est valorisante *(çams-)* et ajoute une vigueur nouvelle au qualifié, transformant la parole anticipée en « réalité ». Cette nouvelle vigueur est ensuite, et une fois de plus, symboliquement désignée par la possession de la Vache d'Abondance.

Le contrat que le roi indien passe avec son peuple peut alors être formulé de la façon suivante :

$$\frac{\text{roi}}{\text{peuple}} \simeq \frac{\text{qdV}}{\text{dq}},$$

où q = qualification, d = dons, V = valorisation ou sur-valorisation.

La première phase du contrat ne consacre pas seulement le roi, elle le « vigorise », tandis que la seconde phase n'est qu'un simple échange symbolique consacrant les droits et les devoirs du peuple. Nous voyons que ce qui distingue une simple qualification (dq) de la qualification valorisante (qd), c'est, d'abord, l'ordre syntagmatique de l'échange symbolique :

$$(q \rightarrow d) \ vs \ (d \rightarrow q);$$

et ensuite la séquence du récit relative à la Vache d'Abondance (que le roi rattrape à la suite de sa qualification), façon redondante d'insister sur sa nouvelle puissance. Si nous faisons abstraction, du fait de la sur-valorisation, de cette disposition syntagmatique, le rapport entre la qualification du roi et celle de son peuple apparaît comme une relation entre deux termes dont le premier est caractérisé par la présence du trait distinctif V, tandis que le second en est dépourvu. La catégorie du signifié ainsi dégagée se laisse formuler :

V (marqué) *vs* non V (non marqué).

La reconstruction, qu'à l'aide d'éléments et de séquences pseudo-historiques relatifs à la vie du roi Servius, effectue Georges Dumézil, permet, à son tour, de formuler ainsi l'affabulation symbolique romaine :

$$\frac{\text{roi}}{\text{peuple}} \simeq \frac{\text{dq}}{\text{qdV}}.$$

C'est le peuple, et non le roi, qui à Rome est qualifié de manière valorisante : Servius, élu roi grâce à ses largesses (dq), institue le *census* (q) qualifiant les citoyens selon leur rang et leur richesse, dont la contrepartie consistera dans l'afflux des impôts (d); à la Vache d'Abondance correspond ici la Vache d'Empire, et le récit de son acquisition et de son sacrifice se situe chronologiquement après la qualification du peuple (et non du roi), confirmant les louanges du roi adressées au peuple romain [1]. La même catégorie de la valorisation établit ici, on le voit, la relation entre les deux échanges symboliques et constitue ainsi le contrat social scellé à double sceau.

1. On peut se demander si une datation très approximative des mythes, lorsqu'il s'agit de sociétés historiques, ne serait pas possible en tenant compte non pas du signifiant, dont les éléments sont incontestablement très anciens, mais de leur signification globale : une certaine « idéologie » politique, par exemple, est compatible avec certains contextes historiques et non avec d'autres.

On peut se demander si une telle formulation, qui permet de donner à la comparaison entre les récits indien et romain la forme d'une proportion :

$$\text{Inde } vs \text{ Rome} \simeq \frac{\text{V}}{\text{non V}} \; vs \; \frac{\text{non V}}{\text{V}},$$

ajoute quelque lumière nouvelle à l'analyse de Georges Dumézil, selon laquelle la louange qualifiante *(çams—)* consacre et valorise le roi en Inde, tandis que les mêmes vertus vont à Rome, par la procédure du *census*, au peuple et non au roi.

Rien n'est certainement changé quant au fond de l'analyse : loin d'être enrichie, celle-ci peut plutôt paraître appauvrie à la suite de cette réduction. Il n'en va pas de même quant aux précisions méthodologiques que cette dernière apporte : grâce à l'introduction d'un symbolisme unique dans l'analyse des deux récits, les conditions de la comparaison, qui n'étaient peut-être qu'implicites, apparaissent avec évidence; loin d'être seulement, comme on nous l'a longtemps enseigné, un recensement de ressemblances et de différences, la comparaison est avant tout une juxtaposition d'identités, une base commune qui seule peut rendre les différences mesurables et comparables.

LE MYTHE DU BIEN ET DU MAL.

Notre deuxième exemple n'est pas moins connu : c'est le fameux mythe de la *Götterdämmerung* scandinave, mis en parallèle avec l'ensemble du sujet du *Mahabharata* indien et réinterprété en fonction de ce parallélisme. Dans les deux récits, aux deux sortes de combat — l'un déloyal, truqué, l'autre, au contraire, loyal — que se livrent les dieux ou les héros, succèdent, pour les humains, deux sortes d'âges : un âge pire ou meilleur. Le mythe se laisse formuler dans les deux cas de la même manière :

$$\frac{\text{/Lutte truquée/}}{\text{/Lutte loyale/}} \simeq \frac{\text{/Monde pire/}}{\text{/Monde meilleur/}}$$

La formulation unique des deux mythes ne peut être atteinte que par la *mise en évidence* des identités qu'ils comportent — même conception de la vie en tant que lutte, même appréciation morale du monde humain —, cette explicitation d'identités étant nécessairement accompagnée d'une *mise entre parenthèses* provisoire des catégories de signification comportant des traits les différenciant.

La description des unités du signifié qu'on analyse ensuite en traits distinctifs, par la considération successive de chacun des rapports de la proportion, révèle, en effet, les différences structurelles appréciables et qui, parfois difficiles à distinguer dans chaque structure mythique prise séparément, apparaissent avec évidence lors de la comparaison. Ainsi, pour ne prendre en considération que l'opposition

/Monde pire/ *vs* /Monde meilleur/,

on s'aperçoit :

1. Que le jugement moral porté sur le monde est lié à la catégorie du temps qui comporte non pas deux, mais trois termes :

/Passé/ *vs* /Présent/ *vs* /Futur/

2. Que l'on n'est pas en présence de la catégorie dichotomique /Bien/ *vs* /Mal/, mais en réalité d'une catégorie relative /Meilleur/ *vs* /Pire/ qui contient également un troisième terme, complexe :

/Meilleur/ ←——————→ /Pire/

/Positif/ *vs* /Complexe/ *vs* /Négatif/

Si l'on rapproche maintenant les deux catégories, on voit que le terme complexe n'est au fond que le temps présent des hommes, considéré soit comme meilleur soit comme pire en fonction du passé ou du futur. Un schéma plus large, comprenant les deux catégories envisagées, et à l'intérieur duquel les oppositions indienne et scandinave trouvent leur interprétation, peut être ainsi esquissé :

Monde	négatif	passé	Conception indienne
	complexe	présent	
	positif	futur	Conception scandinave

On voit bien qu'aucune des deux catégories (comportant chacune trois termes) n'est pleinement réalisée dans les mythes indien et scandinave pris séparément. Une unité de signification plus large, appartenant au nouveau métalangage « terminologique » qui s'élabore au cours de l'analyse et dont les deux mythes ne présentent que des réalisations incomplètes, doit donc être postulée : elle seule fournit à la description ses cadres structuraux.

La première partie du rapport, /Lutte truquée/ *vs* /Lutte loyale/, mettant en valeur la catégorie /loyal/ *vs* /déloyal/, apparaît, à première vue, comme l'élément stable de la proportion. L'analyse révèle cependant dans le signifié un trait complémentaire qui resterait imperceptible sans la comparaison : si le signifié /lutte/, diversifié en /loyale/ *vs* /déloyale/, se retrouve dans les deux mythes, la catégorie /Bien/ *vs* /Mal/, déterminant l'agent instigateur de la lutte n'est pas distribuée de la même manière :

Inde

Lutte	déloyale	instigateur : le Mal
	loyale	instigateur : le Bien

Scandinavie

Lutte	déloyale	instigateur : le Mal
	loyale	instigateur : le Mal

Dans le cas indien, la symétrie des deux catégories corrélatives qualifiant la lutte réussit en partie à camoufler la distinction entre deux jugements de valeur, l'un porté sur l'origine de la lutte, l'autre sur son déroulement : la lutte peut être, dans sa source, dans ses causes, bonne ou mauvaise, son déroulement est loyal ou déloyal [1]. Dans le cas scandinave, au contraire, la symétrie est rompue, et la lutte, qu'elle soit loyale ou déloyale, est toujours provoquée par l'agent du Mal. La catégorie du Bien et du Mal, réalisée dans le mythe indien, se trouve

1. Nous limitant à l'essentiel, nous renonçons à pousser plus loin l'analyse qui ferait apparaître ici de nouvelles oppositions, par exemple /causant/ *vs* /causé/, le premier trait correspondant à l'instigateur de la lutte, le second à celle-ci même.

neutralisée dans le mythe scandinave au bénéfice de son terme non marqué, /le Mal/. Celui-ci se trouve, comme dirait Hjelmslev, sous la dominance de /Lutte/, qui, on le verra plus tard, constitue le terme négatif d'une catégorie scandinave du signifié /Guerre/ *vs* /Paix/ en corrélation étroite avec la catégorie /Mal/ *vs* /Bien/. La guerre, la lutte sont, pour les Scandinaves, toujours engendrées par le Mal, ce que souligne d'ailleurs avec redondance l'histoire de Baldr.

LE MYTHE DE LA DÉMESURE.

Le troisième exemple, un peu plus complexe que les premiers, est celui du parallélisme entre le mythe scandinave de Kvasir et l'épisode, tiré du *Mahabharata*, relatant la brève apparition de l'homologue indien de Kvasir, Mada.

Tous les deux apparaissent dans une situation de guerre : Kvasir, incarnation de la sagesse, est fabriqué par les dieux pour sceller la conclusion de la paix; Mada, symbole de l'ivresse surhumaine, oblige les dieux, par son apparition, à conclure la paix. L'un et l'autre, trop grands pour une situation de paix, sont par la suite détruits, Kvasir se transformant en Poésie, et Mada en quatre passions humaines : boisson, femmes, chasse et jeu.

Le mythe scandinave peut se formuler ainsi :

$$\frac{\text{/Démesure/}}{\text{/Mesure/}} \simeq \frac{\text{/Monde meilleur/}}{\text{/Monde pire/}}.$$

L'épisode mythique indien lui ressemble assez :

$$\frac{\text{/Démesure/}}{\text{/Mesure/}} \simeq \frac{\text{/Monde pire/}}{\text{/Monde meilleur/}}.$$

En passant d'une version à l'autre, nous constatons, comme dans le « mythe » du Contrat social, une inversion du rapport dans la deuxième partie de la proportion. Étant donné que les unités du signifié mises en cause dans les deux cas sont les mêmes, l'inversion peut être considérée comme une des modalités de la structure du mythe.

En passant maintenant à une analyse de deuxième degré, nous voyons que le rapport

/Démesure/ *vs* /Mesure/,

s'interprète tout d'abord comme la relation

/Tout/ *vs* /Partie/.

On se rappelle en effet que Mada, aussi bien que tout ce qui reste de Kvasir, est symboliquement *divisé* en parties. Cependant, si Mada est « réellement » divisé en quatre parties-passions, Kvasir réapparaît sous forme de Poésie, comme une diminution proportionnelle de son état premier et non comme une fraction de celui-ci. Nous sommes par conséquent en présence de deux conceptions différentes de la *totalité* et, partant, de deux relations différentes du tout à la partie. Pour employer la terminologie de Vigo Brøndal, le *tout* de la démesure scandinave est un *intégral* (*cf.* totus), tandis que le tout de l'excès indien est un *universel* (*cf.* omnis); le rapport du Kvasir à la Poésie est du même ordre que le rapport de l'article défini français à l'article partitif, tandis que la démesure de Mada représente une totalité nombrable, divisible en fractions.

Avant d'aller plus loin, on peut déjà dire que, si la catégorie de la totalité est commune aux deux mythes, les deux conceptions de la démesure se présentent comme deux articulations différentes de la totalité : une totalité originelle, harmonieuse, trouve son pendant dans la conception de la totalité comme somme arithmétique des éléments qui la composent. Cette opposition peut être formulée de la façon suivante :

Scandinavie		*Inde*
/Intégral/ *vs* /Partitif/	$\simeq$	/Universel/ *vs* /Cardinal/.

D'autres traits distinctifs s'ajoutent à cette opposition fondamentale des deux conceptions de la totalité, pour donner deux conceptions diamétralement opposées de la Démesure. On ne peut rien ajouter à l'inventaire des traits distinctifs constitué par Georges Dumézil; nous nous contenterons donc de le reproduire schématiquement :

Scandinavie		*Inde*
/Intégral/	*vs*	/Universel/
/Bénéfique/	*vs*	/Maléfique/
/Esprit/	*vs*	/Matière/
/Paix/	*vs*	/Guerre/

Les trois derniers traits, distinctifs de Kvasir et de Mada, s'articulent, on le voit bien, en catégories dichotomiques à l'intérieur de ce que nous définirons plus loin comme un archi-lexème [1]. Preuve remarquable de l'achèvement de l'analyse, les mêmes catégories se retrouvent telles quelles dans la deuxième partie du rapport :

Scandinavie (Poésie)			*Inde* (Passions divisées)
/Partitif/		*vs*	/Collection cardinale/
/Bénéfique/		*vs*	/Maléfique/
/Esprit/	Poésie	*vs*	/Matière/ (boisson + femmes)
/Paix/		*vs*	/Guerre/ (chasse + jeu)

Quant à la deuxième partie de la proportion, nous connaissons déjà les deux catégories qui la qualifient. Si la catégorie /Meilleur/ *vs* /Pire/ se trouve réalisée ici de la même manière que dans le mythe précédent, celle du temps qui lui est corrélative n'est présente qu'avec les deux termes, symétriquement utilisés, du passé et du présent.

En plus, les termes des deux catégories, celle du temps et celle du /Meilleur/ *vs* /Pire/, ne sont pas liés entre eux de la même façon dans les deux mythes : le passé est considéré comme pire par les Indiens et meilleur par les Scandinaves, et inversement : par rapport à ce passé, le présent est meilleur pour les Indiens et pire pour les Scandinaves. Ce qui s'exprimait par l'inversion du rapport lors de la formulation

1. Pour la définition du terme, cf. la fin du présent essai.

des deux unités du signifié s'intègre maintenant, dans les cadres d'un archi-lexème, dans un schéma qui, quoiqu'un peu différent de celui du récit précédent, peut rendre compte de la distribution des traits distinctifs dans les deux mythes :

Monde	négatif	passé	Conception indienne (négatif/passé – complexe/présent)
	complexe	présent	
	positif	passé	Conception scandinave (complexe/présent – positif/passé)

Comme les deux mythes, celui du Bien et du Mal et celui de la Démesure, présentent des séries corrélatives où se trouvent impliquées les mêmes catégories de la signification, leur comparaison peut paraître instructive, ne serait-ce que pour dégager les premiers éléments d'une typologie mythologique, de ces « idéologies » comparables que visent, en dernier lieu, les études de mythologie indo-européenne.

Ce qui frappe, à première vue, c'est l'identité d'appréciation du monde dans les deux mythes indiens. Dans l'un comme dans l'autre, nous trouvons opposés :

/Monde négatif passé/ *vs* /Monde complexe présent/.

Le Mal, dans la mythologie indienne — si l'extrapolation n'est pas trop osée — se situe dans le passé, le présent apparaît comme une amélioration du sort de la société humaine. La philosophie de l'histoire indienne est, si l'on peut dire, celle du *Moindre Mal Présent*.

Les mythes scandinaves, par contre, utilisent les trois dimensions du temps et situent le règne du Bien, par rapport au présent complexe, soit dans le passé, soit dans l'avenir. En comparant de ce point de vue chez eux les deux mythes, nous trouvons :

dans le mythe de la Démesure : $\dfrac{\text{/Monde positif passé/}}{\text{/Monde complexe présent/}}$,

dans le mythe du Bien et du Mal : $\dfrac{\text{/Monde complexe présent/}}{\text{/Monde positif futur/}}$.

En généralisant toujours à outrance, on peut dire que le premier mythe est celui de la *Déchéance du Monde*, tandis que le second est celui du *Salut du Monde*, la mythologie scandinave présentant, de ce point de vue, un parallélisme frappant avec la philosophie de l'histoire du christianisme.

RÉCIT MYTHIQUE OU RÉCIT RITUEL?

Il est temps de revenir maintenant à notre premier exemple, au récit relatant la conclusion du Contrat social. Nous l'avions volontairement simplifié en ne prenant en considération, tout d'abord, que des variantes indienne et romaine, et en laissant provisoirement de côté les récits irlandais sur la déposition du roi Bress.

L'analyse de l'ensemble de ces récits irlandais, toujours en suivant Georges Dumézil, peut être maintenant complétée de deux façons. La *déposition* du roi fait évidemment pendant à son *avènement*, et l'on peut se demander si la variante irlandaise ne permet pas la reconstitution des schémas indien ou romain de la déposition, arrivés jusqu'à nous sous des formes mutilées, incomplètes, ayant trait à la déposition des prédécesseurs de Prthu et de Servius. D'un autre côté, on peut également essayer de voir si le récit de la déposition du roi irlandais ne fournit pas le schéma de l'avènement du roi dans le contexte irlandais; autrement dit, si la série comparative :

$$\frac{\text{Vena}}{\text{Prthu}} \sim \frac{\text{Tarquin}}{\text{Servius}} \sim \frac{\text{Bress}}{\text{X}}$$

ne possède pas des vertus heuristiques valables.

Roman Jakobson, un des promoteurs de l'analyse linguistique en traits distinctifs, distingue nettement entre deux types d'opposition permettant de considérer comme distinctifs les termes d'une relation. Nous pouvons nous trouver, d'une part, en présence de la relation :

a *vs* non a

où *a* sera considéré comme *marqué*, parce qu'il possède un trait distinctif en plus, dont *non a*, terme *non marqué*, est dépourvu. Une tout autre relation est contractée entre :

a *vs* —a

où *–a* est la négation de *a*.

En analysant le Contrat social conclu lors de l'avènement du roi, nous avons précédemment distingué la qualification valorisante (V) de la qualification simple (non V). La variante irlandaise qui se présente comme la négation du Contrat social, doit opposer, dans l'analyse archi-sémique qui nous est devenue familière,

$$\text{V } vs -\text{V}$$
$$\text{non V } vs - \text{non V}$$

permettant de formuler l'abolition du Contrat social comme :

$$\frac{\text{peuple}}{\text{roi}} \simeq \frac{-\text{non V}}{-\text{V}}.$$

Ce qui veut dire simplement que le peuple n'ayant pas été qualifié de façon convenable, le roi, à son tour, se trouve disqualifié et perd sa vigueur initiale.

La reconstruction du schéma de l'avènement, dans les cadres de l'idéologie irlandaise, peut dès lors être conçue sous forme d'une double opération : la suppression des signes de la négation et l'inversion du rapport *peuple* vs *roi*. On peut donc dire que :

$$\text{Inde } vs \text{ Rome } vs \text{ Irlande} \simeq \frac{\text{V}}{\text{non V}}\ vs\ \frac{\text{non V}}{\text{V}}\ vs\ \frac{\text{V}}{\text{non V}},$$

ce qui permet de constater que le schéma irlandais de l'avènement est identique à celui de l'Inde.

Si le passage de la négation à l'affirmation est tout à fait normal, l'inversion du rapport, nécessaire pour intégrer l'Irlande dans la proportion subsumant les schémas indien et romain, peut paraître, à un certain point de vue, un peu inquiétante. On aperçoit, en effet, que non seulement :

$$\frac{\text{Déposition}}{\text{Avènement}} \simeq \frac{\text{Négation}}{\text{Affirmation}},$$

mais qu'il existe, en plus, une relation syntagmatique (le roi est qualifié d'abord, le peuple ensuite; le peuple est disqualifié par le roi d'abord, le roi se trouve disqualifié et dépossédé ensuite) entre les deux termes du rapport. Une analyse plus poussée montre qu'une inversion de la relation syntagmatique se retrouve, également, à un niveau inférieur. Selon les symboles déjà utilisés plus haut, le schéma irlandais détaillé de la déposition se présente ainsi :

$$\frac{\text{peuple}}{\text{roi}} \sim \frac{d\,(-\,q)}{(-\,d)\,(-\,q)\,(-\,V)}.$$

Le roi ayant refusé de qualifier ses gens, chacun selon son rang, l'épisode suivant relate ensuite, dans l'ordre de succession, l'hospitalité insuffisante offerte par le roi au poète, la disqualification satirique du roi par le poète et, enfin, le dépérissement du roi qui boit le faux lait de la fausse Vache d'Abandonce (présentant les traits qui la distinguent de la vraie Vache, tels que /Nature/ *vs* /Artifice/, /Vigueur/ *vs* /Maladie/, etc.). La négation de l'hospitalité précède la disqualification du roi : les deux signifiants contractent, une fois de plus, une relation syntagmatique inverse de celle qu'on trouve dans les récits de l'avènement.

Cette intrusion du syntagmatique est troublante, parce qu'elle contredit la définition du mythe que nous avons présentée, à la suite de Claude Lévi-Strauss : comme une mise en corrélation de deux paires d'unités du signifié en opposition pertinente entre elles; définition essentiellement paradigmatique, excluant toute relation syntagmatique et expliquant en même temps, ce qui présente une importance capitale, le caractère a-temporel du mythe.

De deux choses l'une, par conséquent : ou bien la définition donnée du mythe n'est pas suffisamment large, ou bien le récit contenant l'expression symbolique du Contrat social n'est pas un mythe. Plusieurs raisons nous font pencher vers la deuxième solution.

La description par Georges Dumézil du récit de l'avènement a été simplifiée par nous, toujours aux fins de la démonstration, d'une autre manière encore : en voulant mettre en évidence, dans le récit indien, le couple oppositionnel.

/qualification du roi/ *vs* /qualification du peuple/,

nous avons volontairement ignoré l'épisode qui le précède. Cet épisode, pour lequel Georges Dumézil a retrouvé des éléments parallèles dans l'histoire de Servius, apparaît comme une communication qui, préalablement au Contrat social, s'établit entre les dieux et les hommes :

/envoi/, par les dieux, /des signes de prédestination/	*vs*	/reconnaissance/, par les hommes, /de ces signes/
/émission/		/réception/

Si l'on se souvient que le reste du récit fonde *la souveraineté sur le plan humain*, l'idée de sa mise en corrélation possible avec la conception de la *souveraineté d'origine divine* s'impose tout naturellement. L'opposition entre deux types de souveraineté, celle de Varuna (« l'autre monde ») et celle de Mithra (« ce monde-ci »), apparaît donc dans notre récit, qui manifeste tantôt la souveraineté octroyée, de droit divin, tantôt la souveraineté contractuelle, de droit humain. Par conséquent :

$$\frac{\text{Varuna}}{\text{Mithra}} \simeq \frac{\text{/souveraineté octroyée/}}{\text{/souveraineté contractuelle/}}.$$

Serait-il trop téméraire de pousser la comparaison plus loin et de voir dans les deux fils de Mithra, Aryaman (roi et protecteur des populations Arya) et Bhaga (la part qui échoit à chacun), les deux autres termes de la corrélation :

$$\frac{\text{Aryaman}}{\text{Bhaga}} \simeq \frac{\text{/qualification du roi/}}{\text{/qualification du peuple/}} ?$$

Quoi qu'il en soit de cette dernière supposition, le parallélisme des deux plans — théologique et « mythique » — apparaît suffisamment convaincant[1]. Caractérisé d'un côté, par la présence des relations syntagmatiques, de l'autre, par la corrélation de ces unités du signifié avec la série des unités théologiques, le récit étudié ne correspond plus à la définition du mythe, bien au contraire : les deux critères que nous

1. De même, sur le plan comparatif : si le rapprochement étymologique, suggéré par G. Dumézil, est valable, il pourrait être confirmé par la corrélation des faits rituels et théologiques :

$$\frac{\text{Çams — —}}{\text{cens —}} \simeq \frac{\text{Prthu}}{\text{Fortuna}}$$

venons de dégager ne suffisent-ils pas pour voir en lui un *récit rituel*, différent, par son type structurel, d'un *récit mythique* [1]?

Résumons maintenant les enseignements méthodologiques que nous avons pu tirer de cette étude. Il va sans dire, nous y avons insisté dès le début, que celle-ci, entreprise par un non-spécialiste, ne se justifie que si l'on postule *a priori* l'identité méthodologique de toute description de substance sémantique : dans ce cas seulement, les acquisitions de la recherche mythologique peuvent être extrapolées et généralisées.

Ce qui plaide en faveur de l'identité des méthodes n'est pas seulement le fait que la mythologie appartient au domaine du langage : c'est surtout la similitude des points de départ dans la recherche. En effet, toute description du contenu doit élaborer sa « terminologie », son système de références cohérent. Cette terminologie est un métalangage de caractère « scientifique » : si les termes de ce système sont en quelque sorte arbitraires (c'est-à-dire sans rapports nécessaires avec la « réalité ») et comme tels rectifiables à l'aide d'une réflexion de niveau hiérarchiquement supérieur portant sur l'ensemble de la terminologie, ils possèdent, pour cette raison même, une valeur universelle. Et c'est cette universalité de la terminologie sémiotique qui la rend utilisable par-delà les frontières linguistiques, dans toutes les recherches sur la signification et, plus particulièrement, dans l'étude des mythologies comparées.

Une mythologie, considérée comme un métalangage, ne peut être décrite qu'à condition que l'on choisisse d'abord des *unités de mesure*, dont la manipulation — la mise en relation et en corrélation — permettra de reconstituer petit à petit des ensembles structuraux plus vastes, et enfin le système mythologique entier. Claude Lévi-Strauss, dans l'étude déjà mentionnée à plusieurs reprises, reconnaît ces *unités constitutives* dans les signifiés correspondant aux séquences du récit mythique et qui entrent ensuite comme termes dans la proportion mythique :

$$\frac{A}{\text{non } A} \simeq \frac{B}{\text{non } B}.$$

1. Ce texte a été rédigé avant que ne paraisse *la Pensée sauvage*. Certaines pages de C. Lévi-Strauss (surtout p. 46 et 47) auraient sans doute permis de cerner davantage le problème du récit rituel.

Nous avons vu que ces « grandes unités constitutives » peuvent encore, à leur tour, être analysées en *traits distinctifs*. Si, par exemple, on s'accordait à désigner les traits distinctifs par le terme de *sème*, les termes des proportions mythiques, paquets de sèmes (dont une partie seulement est analysée dans chaque cas concret), pourraient être appelés *lexèmes* [1].

Les traits distinctifs, à leur tour, ne sont pertinents que parce qu'ils participent à une relation d'opposition, constituée de deux ou plusieurs termes. Les sèmes constituent donc des *catégories sémiques*. Les *lexèmes*, de leur côté, se transforment en *archi-lexèmes* si, au lieu de considérer uniquement les traits distinctifs qui les composent, on tient compte de l'ensemble des catégories sémiques constituant les couples oppositionnels lexémiques. Sèmes et lexèmes, catégories sémiques et archi-lexèmes — voilà, semble-t-il, les quatre « unités de mesure » principales dont se servent, dans l'analyse du contenu, le mythologue et le linguiste.

Leurs combinaisons, leurs structures élémentaires peuvent être assez variées. La mise en corrélation des archi-lexèmes (ou des catégories sémiques dans des cas plus simples) constitue le mythe. D'autres structures sont probablement possibles, celles notamment où le syntagmatique reprendrait ses droits : il appartient aux mythologues d'en juger.

1. Nous avons, tout le long de notre article, souligné de façon différente les sèmes et les lexèmes. Le terme de *lexème*, utilisé ici, est remplacé, à partir de notre *Sémantique structurale* (1966), par celui de sémème.

Les jeux des contraintes sémiotiques[1]

en collaboration avec François Rastier

> Il faut bien se garder de croire que
> l'esprit qui invente marche au hasard.
>
> DESTUTT DE TRACY

Note explicative : Au moins par souci d'intelligibilité, on peut imaginer que l'esprit humain, pour aboutir à la construction des objets culturels (littéraires, mythiques, picturaux, etc.), part d'éléments simples et suit un parcours complexe, rencontrant sur son chemin aussi bien des contraintes qu'il a à subir que des choix qu'il lui est loisible d'opérer.

Nous cherchons à donner une première idée de ce parcours. On peut considérer qu'il conduit de l'immanence à la manifestation, en trois étapes principales :

— *les structures profondes*, qui définissent la manière d'être fondamentale d'un individu ou d'une société, et par là des conditions d'existence des objets sémiotiques. A ce que nous en savons, les constituants élémentaires des structures profondes ont un statut logique définissable;

— *les structures superficielles* constituent une grammaire sémiotique qui ordonne en formes discursives les contenus susceptibles de manifestation. Les produits de cette grammaire sont indépendants de l'expression qui les manifeste, pour autant qu'ils peuvent théoriquement apparaître dans n'importe

1. Paru en anglais dans *Yale French Studies*, n° 41, intitulé *Game, Play, Literature*, 1968, sous le titre *The interaction of semiotic constraints.*

quelle substance, et, en ce qui concerne les objets linguistiques, dans n'importe quelle langue;

— *les structures de manifestation* produisent et organisent les signifiants. Bien qu'elles puissent comprendre des quasi-universaux, elles restent particulières à telle ou telle langue (ou plus précisément, elles définissent les particularités des langues), à tel ou tel matériau. Elles sont étudiées par les stylistiques superficielles des lexèmes, des formes, des couleurs, etc.

Nous nous préoccuperons seulement ici de la première instance de ce parcours global.

1. LA STRUCTURE DU MODÈLE CONSTITUTIONNEL

1.1. LA STRUCTURE ÉLÉMENTAIRE DE LA SIGNIFICATION.

Si la signification S (l'univers comme signifiant dans sa totalité, ou un système sémiotique quelconque) apparaît, au niveau de sa première saisie, comme un axe sémantique, elle s'oppose à $\bar{S}$, pris comme une absence absolue de sens, et comme contradictoire du terme S.

Si l'on admet que l'axe sémantique S (substance du contenu) s'articule, au niveau de la forme du contenu, en deux sèmes contraires :

$$s_1 \longleftrightarrow s_2,$$

ces deux sèmes, pris séparément, indiquent l'existence de leurs termes contradictoires :

$$\bar{s}_1 \longleftrightarrow \bar{s}_2.$$

En tenant compte du fait que S peut être redéfini, à la suite de la mise en place de ses articulations sémiques, comme un sème complexe réunissant s_1 et s_2 par une double relation de disjonction et de conjonction, la structure élémentaire de la signification peut être représentée comme :

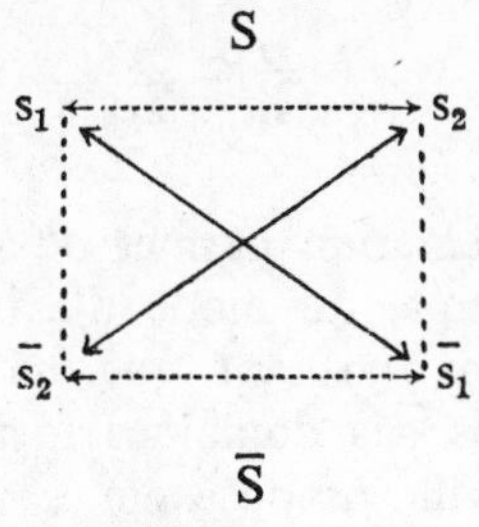

←········→ : relation entre contraires
←——→ : relation entre contradictoires
··········· : relation d'implication [1].

Ce modèle est construit en utilisant un petit nombre de concepts non définis :

a) les concepts de *conjonction* et de *disjonction*; nécessaires pour interpréter la *relation* structurelle ;

b) deux types de disjonction, la disjonction des *contraires* (indiquée ici par la ligne en pointillé) et la disjonction des *contradictoires* (indiquée par la ligne continue).

> *Remarque :* Le modèle ci-dessus n'est qu'une formulation remaniée de celui qui a été proposé antérieurement (Greimas, *Sémantique structurale*, 1966, Larousse). Cette nouvelle présentation permet de le comparer à l'hexagone logique de R. Blanché (cf. C. Chabrol, *Structures intellectuelles*, in *Information sur les Sciences sociales*, 1967, VI-5), ainsi qu'aux structures désignées, en mathématiques, comme groupe de Klein, et, en psychologie, comme groupe de Piaget.

En ne prenant en considération que la forme du contenu et les seuls termes sémiques simples, on peut donner une formulation légèrement différente de la même structure. Celle-ci apparaît alors

1. Si l'existence de ce type de relation paraît indiscutable, le problème de son *orientation* ($s_1 \rightarrow \bar{s}_2$ ou $\bar{s}_2 \rightarrow s_1$) n'est pas encore tranché. On s'abstiendra d'en parler, sa solution n'étant pas exigée par la suite de la démonstration.

comme la mise en corrélation de deux catégories couplées, la corrélation elle-même se définissant comme une relation de contradictions homologuées :

$$\frac{s_1}{\bar{s}_1} \simeq \frac{s_2}{\bar{s}_2}.$$

Cette nouvelle présentation permet de voir que la structure qui permet de rendre compte du mode d'existence de la signification trouve son application, en tant que modèle constitutionnel des contenus investis, dans des domaines fort variés : c'est, en effet, aussi le modèle du mythe proposé par Lévi-Strauss, et la forme de l'articulation achronique du conte populaire, et encore le modèle justifiant un certain nombre d'univers sémantiques particuliers (Bernanos, Mallarmé, Destutt de Tracy). Il est réconfortant pour le sémioticien de constater qu'une démarche déductive rencontre sur son chemin des modèles construits empiriquement pour rendre compte de corpus limités.

1.2. LA STRUCTURE DES SYSTÈMES SÉMIOTIQUES.

Si les réflexions déductives rencontrent ainsi les descriptions inductives, c'est que *la structure élémentaire de la signification* constitue en systèmes les univers sémantiques dans leur ensemble. De fait, chacun des contenus qu'elle définit peut, en qualité d'axe sémantique, en subsumer d'autres, qui sont organisés à leur tour en structure isomorphe à la structure hiérarchiquement supérieure. Ainsi, la structure élémentaire articule de la même façon les catégories sémiques et les instances systématiques constitutives des systèmes sémiotiques. Par exemple, les contenus *Vie* et *Mort* subsument tout l'univers sémantique de Bernanos : soit S_1 *vs* S_2. Ils s'articulent chacun en deux instances systématiques (définitions négatives et positives) qui s'écrivent respectivement : s_1 *vs* $\bar{s}_2$ s_2 *vs* $\bar{s}_1$. Elles s'articulent à leur tour en systèmes sémiques.

On précisera d'abord les propriétés formelles du modèle constitutionnel; puis on donnera des exemples d'investissements.

Les *termes* du modèle : à partir de chacun des quatre termes, on peut, par les deux opérations : prendre le *contraire*, prendre le *contradictoire*, obtenir les trois autres. Leur définition est formelle, et antérieure à tout investissement.

Les *relations :*

a) *hiérarchiques :*

— une relation hyponymique est établie entre s_1, s_2, et S; une autre entre $\bar{s}_1$, $\bar{s}_2$ et $\bar{S}$;

b) *catégoriques :*

— une relation de *contradiction* est établie entre S et $\bar{S}$; et au niveau hiérarchiquement inférieur, entre s_1 et $\bar{s}_1$, entre s_2 et $\bar{s}_2$;

— une relation de *contrariété* articule s_1 et s_2 d'une part, $\bar{s}_1$ et $\bar{s}_2$ d'autre part. Dans les termes de Hjelmslev, elle peut être identifiée comme la solidarité, ou double présupposition.

> *Remarque :* Les deux opérations, prendre le contradictoire, prendre le contraire, sont involutives : le contraire du contraire de s est s; le contradictoire du contradictoire de s est s.

— une relation d'*implication* est établie entre s_1 et $\bar{s}_2$ d'une part, $\bar{s}_2$ et s_1 d'autre part : s_2 implique $\bar{s}_1$; s_1 implique $\bar{s}_2$, ou inversement.

Les *dimensions :* Par leurs définitions relationnelles, les termes sémiques se groupent deux à deux selon six dimensions systématiques. On peut distinguer :

— deux *axes*, S et $\bar{S}$. Ils sont en relation de contradiction. S peut être appelé axe du complexe : il subsume s_1 et s_2. $\bar{S}$ est l'axe des contradictoires $\bar{s}_1$ et $\bar{s}_2$ (de s_2 et s_1); il est donc l'axe du neutre par rapport à s_1 et s_2, car il peut être défini par : ni s_1, ni s_2;

— deux *schémas :* $s_1 + \bar{s}_1$ définissent le schéma 1; $s_2 + \bar{s}_2$ le schéma 2. Chacun des schémas est constitué par une relation de contradiction.

— deux *deixis :* la première est définie par la relation d'implication entre s_1 et $\bar{s}_2$; la seconde, par l'implication entre s_2 et $\bar{s}_1$.

On a donc :

RELATIONS CONSTITUTIVES	DIMENSIONS STRUCTURELLES	STRUCTURES SÉMIQUES
contrariété	axe S (complexe) axe $\bar{S}$ (neutre)	$s_1 + s_2$ $\bar{s}_1 + \bar{s}_2$
contradiction	schéma 1 schéma 2	$s_1 + \bar{s}_1$ $s_2 + \bar{s}_2$
implication simple	deixis 1 deixis 2	$s_1 + \bar{s}_2$ $s_2 + \bar{s}_1$

On peut prévoir les relations entre les différentes dimensions systématiques.

Les deux axes, constitués chacun par des relations de contrariété, sont entre eux en relation de contradiction.

Les deux schémas, définis chacun par des relations de contradiction, sont entre eux en relation de contrariété.

On propose d'appeler *sémiosis* la double présupposition des deux schémas. On se réserve d'étudier ultérieurement si cette double présupposition correspond à celle du contenu et de l'expression linguistiques, considérés comme les deux schémas d'un modèle unique.

1.3. LA TYPOLOGIE DES RÈGLES.

Tout système comporte par définition un ensemble de règles; elles se définissent positivement, mais on peut aussi les définir négativement par ce qui n'est pas elles : soit S la définition positive des règles du système, et $\bar{S}$, leur définition négative. Par exemple, tout le monde s'accorde aujourd'hui à penser qu'une grammaire doit comprendre non seulement une définition de la grammaticalité, mais encore une définition de l'agrammaticalité.

Malheureusement, le concept d'agrammaticalité peut recouvrir plusieurs choses, aussi bien les règles d'interdiction constitutives du système grammatical considéré, que les infractions à ses prescriptions, et même la validité insuffisante de la grammaire en question.

On pourrait dire que, par rapport à la manifestation, S apparaît comme un ensemble d'injonctions, et $\bar{S}$ comme un ensemble de non injonctions.

Les règles d'injonction d'un système décrivent par définition des compatibilités et des incompatibilités (un système sans incompatibilités ne serait pas ordonné). Par rapport à la manifestation, ces règles apparaissent respectivement comme des prescriptions (injonctions positives; disons s_1), et des interdictions (injonctions négatives; disons s_2).

Chacun de ces deux types de règles implique une instance systématique contradictoire : soit $\bar{s}_2$ et $\bar{s}_1$, qui sont, par rapport à la manifestation, des non interdictions et des non prescriptions, respectivement.

On peut constituer ce tableau :

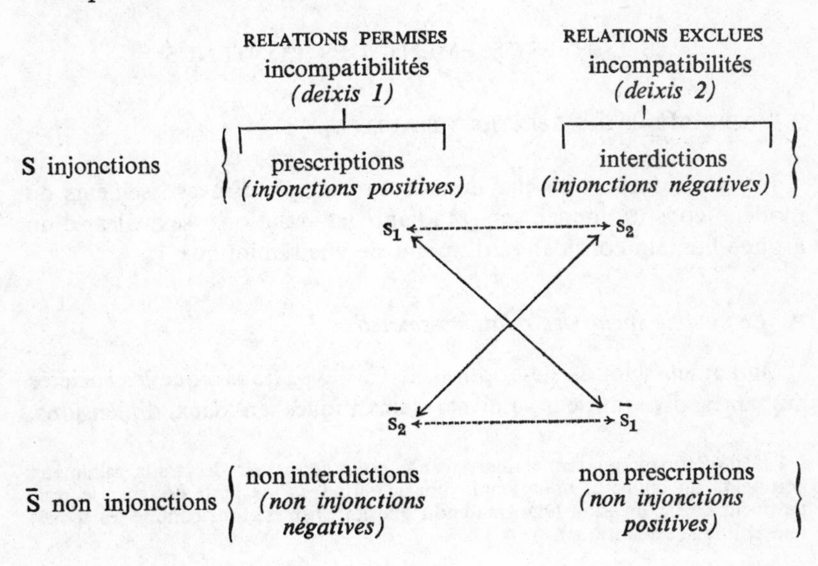

Exemples :

— Dans les feux de carrefour, le vert signifie prescription (soit s_1), le rouge interdiction du passage (soit s_2), et l'orange tantôt non prescription, quand il vient après le vert, tantôt non interdiction, quand il vient après le rouge, tantôt $\bar{s}_1 + \bar{s}_2$, quand il fonctionne seul.

— Dans la mesure où les deux modes d'articulation sémique que nous avons distingués sont formellement identiques aux modes d'articulations phémiques[1] (du moins selon la description de R. Jakobson : par exemple, le trait *compact* s'oppose à tous les autres traits du système phonologique où il entre comme s_1 à $\bar{s}_1$, et au trait *diffus* comme s_1 à s_2, par une relation de double présupposition), ce que nous avons dit peut valoir aussi pour la forme de l'expression linguistique. Dans un système phonologique on aurait :

ph_1 : système de groupements phémiques distinctifs;
ph_2 : système des groupements phémiques interdits;
$\overline{ph}_1$: système des groupements pertinents non réalisés;
$\overline{ph}_2$: système des groupements de phèmes redondants constitutifs des variantes phonémiques.

2. L'INVESTISSEMENT DES CONTENUS

2.1. LE SYSTÈME DES RELATIONS SEXUELLES.

Nous commencerons par donner un exemple d'investissements du modèle constitutionnel, en étudiant les relations sexuelles d'un groupe humain considérées du point de vue sémiotique.

A. *Le modèle social des relations sexuelles.*

On admet, selon la description de C. Lévi-Strauss, que les sociétés humaines divisent leurs univers sémantiques en deux dimensions,

1. Parallèlement au terme *sème*, utilisé pour dénommer les traits minimaux pertinents du contenu, nous employons le terme *phème* pour désigner le trait pertinent de l'expression (étant entendu que les phèmes, tout comme les sèmes, relèvent de la sémantique).

la Culture et la Nature, la première définie par les contenus qu'elles assument et où elles s'investissent, la seconde par ceux qu'elles rejettent.

Dans le cas qui nous occupe, la culture subsume donc les relations sexuelles permises, et la nature les relations exclues. On a :

Culture (relations permises) *vs* Nature (relations exclues).

Les relations permises sont différemment codifiées : la société les règle par la prescription des relations matrimoniales d'une part, en admettant par ailleurs d'autres relations « normales ».

A ces deux types de relations s'opposent, dans la deixis naturelle, les relations interdites (l'inceste, par exemple) et les relations non prescrites (non matrimoniales). Le modèle social peut se formuler :

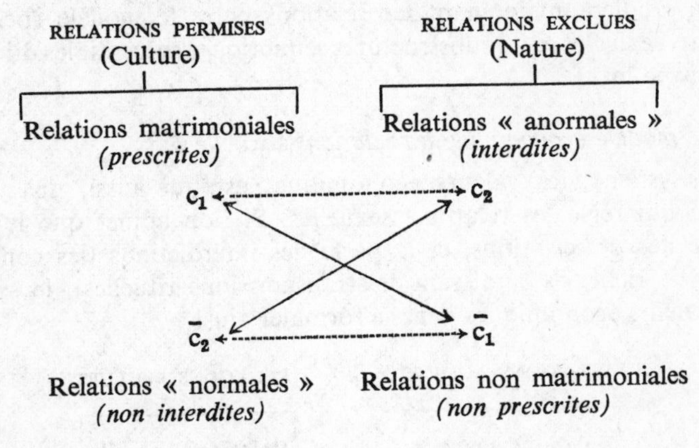

Remarque : Par exemple, dans la société traditionnelle française, on a les équivalences suivantes :

$c_1 \simeq$ amours conjugales;
$c_2 \simeq$ inceste, homosexualité;
$\bar{c}_2 \simeq$ adultère de l'homme;
$\bar{c}_1 \simeq$ adultère de la femme.

Quel que soit l'investissement du modèle, il s'agit, dans le cas de la nature comme dans celui de la culture, de valeurs sociales (et non du rejet de la nature en dehors de l'insignification).

Les termes du modèle social n'ont pas de contenu « objectif » : ainsi, l'homosexualité est tantôt interdite (Angleterre), tantôt non interdite (chez les Bororo); elle se situe cependant toujours sur un autre schéma que les relations matrimoniales, où seule l'hétérosexualité est admise.

Le schéma 1 du modèle paraît réservé aux relations sexuelles socialisées (définies par rapport au mariage); en revanche, le schéma 2, subsume les relations « naturelles », ou, plus précisément, non socialisées, soit « antisociales » (relations interdites), soit sans rapport direct avec la structure sociale (relations permises autres que les relations matrimoniales). La description de Cl. Lévi-Strauss s'en tient aux relations hétérosexuelles socialisées (schéma 1) qui définissent la parenté; le schéma 2 n'est défini que négativement, à propos de la prohibition de l'inceste, par exemple.

On étudiera maintenant les relations entre le modèle social des valeurs sexuelles et les substructures sémiotiques susceptibles d'interaction avec lui.

B. *Le modèle économique des relations sexuelles.*

Le système des valeurs économiques est, lui aussi, un système social qui règle les relations sexuelles. Si l'on admet que le profit relève des prescriptions, et la perte des interdictions (les consomptions de richesses paraissant des transgressions rituelles), le système des valeurs économiques peut se formuler ainsi :

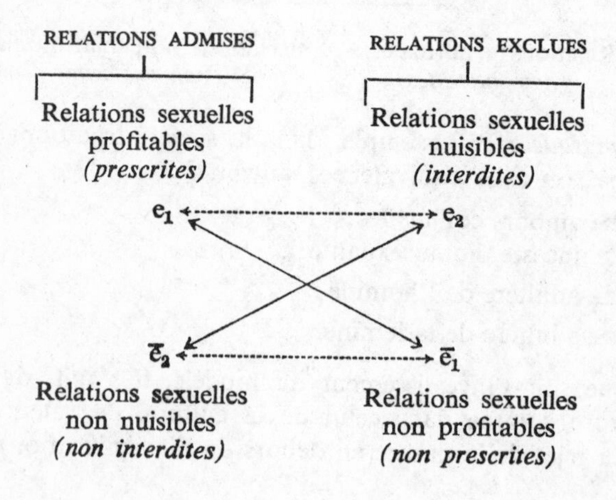

Dans la mesure où ce sont les relations sexuelles socialisées qui donnent lieu à des échanges de biens (dot, etc.), la substructure économique est en relation avec le schéma 1 du système des valeurs sociales. On peut prévoir huit possibilités de relations :

Relations matrimoniales

$$\begin{cases} c_1 \simeq e_1 & \text{(profitables)} \\ c_1 \simeq e_2 & \text{(nuisibles)} \\ c_1 \simeq \bar{e}_1 & \text{(non profitables)} \\ c_1 \simeq \bar{e}_2 & \text{(non nuisibles)} \end{cases}$$

Relations non matrimoniales

$$\begin{cases} \bar{c}_1 \simeq e_1 & \text{(profitables)} \\ \bar{c}_1 \simeq e_2 & \text{(nuisibles)} \\ \bar{c}_1 \simeq \bar{e}_1 & \text{(non profitables)} \\ \bar{c}_1 \simeq \bar{e}_2 & \text{(non nuisibles)} \end{cases}$$

Remarque : On peut aussi prévoir que des relations du type c_2 et $\bar{c}_2$ se combinent avec les termes du système économique, d'où huit autres combinaisons possibles. Par exemple, la Rabouilleuse de Balzac a avec son maître des relations non prescrites et profitables. Cependant, dans ce cas il n'y a pas conformité entre le système social des valeurs sexuelles et sa substructure économique : leurs prescriptions sont en relation de contradiction.

C. *Le modèle des valeurs individuelles.*

On prend pour hypothèse que l'individu se définit, de façon analogue à la société, par l'assomption de contenus où il s'investit et qui constituent sa personnalité, et par la dénégation d'autres contenus qu'il rejette. Cette culture et cette nature individuelles définissent respectivement des relations permises et des relations exclues; les désirs sont compris dans les premières et les phobies dans les secondes. Le système des valeurs individuelles pourraient ainsi s'écrire :

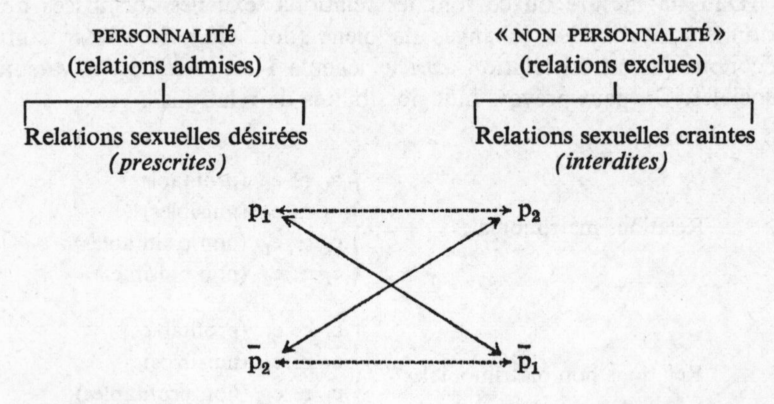

Relations sexuelles non craintes *(non interdites)*

Relations sexuelles non désirées *(non prescrites)*

Les termes de ce système semblent s'articuler avec le schéma 2 des valeurs sociales, dans la mesure où l'individu se manifeste hors des relations socialisées. On a encore huit possibilités de relations :

Relations interdites

$$\left\{\begin{array}{ll} c_2 \simeq p_1 & \text{(désirées)} \\ c_2 \simeq p_2 & \text{(craintes)} \\ c_2 \simeq \bar{p}_1 & \text{(non désirées)} \\ c_2 \simeq \bar{p}_2 & \text{(non craintes)} \end{array}\right.$$

Relations non interdites

$$\left\{\begin{array}{ll} \bar{c}_2 \simeq p_1 & \text{(désirées)} \\ \bar{c}_2 \simeq p_2 & \text{(craintes)} \\ \bar{c}_2 \simeq \bar{p}_1 & \text{(non désirées)} \\ \bar{c}_2 \simeq \bar{p}_2 & \text{(non craintes)} \end{array}\right.$$

On peut encore prévoir des combinaisons avec les termes c_1 et $\bar{c}_1$, d'où huit autres possibilités.

On cherchera maintenant à préciser la structure des combinaisons réalisées par l'interaction des différents systèmes. Soient A et B les deux systèmes en présence; $\underline{pr}$ désignent les prescriptions et $\underline{i}$ les

interdictions. Plusieurs types de relations peuvent être prévus :
— relations entre termes homologues :

(1) pr. (A) + pr. (B); i. (A) + i. (B).
(2) $\overline{\text{pr}}$. (A) + $\overline{\text{pr}}$. (B); $\bar{\text{i}}$. (A) + $\bar{\text{i}}$. (B).

— relations entre termes non homologues appartenant à une deixis homologue :

(3) pr. (A) + $\bar{\text{i}}$. (B); pr. (B) + $\bar{\text{i}}$. (A).
(4) i. (A) + $\overline{\text{pr}}$. (B); i. (B) + $\overline{\text{pr}}$. (A).

On peut appeler *équilibrées* les relations des groupes (1) et (2), et *compatibles* les relations des groupes (3) et (4).
— relations entre termes non homologues appartenant à des deixis non homologues : on peut les appeler relations *conflictuelles*.

On distingue deux types de *conflits entre termes contraires*, selon qu'il s'agit de l'axe des injonctions, ou de l'axe des non injonctions :

(5) pr. (A) + i. (B); pr. (B) + i. (A) (conflits forts)
(6) $\overline{\text{pr}}$. (A) + $\bar{\text{i}}$. (B); $\overline{\text{pr}}$. (B) + $\bar{\text{i}}$. (B) (conflits faibles)

et deux types de *conflits entre termes contradictoires*, selon qu'il s'agit d'un schéma d'interdictions, ou de prescriptions :

(7) pr. (A) + $\overline{\text{pr}}$. (B); pr. (B) + $\overline{\text{pr}}$. (A)
(8) i. (A) + $\bar{\text{i}}$. (B); i. (B) + $\bar{\text{i}}$. (A).

Prenons le cas des relations sexuelles socialement permises; si l'on considère comme invariant c_1, le mariage permis, et c_2 comme soumis à des substitutions de valeurs individuelles, on obtient : quatre sortes de mariages possibles :

Formule de la combinaison $c_1 + \bar{c}_2$	Structure de la combinaison
$c_1 + p_1$ (désiré)	équilibrée (1)
$c_1 + p_2$ (phobique)	conflictuelle (5)
$c_1 + \bar{p}_1$ (non désiré)	conflictuelle (7)
$c_1 + \bar{p}_2$ (non phobique)	compatible (3)

Prenons un autre exemple. Si l'on considère $\bar{c}_2$ comme un invariant et c comme soumis à variation (avec substitutions économiques) on obtient quatre sortes de relations sexuelles possibles :

Formule de la combinaison $\bar{c}_2 + c_1$	Structure de la combinaison
$\bar{c}_2 + e_1$ (profitable)	compatible (3)
$\bar{c}_2 + e_2$ (nuisible)	conflictuelle (8)
$\bar{c}_2 + \bar{e}_1$ (non profitable)	conflictuelle (6)
$\bar{c}_2 + \bar{e}_2$ (non nuisible)	équilibrée (2)

Une combinatoire généralisée des termes des trois systèmes produirait seize situations possibles pour les relations sexuelles socialement permises; nous verrons cependant que toutes les combinaisons ne peuvent pas se trouver également manifestées.

Cette combinatoire pourrait, par exemple, fournir un organon adéquat pour la description des relations interpersonnelles dans le récit. Ainsi, à décrire les relations sexuelles dans les romans de Balzac, on s'aperçoit qu'en général la situation des protagonistes est dissymétrique : par exemple, les relations du Père Rigou avec sa servante seront non interdites, désirées, et non nuisibles; celles de la servante avec le Père Rigou non permises, craintes, et non profitables; il y a dès lors conflit quelle que soit la manifestation des relations. La non homologie des situations sémiotiques peut servir à définir « l'insatisfaction romantique »; le parfait amour est la manifestation de relations des groupes (1) ou (3).

2.2. L'INDIVIDU ET LA SOCIÉTÉ.

A. *Les substructures intégrées et les substructures corrélées.*

Le système des valeurs économiques et celui des valeurs individuelles ne règlent pas seulement les relations sexuelles; et par ailleurs, ils se combinent préférentiellement, le premier avec les relations sexuelles socialisées, le second avec les relations non socialisées.

Ces deux substructures doivent être distinguées, car elles ne sont pas dans le même rapport avec le système social.

Les valeurs économiques sont *intégrées* au système social d'ensemble (encore que l'égoïsme économique existe) : par exemple, on imagine difficilement que, dans une société où l'inceste est interdit, il puisse être profitable; certaines combinaisons théoriquement possibles, comme celles du groupe (5), ne pourront pas se trouver manifestées.

En revanche, le système des valeurs individuelles ne paraît pas nécessairement intégré au système social, et des relations du groupe (5) y sont possibles : elles peuvent par exemple se trouver manifestées comme des transgressions. Le système individuel sera dit *corrélé* au système social (la personnalité comprend d'ailleurs des instances socialisées).

B. *Le monde humain:*

Comme le schéma 1 du système social comprend les relations socialisées, le schéma 1 du système individuel peut être dit individualisé, dans la mesure même où l'individu s'investit dans ses désirs.

Si l'on étudie les compatibilités entre les deux systèmes (relations entre termes non homologues situés dans des deixis homologues), on obtient ces corrélations :

$p_1 \simeq \bar{c}_2$ (les désirs sont non interdits)
$c_1 \simeq \bar{p}_2$ (les prescriptions sociales sont non craintes)
$\bar{p}_1 \simeq c_2$ (ce qui est interdit n'est pas désiré)
$\bar{c}_1 \simeq p_2$ (ce qui est non prescrit n'est pas craint)

En d'autres termes, le schéma assumé du système social définit négativement le schéma assumé du système individuel. Le schéma 1 du système individuel et le schéma 2 du système social se recouvrent, les injonctions de l'un étant combinées avec les non injonctions de l'autre; de même pour le schéma 2 du système individuel et le schéma 1 du système social.

Dans cette situation, les axes des deux systèmes sont corrélés : l'axe complexe du système social avec l'axe neutre du système individuel; l'axe neutre du système social avec l'axe complexe du système individuel.

La conjonction des deux deixis culturelles (sociale et individuelle) définit les valeurs humaines; celle des deux deixis naturelles définit le monde inhumain.

La conjonction de la culture individuelle et de la nature sociale définit l'*espace de la transgression;* celles de la culture sociale et de la nature individuelle, l'*espace de l'aliénation.*

> *Remarque :* On a noté en décrivant le conte populaire russe que la transgression et l'aliénation y sont corrélatives. C'est que, dans l'univers sémantique décrit, la jouissance des valeurs est définie par la compatibilité des systèmes sociaux et individuels, telle que $c_1 \simeq \bar{p}_2$, et $\bar{c}_2 \simeq p_1$. Mais alors, il ne peut y avoir de transgression sans aliénation; si l'on a :
>
> (*a*) $c_1 \simeq \bar{p}_1$, et $\bar{c}_2 \simeq p_2$,
>
> on doit avoir :
>
> (*b*) $c_2 \simeq \bar{p}_2$, et $\bar{c}_1 \simeq p_1$.
>
> Réciproquement, si l'on a (*b*), on doit avoir aussi (*a*).

Ces réflexions pourraient être étendues aux relations équilibrées, ou conflictuelles, entre individu et société; dans le cas de relations équilibrées, par exemple, il y a homologation des deux systèmes, d'où la définition d'un individu entièrement socialisé.

3. VERS LA MANIFESTATION

3.1. L'INTERACTION DES SYSTÈMES SÉMIOTIQUES.

Le concept *d'usage* a été introduit par Hjelmslev pour rendre compte de la clôture de la manifestation par rapport aux possibilités que définit la structure.

Les rares tentatives pour étudier l'usage ont été menées au moyen du calcul aléatoire : on a montré, par exemple, que telle population indienne de deux cents membres ne peut épuiser les possibilités d'un système matrimonial qui permet des millions de combinaisons. Cela ne veut pas dire que les mariages soient — à l'intérieur du système — réalisés au hasard; il est probable que la situation historique détermine le choix de quelques mariages, et non d'autres également possibles. Nous allons chercher à définir cette *historicité*.

Il ne faut pas conclure des conjectures précédentes touchant les relations sexuelles que la manifestation d'un système est définie uniquement par les relations qu'il permet : dans ce cas, la manifestation serait tout simplement le produit de règles du type s_1 et $\bar{s}_2$. Ceci est peu probable, car la deixis du permis est définie par rapport à celle de l'exclu. C'est pourquoi, sans doute, certains linguistes américains ne choisissent pas leurs corpus (conformes par hypothèse aux relations permises du système décrit), mais créent à leur usage des corpus non grammaticaux qui manifestent les règles « cachées » du type s_2 et $\bar{s}_1$ [1].

Un trait peut nous orienter : qu'il s'agisse de paroles ou de mariages, rien ne permet d'affirmer qu'une manifestation sémiotique relève d'un seul système à la fois. Et dans la mesure où elle relève de plusieurs, on peut attribuer sa clôture à l'interaction des différents systèmes qui la produisent. Prenons pour exemple une relation sexuelle non interdite quelconque; elle est possible, mais rien ne dit qu'elle se manifestera. Elle peut ne pas coïncider avec les relations permises du système économique en présence, ou du système des valeurs individuelles de chacun des protagonistes. Dans le cas d'une combinatoire libre, il y a une chance sur huit pour que les relations permises des trois systèmes coïncident, et une chance sur soixante-quatre pour qu'un terme du modèle social se trouve manifesté dans une combinaison équilibrée. On peut prévoir que de nombreuses combinaisons envisagées plus haut ne sauraient se trouver manifestées : par exemple une relation sexuelle socialement interdite, économiquement nuisible et individuellement phobique.

Nous proposons d'appeler *usage* l'interaction des structures sémiotiques, responsable des manifestations comme des non manifestations. Plusieurs types d'interaction sont prévisibles :

— Absence de permission des deux systèmes en présence : on a les combinaisons (1. *b*); (2. *a*); (4). Il semble qu'il ne peut y avoir manifestation.

1. Cf. M. Gross, *Langages*, *9*, p. 5 : « Dans un article de linguistique moderne il y a autant d'exemples non grammaticaux que d'exemples acceptables. »

— Permission d'un système mais exclusion de l'autre : on a les combinaisons (5); (6); (7); (8). Nous ne pouvons dire si la manifestation a lieu.

— Permission des deux systèmes : on a (1. *a*); (2. *b*); (3). La manifestation peut avoir lieu.

L'inventaire des combinaisons qui peuvent entraîner la manifestation se restreint encore si l'on prend pour hypothèse qu'il faut au moins une prescription pour qu'elle ait lieu : il ne reste que (1.*a*) et (3).

Voici un exemple d'usage : dans le système phonologique du français, la variante (R) du phonème (r) est non interdite dans les classes populaires et non prescrite dans la « bonne société ». Elle est connotée par le contenu « rusticité ». Elle se trouvera donc manifestée ou non selon les classes sociales; l'interaction du système axiologique social et du système phonologique apparaît clairement ici [1].

Le fonctionnement de l'usage doit être précisé. Dans notre présentation des relations sexuelles, les différents systèmes en présence ont entre eux une relation hiérarchique : par rapport à la manifestation, chaque contenu du système social des valeurs apparaît médiatisé par deux relais ou substructures, les systèmes économique et individuel. Il reste à savoir ce qui détermine la hiérarchie des systèmes.

Ce problème a un intérêt : la hiérarchie des systèmes permet de décider, dans les cas de combinaisons conflictuelles [(5); (6); (7) et (8)], s'il y a manifestation. Un mariage conforme aux prescriptions sociales mais à la fois phobique (ou non désiré) et profitable sera-t-il conclu? Chez Balzac, on voit plusieurs exemples de « mariage d'argent »; cela signifie que dans la société qu'il invente ou décrit, le système des valeurs économiques a la prépondérance sur celui des valeurs individuelles. Il a même la prépondérance sur celui des valeurs sexuelles sociales (prostitution, etc. [2]).

Nous proposons d'appeler *épistémé* (ici, l'épistémé bourgeoise, ou

1. Bien que des faits de ce genre soient cités à plusieurs reprises dans les *Phonological Studies* de Jakobson, nous n'en connaissons pas d'étude scientifique; sans doute les phonologues ont-ils préféré éliminer les non injonctions des systèmes étudiés.

2. Dans le Code civil français, le premier paragraphe du chapitre *Des moyens d'acquérir la propriété* est intitulé : « le Mariage ».

balzacienne, comme on voudra) la structure qui définit la hiérarchie des systèmes sémiotiques en présence. Elle commande les combinaisons qui peuvent se trouver manifestées; et donc non seulement la clôture de la manifestation (définition négative de l'usage par les non manifestations), mais la nature des manifestations réalisées (définition positive de l'usage).

> *Remarque :* On peut appeler *choix* les procès qui produisent les manifestations réalisées et définissent positivement l'usage; et *contraintes* les procès qui causent les non manifestations et définissent négativement l'usage (les *contraintes* déterminent l'*asémanticité*, ou incompatibilité des termes dans l'interaction des systèmes).

L'épistémé rend compte de l'historicité des manifestations; sa composante sociale apparaît comme un *sens commun*, implicite ou non, un système axiologique et dialectique immanent à toutes les structures sémiotiques de la société considérée.

3.2. LE STATUT DES CONTENUS MANIFESTÉS.

Nous venons de voir à quelles conditions un contenu peut se trouver manifesté.

Nous pouvons préciser un peu mieux maintenant en quoi consiste la manifestation sémiotique, et comment l'on passe des structures profondes aux structures superficielles.

Un auteur, un producteur d'objets sémiotiques quelconques, se meut à l'intérieur d'une épistémé, qui est la résultante de son individualité et de la société où il est inscrit. Il lui est possible de procéder à des choix limités, qui ont pour premier résultat l'investissement de contenus organisés, c'est-à-dire dotés de valences (possibilités de relations).

Sans pour autant préjuger de la structure de la grammaire sémiotique, il faut préciser comment ces contenus apparaissent dans la manifestation.

Nous ne prendrons que les cas les plus simples.

Comme chaque terme d'une structure sémiotique est défini par des relations de conjonction et de disjonction, il pourra apparaître sur le mode du conjoint ou sur le mode du disjoint.

a) Le mode du *disjoint :* chaque contenu d'une structure sémiotique peut se trouver manifesté :

— disjoint des trois autres termes; il est alors isolé dans la manifestation; par exemple on a : s_1 (*vs* s_2, $\bar{s}_1$, $\bar{s}_2$). Soit une manifestation possible pour chacun des quatre termes.

— disjoint d'un autre terme; il entre à l'intérieur d'une opposition distinctive; on a par exemple : s_1 *vs* s_2; s_1 *vs* $\bar{s}_1$; s_1 *vs* $\bar{s}_2$. Les autres possibilités de manifestation de la même structure sont : $\bar{s}_1$ *vs* $\bar{s}_2$; $\bar{s}_1$ *vs* $\bar{s}_2$; s_2 *vs* s_2. Soient six manifestations possibles.

b) Le mode du *conjoint :* aux six dimensions immanentes de la structure constitutionnelle peuvent correspondre, dans la manifestation, six conjonctions binaires qui définissent ce que l'on appelle les termes complexes. On aurait donc deux complexes déictiques, deux complexes de contraires, et deux complexes de contradictoires.

Le terme neutre, qui est un terme simple dans la description de Brøndal, serait en réalité le complexe $(\bar{s}_1 + \bar{s}_2)$.

On ne sait pas si ce que Brøndal appelle un terme complexe en équilibre est la manifestation conjointe de deux contraires ou de deux contradictoires; l'expérience limitée de la description a permis d'identifier des complexes des deux types, du genre de (« blanc » + « noir »), et de (« blanc » + « non blanc »).

Il faut envisager encore le problème de *l'extension :* Brøndal définit, et on rencontre, des termes complexes à dominance positive ou négative; peut-être sont-ils produits par l'interaction de systèmes hiérarchiquement inégaux.

Ces réflexions exploratoires peuvent se prolonger dans deux directions.

Il faut d'abord étudier comment la production d'un objet sémiotique rencontre, avec les structures superficielles, un second palier de contraintes et de choix : il s'agit des structures processuelles (narratives, par exemple). Elles rendent compte de l'aspect syntagmatique de la manifestation. Elles imposent le choix de certaines opérations, comme la mise en place des rôles (contenus des actants), et des « archifonctions » (contenus des fonctions).

Il faut étudier ensuite les relations entre la forme des structures profondes et les règles de la grammaire sémiotique utilisée : la structure profonde pourrait, par exemple, définir l'orientation des algorithmes dialectiques.

Mais auparavant, il convient de définir le mode d'existence des contenus au niveau des structures superficielles, et, une fois leur statut logique décrit, établir le calcul de leurs combinaisons.

Éléments d'une grammaire narrative[1]

1. LA NARRATIVITÉ ET LA THÉORIE SÉMIOTIQUE

1.1. HISTORIQUE.

L'intérêt de plus en plus large manifesté, depuis quelques années, pour les études de narrativité est à mettre en parallèle avec les espoirs et projets d'une sémiotique générale, qui se précisent peu à peu chaque jour.

Dans un premier temps, la comparaison des résultats de recherches indépendantes — celles de V. Propp sur le folklore, de Claude Lévi-Strauss sur la structure du mythe, d'Étienne Souriau sur le théâtre — a permis d'affirmer l'existence d'un domaine d'études autonome. De nouveaux approfondissements méthodologiques — ceux de Claude Bremond interprétant la narration dans la perspective d'une logique décisionnelle, ou d'Alan Dundes visant à donner à l'organisation du récit la forme d'une grammaire narrative — ont, ensuite, diversifié les approches théoriques. Notre souci propre, pendant ce temps, était à la fois d'étendre autant que possible le champ d'application de l'analyse narrative, et de formaliser de plus en plus les modèles partiels apparus au cours des recherches : il nous a paru important d'insister par-dessus tout sur le caractère sémio-linguistique des catégories utilisées dans l'élaboration de ces modèles, garantie de leur universalité, et moyen d'intégration des structures narratives dans une théorie sémiotique généralisée.

1. Paru dans *l'Homme*, 1969, IX, 3.

1.2. LA NARRATIVITÉ ET SA MANIFESTATION.

L'enrichissement méthodologique de l'analyse narrative et la possibilité de l'appliquer à des domaines autres que le folklore ou la mythologie, ont eu pour conséquence de faire apparaître des problèmes considérables, remettant en question les conceptions les plus généralement admises en linguistique.

Il fallait, d'abord, admettre que les structures narratives peuvent se reconnaître ailleurs que dans les manifestations du sens s'effectuant à travers les langues naturelles : dans les langages cinématographique et onirique, dans la peinture figurative, etc. Mais cela revenait à reconnaître et à accepter la nécessité d'une distinction fondamentale entre deux niveaux de représentation et d'analyse : un *niveau apparent* de la narration, où les diverses manifestations de celle-ci sont soumises aux exigences spécifiques des substances linguistiques à travers lesquelles elle s'exprime, et un *niveau immanent*, constituant une sorte de tronc structurel commun, où la narrativité se trouve située et organisée antérieurement à sa manifestation. Un niveau sémiotique commun est donc distinct du niveau linguistique et lui est logiquement antérieur, quel que soit le langage choisi pour la manifestation.

D'un autre côté, si les structures narratives sont antérieures à leur manifestation, celle-ci, pour s'effectuer, doit utiliser des unités linguistiques dont les dimensions sont plus vastes que celles des énoncés : des unités qui constitueraient « une grande syntagmatique », selon l'expression de Ch. Metz parlant de la sémiotique du cinéma. Aux *structures narratives* correspondent donc, au niveau de la manifestation, les *structures linguistiques du récit;* et l'analyse narrative a pour corollaire l'analyse du discours.

1.3. LA NARRATIVITÉ ET LA SÉMIOTIQUE.

On le voit donc : pour peu qu'on admette que la signification est indifférente aux modes de sa manifestation, on est obligé de reconnaître un palier structurel autonome, lieu d'organisation de vastes champs de signification, qui devra être intégré à toute théorie sémiotique générale, dans la mesure justement où celle-ci vise à rendre compte de l'articulation et de la manifestation de l'univers sémantique comme totalité du sens d'ordre culturel ou personnel. Du même coup, l'économie générale d'une telle théorie se trouve bouleversée : si, auparavant, on pouvait considérer que le projet linguistique consistait à mettre en place un mécanisme de caractère combinatoire ou génératif qui rendrait compte, à partir d'éléments simples et de noyaux originels, de la production d'un nombre illimité d'énoncés, ceux-ci, à leur tour, se transformant et se combinant pour instituer les suites d'énoncés en tant que discours — il faut maintenant, au contraire, imaginer les instances *ab quo* de la génération de la signification, de telle sorte qu'à partir d'agglomérats de sens aussi peu articulés que possible, on puisse obtenir, en descendant par paliers successifs, des articulations significatives de plus en plus raffinées, afin d'atteindre simultanément les deux buts que vise le sens en se manifestant : apparaître comme *sens articulé*, c'est-à-dire, signification, et comme *discours sur le sens*, c'est-à-dire une grande paraphrase développant à sa manière toutes les articulations antérieures du sens. Autrement dit : la *génération de la signification ne passe pas, d'abord, par la production des énoncés et leur combinaison en discours; elle est relayée, dans son parcours, par les structures narratives et ce sont elles qui produisent le discours sensé articulé en énoncés.*

Dès lors, on voit que l'élaboration d'une théorie de la narrativité qui justifierait et fonderait en droit l'analyse narrative comme un domaine de recherches méthodologiquement autosuffisant, ne consiste pas seulement dans le perfectionnement et la formalisation des modèles narratifs obtenus par des descriptions de plus en plus nombreuses et variées, ni dans une typologie de ces modèles qui les subsumerait tous, mais aussi, et surtout, dans l'installation des structures narratives en tant qu'*instance autonome* à l'intérieur de l'économie générale de la sémiotique, conçue comme science de la signification.

1.4. LES INSTANCES D'UNE SÉMIOTIQUE GÉNÉRALE.

Pour ce faire, on doit concevoir la théorie sémiotique de telle façon qu'entre les instances fondamentales *ab quo*, où la substance sémantique reçoit ses premières articulations et se constitue en forme signifiante, et les instances dernières *ad quem*, où la signification se manifeste à travers de multiples langages, un vaste espace soit aménagé pour l'installation d'une *instance de médiation* où seraient situées des structures sémiotiques possédant un statut autonome — parmi lesquelles les structures narratives — lieux où s'élaboreraient des articulations complémentaires de contenus et une sorte de grammaire, à la fois générale et fondamentale, présidant à l'instauration des discours articulés. Le projet structural relatif à cette instance de médiation est donc double : il s'agit, d'une part, d'esquisser la construction des modèles de l'articulation des contenus, tels qu'ils sont imaginables à ce niveau du parcours du sens ; il s'agit, d'autre part, de mettre en place les modèles formels susceptibles de manipuler ces contenus et de les arranger de telle sorte qu'ils puissent commander la production et la segmentation des discours, organiser, sous certaines conditions, la manifestation de la narrativité. Autrement dit, la théorie sémiotique ne sera satisfaisante que si elle sait aménager dans son sein une place pour *une sémantique et une grammaire fondamentales.*

1.5. POUR UNE SÉMANTIQUE FONDAMENTALE.

Le projet d'une sémantique fondamentale, différente de la sémantique de la manifestation linguistique, ne peut que s'appuyer sur une théorie du sens. Il est donc directement lié à l'explicitation des conditions de la saisie du sens et à la *structure élémentaire de la signification* qui peut en être déduite, et qui se présentera, ensuite, comme une axiomatique. Cette structure élémentaire, analysée et décrite précédemment, doit être conçue comme le développement logique d'une catégorie sémique binaire, du type *blanc* vs *noir*, dont les termes sont, entre eux, dans une relation de contrariété, chacun étant en même temps susceptible de projeter un nouveau terme qui serait son contradictoire, les termes contradictoires pouvant, à leur tour, contracter une relation de présupposition à l'égard du terme contraire opposé :

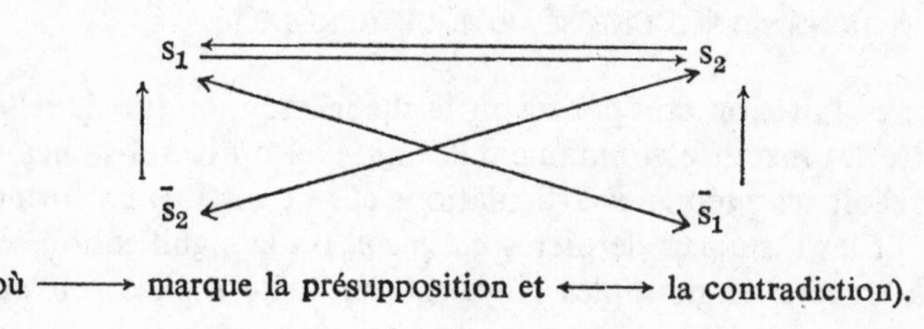

(où ——→ marque la présupposition et ←——→ la contradiction).

L'assomption suivante est que cette structure élémentaire de signification fournit un modèle sémiotique approprié pour rendre compte des premières articulations du sens à l'intérieur d'un *micro-univers sémantique*.

Une précision s'impose ici concernant notre conception de l'univers sémantique. Dans un premier temps (cf. notre *Sémantique structurale*), nous avions proposé de le considérer comme la totalité de la « substance sémantique » appelée à signifier seulement par le réseau d'articulations qui la recouvre : le sens n'étant saisi que s'il est articulé. Ces articulations du sens pouvaient s'expliquer, pensions-nous, comme le résultat d'une combinatoire, réalisée à partir d'un inventaire limité de catégories sémiques. Un pas de plus pourrait être fait aujourd'hui, suggérant une représentation un peu plus raffinée de cette couverture d'articulations. On imaginera, en effet, que *chaque catégorie constitutive de la combinatoire* — qui, on l'a vu, peut à tout instant se développer en structure élémentaire — est susceptible de se transformer *en un modèle sémiotique constitutionnel* et, se subordonnant d'autres catégories du même inventaire pour lui servir de sous-articulations, subsumer ainsi un vaste champ de signification, servir de couverture à un micro-univers sémantique. L'inventaire fondamental des catégories sémiques nécessaire pour l'articulation de l'univers sémantique dans sa totalité est, par conséquent, en même temps l'inventaire virtuel de tous les micro-univers possibles, chaque culture, chaque personnalité pouvant favoriser, par des articulations privilégiées, tel micro-univers aux dépens de tel autre (la culture du vin en France, l'exploitation de l'eau de source en Turquie).

Le modèle constitutionnel n'est, dès lors, que la structure élémentaire de la signification, utilisée, en tant que forme, pour l'articulation de la substance sémantique d'un micro-univers. L'isotopie des termes de la structure élémentaire garantit et fonde en quelque sorte le micro-univers en tant qu'unité de sens, et permet de considérer, à l'intérieur de notre démarche axiomatisante, le modèle constitutionnel comme une forme canonique, comme une instance de départ pour une sémantique fondamentale.

Il n'entre pas dans le propos actuel d'examiner les conditions d'une telle sémantique. Il s'agit seulement de distinguer nettement les deux plans — sémantique et grammatical — de l'exploration poursuivie. Aussi serait-il peut-être préférable de marquer cette distinction par une disjonction terminologique, en parlant de *valeurs de contenu* chaque fois qu'il s'agira d'unités sémiques dégagées à l'intérieur d'un micro-univers à l'aide des articulations du modèle constitutionnel, et en réservant l'expression de *terme* structurel aux seules unités formelles du modèle sémiotique.

1.6. POUR UNE GRAMMAIRE FONDAMENTALE.

Mais si la structure élémentaire sert ainsi de modèle pour l'articulation des contenus que sont les substances sémantiques, si elle est en mesure de mettre le sens en état de signifier, elle n'en reste pas moins une forme sémiotique que l'on peut considérer en dehors de tout investissement. Elle est ce « principe sémiotique » qui, selon Hjelmslev, institue et organise tout langage, au sens le plus général de ce terme. Ceci explique que, tout en se trouvant, en tant que modèle constitutionnel, à la base de l'organisation des contenus, la structure élémentaire soit en même temps ce modèle formel qui, grâce à ses catégories constitutives, manipule les contenus organisés sans s'identifier avec eux. Nous avons déjà remarqué, par ailleurs, que les catégories nécessaires à la formalisation de la structure élémentaire de la signification sont les mêmes catégories épistémologiques utilisées pour la construction de toute théorie sémiotique. C'est avec ces « universaux du langage » constitués en modèle sémiotique, instance originelle de toute manipulation du sens, que l'on peut envisager l'élaboration des premières prémisses d'une grammaire fondamentale.

2. ÉLÉMENTS D'UNE GRAMMAIRE FONDAMENTALE

2.1. LE NOYAU TAXINOMIQUE.

Il est difficile, à l'heure actuelle, d'élaborer une axiomatique sur laquelle reposeraient les structures narratives; il faudrait disposer auparavant d'une théorie sémiotique achevée. On ne peut donc qu'esquisser, en se référant à la conception globale d'une telle sémiotique, les principales instances articulatoires et les enchaînements opérationnels prévisibles d'une grammaire narrative à l'état de projet.

Toute grammaire présente, de façon plus ou moins explicite, deux composantes : une morphologie et une syntaxe, la morphologie possédant le caractère d'une taxinomie dont les termes sont interdéfinis, et la syntaxe consistant en un ensemble de règles opératoires ou de manières de manipuler les termes de la morphologie.

Pour illustrer ce que peut être un modèle taxinomique de ce genre, on se référera à l'analyse structurale du mythe d'Œdipe effectuée, dès 1955, par Claude Lévi-Strauss, analyse ayant abouti à la construction d'un modèle achronique simple, à partir duquel, selon l'auteur, tous les mythes d'Œdipe, y compris le mythe freudien, peuvent être générés. Ce modèle, résultat d'une lecture paradigmatique du discours mythique, peut être défini — nous l'avons examiné en d'autres occasions — comme la mise en corrélation de termes contradictoires couplés.

Il est aisé de voir qu'un tel modèle est en tout comparable au modèle constitutionnel dont nous avons déjà parlé, et qu'il peut être interprété en utilisant les mêmes catégories relationnelles. Ainsi, en appelant *schéma* la structure qui comprend deux termes réunis par la relation de contradiction ($s_1 \leftrightarrow \bar{s}_1$ ou $s_1 \leftrightarrow \bar{s}_2$), et *corrélation*, la relation entre deux schémas dont les termes, pris un à un, sont en relation de contrariété avec les termes correspondants de l'autre schéma (cf. 1.5), on peut dire que le modèle taxinomique est *une structure à quatre termes* qui sont mutuellement interdéfinis par un réseau de relations précises descriptibles comme *la corrélation entre deux schémas*.

Dans l'esprit de C. Lévi-Strauss, on l'a vu, un tel modèle rend compte de la saisie achronique de la signification de tous les récits possibles relevant d'une certain micro-univers sémantique. C'est un modèle formel : il ne fait qu'articuler les contenus investis. De plus, il est indépendant de son mode de manifestation : le discours qui le manifeste peut être un récit mythique, mais aussi le discours didactique de Freud; il peut tout aussi bien être présent, sous forme diffuse, dans d'interminables discours anthropologiques ou psychanalytiques.

Autrement dit, il est cette instance taxinomique première à partir de laquelle peuvent être articulés et manifestés, sur le mode statique, les systèmes de valeurs ou *axiologies*, et les procès de création de valeurs récurrents ou *idéologies*. Bien que susceptible d'engendrer des formes discursives non narratives, l'instance taxinomique est également une base nécessaire pour tout processus dynamique, générateur de la *syntaxe narrative*.

2.2. LA NARRATIVISATION DE LA TAXINOMIE.

On voit que le modèle taxinomique, du fait de la stabilité des relations qui définissent ses termes structurels, peut être considéré comme le premier noyau d'une morphologie élémentaire. Cependant, l'examen des conditions de la saisie du sens montre bien que si la signification, dans la mesure où l'on cherche à la trouver dans l'objet, apparaît comme une articulation de relations fondamentales stables, elle est en même temps susceptible d'une représentation dynamique dès qu'on la considère comme une saisie ou comme la production du sens par le sujet. En tenant compte de cet aspect dynamique, on peut établir un réseau d'équivalences entre les *relations* fondamentales constitutives du modèle taxinomique, et les projections de ces mêmes relations, ou *opérations*, portant cette fois-ci sur des termes déjà établis de cette même morphologie élémentaire; opérations dont la réglementation constituerait la syntaxe. Ainsi la contradiction, en tant que relation, sert, au niveau de la taxinomie, à l'établissement de schémas binaires; en tant qu'opération de contradiction, elle consistera, au niveau syntaxique, à nier l'un des termes du schéma et à affirmer en même temps son terme contradictoire. Une telle opération, lorsqu'elle s'effectue sur des termes à valeurs déjà investies, a pour résultat de transformer les contenus en niant ceux qui sont posés et en faisant surgir à leur place de nouveaux contenus assertés.

On peut, par conséquent, poser un premier jalon, provisoire, d'une syntaxe fondamentale, en disant qu'elle consiste dans la mise en branle du modèle taxinomique, par des transformations des contenus investis dans les termes taxinomiques sur lesquels elle opère.

Remarque : On a vu que la saisie dite achronique du mythe est une instance instable, que sa structure « dogmatique » est prête à tout moment à se développer en récit. Les études effectuées sur certains genres mineurs (proverbes, wellerismes, manchettes de faits divers, etc.) qui semblent, à première vue, de pures manifestations axiologiques, montrent, au contraire, leur forte instabilité et une tendance prononcée à la narrativisation.

2.3. L'ORIENTATION DES OPÉRATIONS SYNTAXIQUES.

La représentation de la syntaxe comme suite d'opérations effectuées sur les termes définis d'une structure taxinomique permet d'en dégager plus facilement une nouvelle propriété : *les opérations syntaxiques sont orientées.*

Ainsi, dans le cadre d'un seul schéma taxinomique, on peut prévoir deux opérations syntaxiques, et deux transformations de contenu possibles :

$$\text{soit} \quad s_1 \Longrightarrow \bar{s}_1$$
$$\text{soit} \quad \bar{s}_1 \Longrightarrow s_1$$

Comme, d'autre part, le modèle taxinomique est constitué par deux schémas, la question de la priorité logique des opérations syntaxiques ne peut manquer de se poser : les opérations orientées peuvent commencer

soit par le premier schéma : $s_1 \Longrightarrow \bar{s}_1$ ou $\bar{s}_1 \Longrightarrow s_1$

soit par le second schéma : $s_2 \Longrightarrow \bar{s}_2$ ou $\bar{s}_2 \Longrightarrow s_2$

ce qui donne lieu déjà, on le voit, à une première combinatoire d'opérations syntaxiques.

Finalement, la connaissance des propriétés relationnelles de la structure élémentaire — qui sont en même temps celles des opérations syntaxiques — prescrit ceci : l'opération de contradiction qui, en niant, par exemple, le terme s_1, pose en même temps le terme $\bar{s}_1$, doit être suivie d'une nouvelle opération de présupposition faisant surgir et conjoignant au terme $\bar{s}_1$, le nouveau terme s_2. — Ainsi, les opérations syntaxiques sont non seulement orientées, mais aussi organisées en séries logiques.

2.4. LES CARACTÉRISTIQUES D'UNE GRAMMAIRE FONDAMENTALE.

Les caractéristiques que nous venons d'expliciter, et qui sont susceptibles de servir de base à l'élaboration d'une grammaire fondamentale, peuvent être ainsi résumées :

1. La grammaire narrative se compose d'une *morphologie élémen-*

taire fournie par le modèle taxinomique, et d'une *syntaxe fondamentale qui opère sur les termes* taxinomiques préalablement inter-définis.

2. La syntaxe narrative consiste en opérations effectuées sur les termes susceptibles d'être investis de valeurs de contenu; de ce fait, elle les transforme et les manipule, en les niant et en les affirmant, ou, ce qui revient au même, en les *disjoignant* et *conjoignant*.

3. Les opérations syntaxiques, situées dans le cadre taxinomique établi, sont *orientées* et, de ce fait, prévisibles et calculables.

4. Ces opérations sont, de plus, *ordonnées en séries* et constituent des procès segmentables en *unités syntaxiques opérationnelles*.

Ces déterminations minimales, conditions d'une grammaire fondamentale, bien qu'incomplètes, permettent d'aborder les problèmes relatifs à la construction d'une grammaire narrative de surface.

3. ÉLÉMENTS D'UNE GRAMMAIRE NARRATIVE DE SURFACE

3.1. LE PROBLÈME DES NIVEAUX DE GRAMMAIRE.

En possession d'une grammaire fondamentale, il serait possible d'imaginer des niveaux de grammaire plus « bas » qui, en spécifiant davantage les catégories utilisées ou en les transcrivant de manière plus complexe, approcheraient progressivement de la grammaire telle qu'elle se trouve manifestée, par exemple, dans les langues naturelles. Ainsi, en simplifiant beaucoup, on peut dire que la grammaire fondamentale, qui est d'ordre *conceptuel*, pour pouvoir produire des récits manifestés sous forme *figurative* (où des acteurs humains ou personnifiés accompliraient des tâches, subiraient des épreuves, atteindraient des buts), doit d'abord recevoir, à un niveau sémiotique intermédiaire, une représentation *anthropomorphe* mais non figurative. C'est ce niveau anthropomorphe que l'on désignera sous le nom de *grammaire narrative superficielle*, en précisant que le qualificatif « superficiel », n'ayant rien de péjoratif, indique seulement qu'il s'agit d'un palier sémiotique, dont les définitions et les règles grammaticales sont susceptibles, à l'aide d'un dernier transcodage, de passer directement dans les discours et les énoncés linguistiques.

Le terme de *niveau grammatical* demande à être défini d'abord. Si nous disons qu'une grammaire peut être construite à deux niveaux différents, cela veut dire qu'il est possible de construire deux métalangages différents rendant compte d'un seul et même phénomène linguistique présent à un troisième niveau, dans notre cas celui de la manifestation. On dira également que ces deux métalangages sont *équivalents*, parce qu'ils sont isotopes mais non isomorphes, indiquant par là qu'un segment déterminé d'un métalangage peut être transcodé dans un segment isotope d'un autre langage, sans que les éléments constitutifs des deux segments soient pour autant formellement identiques.

Les catégories constitutives d'une telle grammaire superficielle se distinguent, disions-nous, par leur *caractère anthropomorphe*, du *caractère logique* propre aux catégories de la grammaire fondamentale.

3.2. LES ÉNONCÉS NARRATIFS.

3.2.1. *Le faire anthropomorphe.*

Si, par conséquent, l'un des concepts de base de la grammaire *fondamentale* est celui d'*opération* syntaxique, il correspondra, au niveau *superficiel*, au *faire* syntaxique.

L'établissement de l'équivalence entre l'opération et le faire constitue bien l'introduction, dans la grammaire, de la dimension anthropomorphe. Ce fait peut être interprété de différentes manières :

a) Tandis qu'une opération logique est conçue comme un procès métalinguistique autonome, permettant la mise entre parenthèses du sujet de l'opération (ou l'utilisation d'un opérateur « quelconque »), un faire, qu'il soit pratique ou mythique, implique, en tant qu'activité, un *sujet humain* (ou du moins anthropomorphisé : « le crayon écrit »). Autrement dit, le faire est une opération spécifiée par l'adjonction du classème « humain ».

b) Lorsqu'on parle du faire, il est évident qu'on ne pense pas au faire « réel » situé au niveau de la sémiotique du monde naturel, mais au *faire linguistique* (quel que soit le langage, naturel ou non, dans lequel il se trouve manifesté), à un faire transcodé en message. Qu'il s'agisse, par rapport au système sémiotique de référence, d'un *faire agi* ou d'un *faire parlé*, son statut de faire méta-sémiotique (parce que décrit) en fait un message-objet, situé à l'intérieur du processus de communication, impliquant un destinateur et un destinataire.

Le *faire* est donc une opération doublement anthropomorphe : en tant qu'activité, elle présuppose un sujet; en tant que message, elle est objectivée et implique l'axe de transmission entre destinateur et destinataire.

3.2.2. *Énoncé narratif simple.*

La conversion — le passage d'un niveau grammatical à l'autre — peut ainsi être définie comme une équivalence entre l'opération et le faire, en donnant aux implications du concept de faire la forme d'un *énoncé narratif simple :*

$$EN = F(A)$$

où le faire, en tant que procès d'actualisation, est dénommé *fonction* (F) et où le sujet du faire, en tant que potentialité du procès, est désigné comme *actant* (A). On dira donc que toute opération de la grammaire fondamentale peut être convertie en un énoncé narratif dont la forme canonique minimale est F(A). Il reste toutefois entendu que les énoncés narratifs sont des énoncés syntaxiques, c'est-à-dire, indépendants du contenu qui peut être investi dans tel ou tel faire, et que les éléments constitutifs de l'énoncé, F et A, sont isotopes : toute restriction sémantique de F se répercutera nécessairement sur A, et inversement. L'actant est, pour donner un exemple, isotope de sa fonction, de la même manière que le nom d'agent l'est de son verbe (cf. pêcheur-pêcher).

3.2.3. *Énoncés modaux et énoncés descriptifs.*

Ainsi, une typologie d'énoncés narratifs — et, du même coup, d'actants — peut être construite par l'introduction progressive de restrictions sémantiques déterminées. Si, par exemple, une certaine classe de fonctions se trouve spécifiée par l'adjonction du classème « vouloir », les actants, isotopes de ces fonctions, constitueront une classe restrictive, qui pourra être désignée comme celle des *actants-sujets*. En effet, *vouloir* est un classème anthropomorphe (mais non nécessairement figuratif; cf. « cette règle exige que... ») qui instaure l'actant comme sujet, c'est-à-dire comme opérateur éventuel du faire. Et dès lors on peut, à côté des énoncés descriptifs (ED), constituer un nouveau type d'énoncés narratifs : les *énoncés modaux* (EM).

En effet, du point de vue linguistique, *vouloir* est un prédicat modal qui régit des énoncés proprement descriptifs. Par exemple :

(1) Jean veut que Pierre parte
(2) Pierre veut partir

Ces énoncés linguistiques, une fois transcrits en énoncés sémantiques, se présentent comme :

(1) F : vouloir/S : Jean; O (F : départ; A : Pierre)/
(2) F : vouloir/S : Pierre; O (F : départ; A : Pierre)/

On voit que, linguistiquement, l'introduction du classème « vouloir » est autre chose qu'une surdétermination du prédicat, qu'elle nécessite la construction de deux énoncés distincts dont le premier est un énoncé modal et le second un énoncé descriptif qui, hypotaxique par rapport au premier, lui sert d'*Actant-Objet*. Si l'on ne tient pas compte, pour l'instant, du fait que, dans le premier exemple, les sujets sémantiques des deux énoncés sont différents et, dans le second cas, identiques, on peut interpréter l'énoncé modal comme « le désir de réalisation » d'un programme qui est présent sous forme d'énoncé descriptif et fait en même temps partie, en tant qu'objet, de l'énoncé modal.

Cela nous permet déjà de spécifier formellement des énoncés modaux comme :

EM = F : vouloir /S; O/

Ce sont des énonciations de programmes virtuels explicités dans le cadre d'actants-objets, étant entendu que l'actant-objet de l'énoncé modal peut à tout instant être converti en n'importe quel énoncé descriptif.

Si l'on introduit maintenant une restriction supplémentaire, postulant que le sujet sémantique de l'énoncé descriptif doit être le même que celui de l'énoncé modal, on peut dire, d'une certaine manière, que le faire syntaxique consiste dans la transformation d'un programme *virtuel* en un programme *actualisé*.

L'énoncé descriptif conçu comme programme restant inchangé, la transformation pourra être interprétée comme la substitution de l'énoncé modal à fonction « vouloir » par un *énoncé modal d'existence* qui est, on le sait, un présupposé implicite de tout énoncé descriptif.

3.2.4. *Énoncés attributifs.*

Constater que l'Objet du désir, présent comme Actant-Objet, est en réalité un énoncé-programme, cela demande qu'on s'y arrête un peu. D'autres exemples permettront d'introduire de nouvelles caractéristiques de ces énoncés descriptifs :

(3) Pierre veut une pomme
(4) Pierre veut être bon

Ces énoncés linguistiques peuvent être représentés sémantiquement comme

(3) F : vouloir/S : Pierre; O (F : acquisition; A : Pierre; O : pomme)/
(4) F : vouloir/S : Pierre; O (F : acquisition; A : Pierre; O : bonté)/

L'explicitation sémantique, on le voit, permet d'établir, à côté d'énoncés déjà mentionnés dont la fonction est de l'*ordre du faire*, l'existence de deux autres types d'énoncés descriptifs caractérisés par leurs fonctions, qui sont tantôt de *l'ordre de l'avoir*, tantôt de l'*ordre de l'être*. On peut les désigner, en tant que sous-classe d'énoncés descriptifs, comme des énoncés attributifs (EA). Ce qui différencie ces deux types d'énoncés, au niveau de la description sémantique, ce sont moins les spécifications de leurs fonctions — il s'agit dans les deux cas d'une relation d'attribution entre le sujet et l'objet sémantiques —, que de la nature externe ou interne des objets attribuables. Dans la mesure où, en réunissant pour les interpréter les fonctions des deux énoncés modal et descriptif, on peut dire que le désir de possession institue l'objet d'une possession virtuelle comme une *valeur*, on voit que *la pomme* est une valeur externe par rapport au sujet du désir, tandis que *la bonté* est une valeur interne au sujet. Cette différence s'exprimera en termes syntaxiques en disant que la relation entre le sujet et l'objet de l'énoncé attributif est, dans le premier cas, *hypotaxique* et, dans le second, *hyponymique*.

En résumé, on dira donc ceci :

a) L'introduction, dans la grammaire superficielle, de la *modalité* du vouloir permet la construction d'énoncés modaux à *deux actants :* le *sujet* et l'*objet*. L'axe du désir qui les réunit autorise, à son tour, de les interpréter sémantiquement comme un virtuel *sujet performateur* et un *objet institué en valeur.*

b) Si la modalité du vouloir valorise l'objet, cet objet, en tant qu'actant de l'énoncé modal, peut être converti soit en un énoncé *descriptif du faire* (exemples 1 et 2) — et le faire en tant que tel se trouve valorisé — soit en énoncés *attributifs* (exemples 3 et 4) — et l'actualisation du vouloir s'exprime alors par la possession d'objets-valeurs indiqués dans les énoncés attributifs.

c) La distinction de deux types — *hypotaxique* et *hyponymique* — de l'attribution des objets-valeurs doit être retenue : elle offre un critère formel pour distinguer deux ordres de valeurs — objectives et subjectives — d'une importance capitale pour la compréhension de la structure narrative.

3.2.5. *Énoncés modaux en fonction d'énoncés attributifs.*

Il nous reste à compléter notre liste d'exemples d'énoncés narratifs par

(5) Pierre veut savoir (quelque chose)
(6) Pierre veut pouvoir (quelque chose)

On voit immédiatement, sans transcription sémantique, que la particularité de ce type d'énoncés réside dans le fait qu'un énoncé modal peut avoir pour objet non un énoncé descriptif simple, mais un autre énoncé modal, fonctionnant comme énoncé descriptif et susceptible, de ce fait, d'être valorisé à son tour.

Un certain nombre de constatations peuvent être faites à ce propos :

1. Dans l'état actuel de nos connaissances, il semble que seules les modalités du *savoir* et du *pouvoir* doivent être prises en considération dans la construction de la grammaire superficielle.

2. Parmi les propriétés de ces modalités nous retiendrons :

a) la possibilité de former des énoncés modaux canoniques :

EM (s ou p) = F : savoir ou pouvoir/S; O (F : faire; O)/

b) la possibilité d'être objets d'énoncés modaux du vouloir :

EM (v) = F : vouloir/S; O (F : savoir ou pouvoir; A; O)/

c) la possibilité d'être objets d'énoncés attributifs :

EA = F : attribution/S; O : un savoir ou un pouvoir/

3.3. LES UNITÉS NARRATIVES.

3.3.1. *La performance et son caractère polémique.*

Pour achever de mettre en place les unités élémentaires de la grammaire superficielle équivalant à celles de la grammaire fondamentale et passer à la construction d'unités plus larges, il faut insister sur la représentation polémique que reçoit, à ce niveau de surface, la relation de contradiction. L'axe de contradiction que nous avons désigné du nom de schéma est, on le sait, le lieu de négation et d'assertion de termes contradictoires. Si l'on admet que la représentation anthropomorphe de la contradiction est de nature polémique, la suite syntagmatique — qui correspond à la transformation des valeurs de contenu résultant, au niveau de la grammaire fondamentale, des opérations de négation et d'assertion — devra apparaître ici comme une suite d'énoncés narratifs dont les restrictions sémantiques auront pour tâche de lui conférer un caractère d'affrontement et de lutte. Cette suite syntagmatique, pour se constituer, postule :

a) l'existence de *deux sujets* S_1 et S_2 (ou d'un Sujet et d'un Anti-Sujet) qui correspond aux deux *faire* contradictoires, la relation de contradiction étant, on le sait, une relation non orientée;

b) la restriction sémantique du faire syntaxique par l'établissement de l'équivalence entre l'opération de *négation* et la fonction de *domination*, résultat de l'antagonisme polémique;

c) la reconnaissance du principe d'*orientation* valable pour les deux niveaux de la grammaire : à telle orientation d'opérations logiques correspond tel choix arbitraire du sujet négateur et de la domination de l'un des sujets sur l'autre;

d) l'admission que la procédure dialectique, selon laquelle la négation d'un terme est *en même temps* l'assertion du terme contradictoire, se trouve représentée, au niveau de la syntaxe superficielle, par deux énoncés narratifs indépendants, dont le premier, avec sa fonction de domination, correspond à l'instance de négation, et le second, avec la fonction d'attribution, à l'instance d'assertion.

Dès lors, la suite syntagmatique dénommée *performance* peut se représenter ainsi :

$$\mathbf{EN_1 = F : confrontation\ (S_1 \leftrightarrow S_2)}$$

Remarque : Cet énoncé narratif exprimant anthropomorphiquement la relation de contradiction entre deux termes, est en réalité le syncrétisme de deux énoncés modaux propres à chacun des sujets.

$EN_2 = F$: domination ($S_1 \rightarrow S_2$)

Remarque : L'énoncé correspond au déclenchement de l'opération de négation orientée, où S_1 nie S_2, ou inversement; la négation, on l'a vu, consiste dans la transformation du virtuel en actualisé ou, ce qui revient au même, dans la substitution de l'EM du vouloir par l'EM de l'existence, du désir de dominer par la domination.

$EN_3 = F$: attribution ($S_1 \leftarrow O$)

Remarque : Le dernier énoncé correspond à l'instance d'assertion : celle-ci est exprimée anthropomorphiquement par l'attribution d'un Objet-valeur.

3.3.2. *Les éléments constitutifs de la performance.*

Dans cette esquisse de grammaire superficielle, l'accent a été mis, en prenant, à titre d'exemple, un seul syntagme, sur l'établissement des correspondances terme à terme entre les deux niveaux grammaticaux, sur la mise en évidence aussi des catégories anthropomorphes qui se substituent aux termes et aux opérations logiques. Le résultat est la construction d'une unité narrative particulière, la performance : du fait qu'elle constitue le schéma opératoire de la transformation des contenus, c'est probablement l'*unité la plus caractéristique de la syntaxe narrative.*

La performance ainsi définie est une unité syntaxique, un schéma formel apte à recevoir les contenus les plus divers. D'un autre côté, les deux sujets de la performance sont interchangeables, l'un ou l'autre pouvant être dominant ou dominé; de même, la classe d'objet est soumise à variation selon les modes distincts de l'attribution syntaxique.

Du point de vue de son statut syntaxique, la performance a la forme d'une suite d'énoncés narratifs construits selon la formule canonique : l'énoncé narratif est une relation entre actants. Cette relation, désignée du nom de fonction, est susceptible de recevoir certaines spécifications sémantiques qui sont transmises, du fait de l'isotopie de l'énoncé, aux actants et vont jusqu'à déterminer leur nombre.

Si les fonctions et les actants sont les *éléments* constitutifs de cette grammaire narrative, si les *énoncés narratifs* en sont les formes syntaxiques élémentaires, les *unités narratives* — dont l'échantillon est représenté ici par la *performance* — sont des suites syntagmatiques d'énoncés narratifs.

3.3.3. *Les relations constitutives de la performance.*

Le problème des relations entre énoncés qui se constituent en unités narratives ne manque pas de se poser ici. Nous avons vu que la performance, en tant qu'unité narrative, correspond au schéma taxinomique et que de ce fait, les énoncés qui la constituent sont équivalents aux opérations logiques situées à l'intérieur du schéma. Nous avons vu aussi que les opérations logiques constitutives du schéma étaient orientées.

Or, il faut constater qu'à cette *orientation*, qui est une règle de la grammaire fondamentale, correspond la relation d'*implication* au niveau de la grammaire superficielle, à cette différence près toutefois que si l'orientation suit l'ordre des énoncés :

$$EN_1 \rightarrow EN_2 \rightarrow EN_3$$

l'implication, elle, est orientée en sens inverse :

$$EN_3 \supset EN_2 \supset EN_1$$

Cette conversion qui permet de définir l'unité narrative comme une suite d'implications entre énoncés, a une certaine importance pratique lors de l'analyse narrative au niveau de la manifestation, où elle fonde les règles de l'ellipse et de la catalyse : les énoncés narratifs logiquement impliqués dans le cadre d'une performance peuvent être elliptiques dans la manifestation; la présence du dernier maillon de la chaîne d'implications (EN_3) suffit pour procéder, en vue de la reconstruction de l'unité narrative, à une catalyse qui la rétablit dans son intégrité.

3.3.4. *La modalisation des performances.*

Un retour en arrière et une réflexion sur les propriétés des énoncés modaux va nous permettre d'établir la distinction entre deux types possibles de performances. On se souvient que les énoncés modaux ayant le vouloir pour fonction instaurent le sujet comme une virtualité du faire, tandis que deux autres énoncés modaux, caractérisés par les modalités du savoir et du pouvoir, déterminent ce faire éventuel de deux manières différentes : comme un faire issu du savoir ou se fondant uniquement sur le pouvoir.

Ces deux modalisations différentes du faire se reconnaissent ensuite dans les performances. Aussi distinguera-t-on les performances modalisées par *le savoir-faire* (P_s) — selon que le sujet performateur agira, au niveau de la manifestation, par ruse et tromperie — des performances accomplies grâce au *pouvoir-faire* (P_p), où le sujet performateur n'utilise que son énergie et sa puissance, réelle ou magique.

3.4. LES SUITES PERFORMANCIELLES.

3.4.1. *Une syntaxe de la communication.*

Jusqu'à présent, nous avons considéré l'énoncé narratif terminal de la performance (EN_3) — qui est l'équivalent, sur le plan superficiel, de l'assertion logique de la grammaire fondamentale — comme un énoncé attributif (EA). On peut se demander toutefois si une telle formulation est satisfaisante.

Une telle attribution — ou l'acquisition, par le sujet, de l'objet — semble se présenter comme un faire réfléchi : le sujet performateur s'attribue à lui-même, se considérant comme sujet de l'énoncé descriptif, un objet-valeur. S'il en est ainsi, l'attribution réfléchie n'est qu'un cas particulier d'une structure d'attribution beaucoup plus générale, bien connue en linguistique comme le *schéma de la communication* ou, plus généralement encore, comme la *structure de l'échange :* représentée, on le sait, dans sa forme canonique comme un énoncé à trois actants — le destinateur, le destinataire et l'objet de communication :

$$ET = F : \text{transfert } (D_1 \rightarrow O \rightarrow D_2)$$

La possibilité d'utiliser un schéma d'une grande généralité est un premier avantage de cette nouvelle formulation. Celle-ci permet, en outre, de distinguer nettement entre deux niveaux syntaxiques différents : *a*) le niveau où se trouve situé l'opérateur syntaxique de l'assertion, traduit en grammaire de surface comme le sujet performateur de l'attribution (il est en réalité un méta-sujet et la cause des transferts accomplis) et *b*) le niveau où s'opèrent les transferts eux-mêmes. Les termes de destinateur et destinataire ne font en fait que camoufler la distinction.

Le second niveau — qui est le niveau descriptif et non opérationnel — peut dès lors recevoir une représentation topologique anthropomorphisée : les actants sont conçus non plus comme des opérateurs, mais comme des lieux où peuvent se situer les objets-valeurs, lieux où ils peuvent être amenés ou dont ils peuvent être retirés. Le transfert est, dans ce cas, susceptible d'être interprété *en même temps* comme une privation (au niveau superficiel) ou une disjonction (au niveau fondamental) et comme une attribution (au niveau superficiel) ou une conjonction (au niveau fondamental).

Une telle interprétation qui remplace les énoncés attributifs par les *énoncés translatifs* (ET) paraît fournir une représentation plus correcte de la performance : la conséquence de celle-ci (EN_3) n'est plus une simple acquisition de valeur, elle en est un transfert : si l'objet-valeur est *attribué* au sujet dominant, c'est parce que le sujet dominé en est en même temps *privé;* les deux opérations logiques se trouvent ainsi résumées en un seul énoncé.

3.4.2. *La syntaxe topologique des valeurs objectives.*

Une telle représentation topologique de la circulation des objets-valeurs revient à identifier les deixis des transferts aux termes du modèle taxinomique, considérés comme des unités morphologiques susceptibles d'investissements de contenus. On a vu précédemment que les investissements des valeurs de contenu se distribuaient selon deux schémas en corrélation. On dira maintenant qu'au niveau anthropomorphe, les schémas correspondent aux *espaces isotopes* qui sont des lieux où se déroulent les performances, et que chaque espace est constitué de deux deixis qui sont *conjointes* (parce qu'elles correspondent au même axe de contradiction), mais *non conformes :* elles équivalent, au niveau fondamental, aux termes contradictoires :

D'un autre côté, les axes hypotaxiques $\bar{d}_2 \rightarrow d_1$ et $\bar{d}_1 \rightarrow d_2$ constituent des *espaces hétérotopiques* dont les deixis sont *disjointes*, parce que n'appartenant pas aux mêmes schémas, mais *conformes*, puisque reliées par la relation de présupposition.

Dès lors, la circulation des valeurs, interprétée comme une suite de transferts d'objets-valeurs, peut emprunter deux parcours :

$$(1)\ F(d_1 \rightarrow O \rightarrow \bar{d}_1) \longrightarrow F(\bar{d}_1 \rightarrow O \rightarrow d_2)$$

ce qui, dans le cas particulier des contes russes de Propp, peut être interprété ainsi : la société (d_1) subit un manque, le traître ($\bar{d}_1$) ravit la fille du roi (O) et la transfère ailleurs pour la cacher (d_2).

$$(2)\ F(d_2 \rightarrow O \rightarrow \bar{d}_2) \longrightarrow F(\bar{d}_2 \rightarrow O \rightarrow d_1)$$

ce qui voudra dire : le héros ($\bar{d}_2$) trouve quelque part (d_2) la fille du roi (O) et la rend à ses parents (d_1).

Ainsi le conte russe manifeste-t-il une *transmission circulaire des valeurs* en utilisant successivement deux sujets performateurs et en valorisant un des espaces conformes (celui du héros) aux dépens de l'autre (celui du traître). On voit pourtant qu'il ne s'agit là que d'un simple dédoublement du récit. Les mythes d'origine considèrent généralement l'absence de tel ou tel objet de valeur comme une situation originelle et l'acquisition des valeurs s'accomplit selon un seul parcours (2). Cela se comprend d'ailleurs parfaitement : ce qui est acquisition de valeur pour la deixis d_1, est nécessairement et simultanément privation de valeur pour la deixis d_2, et inversement. Suivant la perspective adoptée, le même parcours des transferts de valeurs est susceptible de deux interprétations : le récit est à la fois récit de victoire et d'échec. Ce qui détermine le choix de l'une des deux interprétations ne relève pas de la syntaxe narrative, mais de l'articulation axiologique des valeurs de contenu : des deux *espaces conformes*, l'investissement de l'un est donné initialement comme *euphorique* et celui de l'autre, comme *dysphorique*.

En ne s'en tenant pour l'instant qu'à des valeurs objectives, on peut dire que la syntaxe topologique des transferts, doublant les parcours de la saisie du sens décrits sous forme d'opérations logiques au niveau de la grammaire fondamentale, organise la narration en tant que processus créateur de valeurs. C'est elle par conséquent qui est chargée de procurer du sens au récit et en constitue l'armature principale. Ainsi, du point de vue formel, comme les énoncés translatifs sont les énoncés terminaux des performances et les impliquent logiquement, les parcours syntaxiques exprimés sous forme de transferts constituent en fait des *suites syntagmatiques de performances :* c'est-à-dire des unités syntaxiques d'un rang supérieur.

3.4.3. *L'institution des opérateurs syntaxiques.*

Une telle syntaxe topologique est toutefois purement descriptive : nous avons insisté là-dessus en retirant tout caractère opérationnel aux actants des énoncés translatifs, que nous avons désignés, afin d'éviter toute équivoque, comme des deixis et non comme des destinateurs ou des destinataires. C'est qu'une *syntaxe des opérateurs* doit être construite indépendamment de la *syntaxe des opérations :* un niveau méta-sémiotique doit être aménagé pour justifier les transferts de valeurs.

Les opérateurs syntaxiques y seront conçus comme des sujets dotés d'une virtualité du faire particulière qui les rendra susceptibles d'accomplir l'opération de transfert prévue. Cette virtualité du faire n'est autre chose qu'une modalité : le savoir ou le pouvoir; on peut la formuler, nous l'avons déjà vu, de deux manières différentes : soit comme un énoncé modal représentant le savoir-faire ou le pouvoir-faire du sujet; soit comme un énoncé attributif, signalant l'acquisition d'une valeur modale par le sujet.

Si les sujets se transforment en opérateurs à la suite de l'attribution d'une valeur modale (attribution que nous venons de remplacer par la fonction, plus satisfaisante, de transfert), alors l'institution des opérateurs peut se faire selon le même modèle de la syntaxe topologique des transferts, à ceci près que les lieux de transferts ne sont plus ici les deixis, mais les actants-sujets. L'opérateur ainsi institué et doté d'un savoir-faire ou d'un pouvoir-faire, devient seulement ensuite apte à accomplir la performance pour laquelle il vient d'être créé.

Deux séries de performances peuvent dès lors être distinguées : *a*) les performances destinées à l'acquisition et à la transmission des valeurs modales et *b*) les performances caractérisées par l'acquisition et le transfert des valeurs objectives. Les premières instituent les sujets comme opérateurs, les secondes effectuant ensuite les opérations, les premières créent des virtualités, les secondes les actualisent.

Ainsi, à côté d'un parcours topologique prévu pour le transfert des valeurs objectives et qui institue, on l'a vu, une première suite syntagmatique des performances, un deuxième parcours du même type peut être prévu pour le transfert des valeurs modales.

Nous ne pouvons pas nous étendre ici sur l'origine du premier actant-opérateur qui déclenche le parcours syntaxique : cela nous entraînerait à examiner de près l'unité narrative particulière qu'est le *contrat* instituant le sujet du désir par l'attribution de la modalité du vouloir, actualisation probable d'un « faire vouloir » du destinateur originel. Il suffira de noter pour le moment que c'est le vouloir du sujet qui le rend apte à accomplir la première performance, marquée par l'attribution de la valeur modale du savoir ou du pouvoir.

Une première hiérarchie des valeurs modales peut être indiquée; elle oriente ainsi le parcours syntaxique :

$$\textit{vouloir} \longrightarrow \textit{savoir} \longrightarrow \textit{pouvoir} \Longrightarrow \textit{faire}$$

et sert de base à l'organisation de la suite syntagmatique des performances. Certaines implications d'une telle orientation sont immédiatement visibles :

a) seule l'acquisition de la valeur modale du pouvoir rend le sujet opérateur apte à accomplir la performance qui lui attribue la valeur objective;

b) il en résulte que l'acquisition de la valeur modale du savoir a pour conséquence l'attribution du pouvoir-faire (dont la médiation est nécessaire pour aboutir à l'actualisation du faire);

c) en revanche, la médiation du savoir ne semble pas nécessaire pour l'acquisition du pouvoir-faire. Cette dernière particularité permet de distinguer deux sortes de sujets : les sujets « savants », dont l'aptitude à accomplir les performances provient d'un savoir-faire initialement acquis, et les sujets « puissants » par nature.

> *Remarque :* L'acquisition d'une valeur modale par le sujet (ou l'anti-sujet), qui se manifeste, par exemple, par l'obtention d'un agent magique ou d'un message-objet du savoir, institue ce sujet comme *adjuvant* (ou comme *opposant*), apte à passer à la performance suivante.

Une telle suite syntagmatique, établie en dehors du cadre formel des énoncés translatifs, c'est-à-dire sans considérer les actants impliqués, permet déjà de préciser la nature des relations entre deux différents types de performances; une suite de performances est *orientée*, puisque la performance instituant l'opérateur syntaxique est suivie de la performance qui effectue l'opération syntaxique; en même temps, la performance objective *implique* la performance modale.

3.4.4. *La syntaxe topologique des valeurs modales.*

Étant donné la nature polémique de la narrativité, deux opérateurs syntaxiques sont nécessaires pour établir une syntaxe narrative : nous avons, de fait, déjà prévu deux sujets (S_1 et S_2) pour la construction de la performance. C'est, par conséquent, l'axe de l'échange entre ces deux sujets qui constitue le lieu de transferts des valeurs modales; l'attribution d'une valeur modale quelconque à S_1 suppose que S_2 est privé en même temps de cette valeur.

Deux parcours pour le transfert des valeurs modales seront alors prévus, selon qu'il s'agit du sujet « savant » ou « puissant », c'est-à-dire, selon la priorité donnée à l'acquisition de l'une ou de l'autre des deux modalités en question.

a) dans le premier cas, la suite syntagmatique sera orientée comme :

$$ET_1\ (S_1 \rightarrow O : \text{savoir} \rightarrow S_2) \longrightarrow ET_2\ (S_1 \rightarrow O : \text{pouvoir} \rightarrow S_2)$$

Elle peut être interprétée comme l'acquisition, par S_2, d'un pouvoir grâce à un savoir antérieurement obtenu; et en même temps comme la perte, par S_1, de tout pouvoir à cause du savoir perdu.

b) Dans le second cas, l'orientation sera inversée :

$$ET_1 (S_2 \rightarrow O : pouvoir \rightarrow S_1) \longrightarrow ET_2 (S_2 \rightarrow O : savoir \rightarrow S_1)$$

La séquence peut être interprétée comme l'acquisition, par S_1, d'un savoir grâce à un pouvoir reconnu; et inversement, comme la perte, par S_2, de tout savoir consécutive à celle du pouvoir.

Une des deux suites est suffisante pour constituer, en se combinant avec la série des transferts de valeurs objectives, le récit achevé. Si pourtant nous avons choisi comme destinataires des valeurs modales deux sujets différents pour chacun des parcours (S_2 et S_1) — ce choix est évidemment arbitraire —, c'est pour rendre compte en même temps de l'organisation particulière du *récit dédoublé* tel qu'il se présente, par exemple, sous la forme de conte populaire russe étudié par V. Propp. On y voit, en effet, d'abord le sujet S_2, axiologiquement dénommé *traître*, faire l'acquisition des valeurs modales aux dépens de S_1

$$S_2 = O_1 : savoir \rightarrow O_2 : pouvoir$$

pour ensuite, céder sa place au sujet S_1, dénommé *héros*, qui le prive progressivement, en se les appropriant, des valeurs antérieurement acquises.

$$S_1 = O_1 : pouvoir \rightarrow O_2 : savoir$$

3.4.5. *La forme générale de la grammaire narrative.*

Nous venons de tracer les grandes lignes d'une syntaxe narrative superficielle ou plutôt, d'une partie seulement de cette syntaxe relative au corps même du récit. Ce qui manque dans cette esquisse et que nous ne pouvons qu'indiquer brièvement ici, c'est l'examen et l'établissement des unités syntaxiques de l'encadrement du récit, correspondant aux séquences initiale et finale d'un récit manifesté.

Il s'agirait, à leur propos, de rendre compte d'unités syntaxiques correspondant à ce que sont, au niveau de la grammaire profonde, les relations hypotaxiques du modèle taxinomique, c'est-à-dire aux relations pouvant s'établir dans ce modèle entre les termes s_1 et $\bar{s}_2$ d'un côté, et entre les termes s_2 et $\bar{s}_1$ de l'autre. Le déclenchement de la narration y serait représenté comme l'établissement d'une relation contractuelle *conjonctive* entre un destinateur et un destinataire-sujet, suivie d'une *disjonction* spatiale entre les deux actants. L'achèvement du récit serait marqué, au contraire, par une conjonction spatiale et un dernier transfert des valeurs, instituant un nouveau contrat par une nouvelle distribution de valeurs, aussi bien objectives que modales.

Tout en restant inachevée, notre tentative doit donner au moins quelque idée de ce que peut être une organisation syntaxique de la narrativité. Nous y avons reconnu deux sortes de *suites syntagmatiques orientées*, organisant le transfert des valeurs, tant modales qu'objectives, dans le cadre d'une syntaxe de caractère topologique. Les objets-valeurs sont situés dans le cadre d'énoncés narratifs terminaux représentant les conséquences des performances et les impliquant logiquement; ces suites syntagmatiques sont donc en réalité des ordonnancements de performances qui, en tant qu'unités syntaxiques, sont récurrentes et formellement identiques. Un autre principe d'organisation syntagmatique a également été reconnu : les performances sont disposées de telle sorte que la première, caractérisée par l'attribution d'une valeur modale qui institue le *sujet-opérateur*, doit être suivie d'une seconde actualisant l'*opération*.

Quant à l'unité syntaxique typique qu'est la performance, nous avons vu qu'elle peut être conçue comme une suite de trois énoncés narratifs qui sont reliés par des implications. En examinant les énoncés narratifs, nous avons pu en esquisser une typologie sommaire; en introduisant les déterminations sémantiques supplémentaires de leurs fonctions et en faisant varier le nombre et les spécifications de leurs actants, nous avons distingué trois principaux types d'énoncés narratifs : les énoncés descriptifs, les énoncés modaux et les énoncés translatifs; tout énoncé représente, sur le plan de la grammaire narrative superficielle, soit une relation, soit une opération de la grammaire fondamentale.

Une telle grammaire narrative, une fois achevée, aurait une forme déductive et analytique à la fois. Elle tracerait un ensemble de parcours pour la manifestation du sens : à partir des opérations élémentaires de la grammaire fondamentale qui empruntent les voies du processus d'actualisation de la signification, à travers les combinaisons des suites syntagmatiques de la grammaire superficielle qui ne sont que des représentations anthropomorphes de ces opérations, les contenus s'investissent, par l'intermédiaire des performances, dans les énoncés narratifs, organisés en séquences linéaires d'énoncés canoniques reliés entre eux, comme des chaînons d'une seule chaîne, par une série d'implications logiques. Quand on possèdera de telles séquences d'énoncés narratifs, on pourra imaginer — à l'aide d'une rhétorique, d'une stylistique, mais aussi d'une grammaire linguistique — la manifestation linguistique de la signification narrativisée.

Pour une théorie de l'interprétation du récit mythique[1]

En hommage
à Claude Lévi-Strauss

1. LA THÉORIE SÉMANTIQUE ET LA MYTHOLOGIE

Les progrès accomplis récemment dans les recherches mythologiques, grâce surtout aux travaux de Claude Lévi-Strauss, apportent des matériaux et des éléments de réflexion à la théorie sémantique qui se pose, on le sait, le problème général de la *lisibilité* des textes et cherche à établir un inventaire de procédures de leur description.

Or, il semble que la méthodologie de l'interprétation des mythes se situe, du fait de leur complexité, en dehors des limites qu'assignent à la sémantique, à l'heure actuelle, les théories les plus en vue aux États-Unis, celles notamment de J. J. Katz et J. A. Fodor.

1. La théorie sémantique qui chercherait à rendre compte de la lecture des mythes, loin de se limiter à l'interprétation des énoncés, doit opérer avec des séquences d'énoncés articulées en récits.

2. Au lieu d'exclure toute référence au contexte, la description des mythes est amenée à utiliser les informations extra-textuelles sans lesquelles l'établissement de l'isotopie narrative serait impossible.

3. Le sujet parlant (= le lecteur), enfin, ne peut être considéré comme l'invariant de la communication mythique, car celle-ci transcende la catégorie de *conscient* vs *inconscient*. L'objet de la description se situe au niveau de la transmission, du *texte-invariant*, et non au niveau de la réception, du *lecteur-variable*.

1. Paru dans *Communications*, nº 8, 1966; destiné originellement à un recueil de textes sur la mythologie et le récit, à paraître en anglais sous la direction de Pierre Maranda.

Nous sommes, par conséquent, obligé de partir non d'une théorie sémantique constituée, mais d'un ensemble de faits décrits et de concepts élaborés par le mythologue; nous cherchons :

1° Si les uns et les autres peuvent être formulés dans les termes d'une sémantique générale susceptible de rendre compte, entre autre, de l'interprétation mythologique;

2° quelles exigences les conceptualisations des mythologues posent à une telle théorie sémantique.

Nous avons choisi, pour ce faire, le mythe de référence bororo qui sert à Lévi-Strauss, dans *le Cru et le Cuit*, de point de départ pour la description de l'univers mythologique saisi dans une de ses dimensions : celle de la culture alimentaire. Cependant, tandis que Lévi-Strauss s'était proposé d'inscrire ce mythe-occurrence dans l'univers mythologique progressivement dégagé, notre but sera de partir du mythe de référence considéré comme une unité narrative, en essayant d'expliciter les procédures de description nécessaires pour aboutir, par étapes successives, à la lisibilité maximale de ce mythe. Dans cette recherche méthodologique, notre travail consistera essentiellement dans le regroupement et l'exploitation des découvertes qui ne nous appartiennent pas.

2. LES COMPOSANTES STRUCTURALES DU MYTHE

2.1. LES TROIS COMPOSANTES.

Toute description du mythe doit tenir compte, selon Lévi-Strauss, de trois éléments fondamentaux : 1° l'armature; 2° le code; 3° le message.

Nous nous demanderons donc 1° comment interpréter, dans le cadre d'une théorie sémantique, ces trois composantes du mythe et 2° quelle place attribuer, à chacune d'elles, dans l'interprétation d'un récit mythique.

2.2. L'ARMATURE.

Il faut entendre par l'*armature* (qui est un élément invariant) le statut structurel du mythe en tant que narration. Ce statut paraît être double : 1° on peut dire que l'ensemble des propriétés structurelles communes à tous les mythes-récits constitue un modèle narratif 2° mais ce modèle doit rendre compte à la fois *a*) du mythe considéré comme unité discursive transphrastique et *b*) de la structure du contenu qui est manifesté au moyen de cette narration.

1. Le récit, unité discursive, doit être considéré comme un *algorithme*, c'est-à-dire, comme une succession d'énoncés dont les fonctions-prédicats simulent linguistiquement un ensemble de comportements orientés vers un but. En tant que succession, le récit possède une *dimension temporelle :* les comportements qui y sont étalés entretiennent entre eux des relations d'antériorité et de postériorité.

Le récit, pour avoir un sens, doit être un tout de signification; il se présente, de ce fait, comme une *structure sémantique simple.* Il en résulte que les développements secondaires de la narration, ne trouvant pas leur place dans la structure simple, constituent une couche structurelle subordonnée : la narration, considérée comme un tout, nécessite donc une structure hiérarchique du contenu.

2. Une sous-classe de *récits dramatisés* (mythes, contes, pièces de théâtre, etc.) est définie par une propriété structurelle commune, la dimension temporelle, sur laquelle ils se trouvent situés, est dichotomisée en *un avant* vs *un après.*

A cet *avant* vs *après* discursif correspond un « renversement de la situation » qui, sur le plan de la structure implicite, n'est rien d'autre qu'une inversion des signes du contenu. Une corrélation existe ainsi entre les deux plans :

$$\frac{\text{avant}}{\text{après}} \simeq \frac{\text{contenu inversé}}{\text{contenu posé}}.$$

3. Restreignons, une fois de plus, l'inventaire de récits; un grand nombre d'entre eux (le conte populaire russe, mais aussi notre mythe de référence) possèdent une autre propriété; ils comportent une séquence initiale et une séquence finale situées sur des plans de « réalité » mythique différents que le corps du récit lui-même.

A cette particularité de la narration correspond une nouvelle articulation du contenu : aux deux *contenus topiques* — dont l'un est posé et l'autre, inversé — se trouvent adjoints deux autres *contenus corrélés* qui sont, en principe, dans le même rapport de transformation entre eux que les contenus topiques.

Cette première définition de l'armature n'est pas en contradiction avec la formule générale du mythe proposée naguère par Lévi-Strauss; elle n'est pas entièrement satisfaisante; elle ne permet pas encore, dans l'état actuel de nos connaissances, d'établir la classification de l'ensemble des récits considéré comme *genre*, mais elle apporte à l'interprétation un élément non négligeable de prévisibilité. On peut dire que la première procédure de la description du mythe, est le découpage du récit mythique en séquences auquel devrait correspondre une articulation prévisible des contenus.

2.3. LE MESSAGE.

Une telle conception de l'armature laisse prévoir que le message, c'est-à-dire la signification particulière du mythe-occurrence, se situe, lui aussi, sur deux isotopies à la fois et donne lieu à deux lectures différentes, l'une sur le plan discursif, l'autre sur le plan structurel. Par *isotopie* nous entendons un ensemble redondant de catégories sémantiques qui rend possible la lecture uniforme du récit, telle qu'elle résulte des lectures partielles des énoncés et de la résolution de leurs ambiguïtés qui est guidée par la recherche de la lecture unique.

1. L'isotopie narrative est déterminée par une certaine perspective anthropocentrique qui présente le récit comme une succession d'événements dont les acteurs sont des êtres animés, agissants ou agis. A ce niveau, une première catégorisation : *individuel* vs *collectif* permet de distinguer un héros asocial qui, se disjoignant de la communauté, apparaît comme l'agent grâce à qui se produit le renversement de la situation, comme le médiateur personnalisé entre la situation-avant et la situation-après.

On voit que cette première isotopie rejoint, du point de vue linguistique, l'*analyse des signes :* les acteurs et les événements narratifs sont des lexèmes (= morphèmes, au sens américain), analysables en sémèmes (= acceptions ou « sens » des mots) qui se trouvent organisés, à l'aide de relations syntaxiques, en énoncés univoques.

2. La seconde isotopie se situe, au contraire, au niveau de la structure du contenu, postulée sur ce plan discursif. Aux séquences narratives correspondent des contenus dont les relations réciproques sont théoriquement connues. A la description se pose le problème d'établir l'équivalence entre les lexèmes et les énoncés constitutifs des séquences narratives, et les articulations structurelles des contenus qui leur correspondent, et c'est à le résoudre que nous allons nous employer. Il suffira de dire pour le moment qu'une telle transposition suppose une *analyse en sèmes* (= traits pertinents de la signification) qui seule peut permettre la mise entre parenthèses des propriétés anthropomorphes des lexèmes-acteurs et des lexèmes-événements. — Quant aux performances du héros qui occupent la place centrale dans l'économie de la narration, elles ne peuvent que correspondre aux opérations linguistiques de transformation; elles rendent compte des inversions des contenus.

Une telle conception d'un message lisible sur les deux isotopies distinctes et dont la première ne serait que la manifestation discursive de la seconde, n'est peut-être qu'une formulation théorique. Elle peut ne correspondre qu'à une sous-classe de récits (les contes populaires, par exemple); une autre sous-classe (les mythes) serait caractérisée par l'enchevêtrement, dans une seule narration, des séquences situées tantôt sur l'une, tantôt sur l'autre des deux isotopies. Ceci nous paraît secondaire dans la mesure où *a*) la distinction que nous venons d'établir enrichit notre connaissance du modèle narratif et peut même servir de critère à la classification des récits, *b*) dans la mesure également où elle sépare nettement deux procédures de description distinctes et complémentaires, elle contribue ainsi à l'élaboration des techniques d'interprétation.

2.4. LE CODE.

La réflexion mythologique de Lévi-Strauss, depuis sa première étude sur la *Structure du Mythe* jusqu'aux *Mythologiques* d'aujourd'hui, est marquée par le déplacement de l'intérêt : porté d'abord sur la définition de la structure du mythe-récit, il comprend maintenant la problématique de la description de l'univers mythologique; centré d'abord sur les propriétés formelles de la structure achronique, il envisage actuellement la possibilité d'une description comparative à la fois générale et historique. Cette introduction du comparatisme contient des apports méthodologiques importants qu'il nous revient d'expliciter.

2.4.1. *La définition des unités narratives.*

L'utilisation, par voie de comparaison, des données que peut fournir l'univers mythologique n'est, à première vue, qu'une exploitation des informations du contexte. Elle peut prendre deux formes différentes : 1° on peut chercher à élucider la lecture d'un mythe-occurrence en le comparant à d'autres mythes ou, de façon générale, les tranches syntagmatiques du récit à d'autres tranches syntagmatiques; 2° on peut mettre en corrélation tel élément narratif avec d'autres éléments comparables.

La mise en corrélation de deux éléments narratifs non identiques appartenant à deux récits différents aboutit à reconnaître l'existence d'une disjonction paradigmatique qui, opérant sur une catégorie sémantique donnée, fait considérer le second élément narratif comme la transformation du premier. Cependant — et ceci est plus important — on constate que la transformation de l'un des éléments a pour conséquence de provoquer des transformations en chaîne tout le long de la séquence considérée. Cette constatation, à son tour, entraîne des conséquences théoriques que voici :

1. elle permet d'affirmer l'existence des *rapports nécessaires* entre les éléments dont les conversions sont concomitantes;

2. elle permet de délimiter les *syntagmes narratifs* du récit mythique, ils sont définissables à la fois par leurs éléments constitutifs et par leur enchaînement nécessaire;

3. finalement, elle permet de définir les éléments narratifs eux-mêmes non plus seulement par leur corrélation paradigmatique (par la procédure de la commutation, naguère proposée par Lévi-Strauss), mais aussi par leur emplacement et leur fonction à l'intérieur de l'unité syntagmatique dont ils font partie. La double définition de l'*élément narratif* correspond, on le voit, aux deux approches complémentaires (praguoise et danoise) de la définition du phonème.

Il est inutile d'insister sur l'importance de cette *définition formelle* des unités narratives dont l'extrapolation et l'application à d'autres univers sémantiques ne peuvent manquer de s'imposer. Dans le stade actuel, elle ne peut que consolider nos tentatives de délimitation et de définition de telles unités à partir des analyses de V. Propp. Ne pouvant pas procéder ici à des vérifications exhaustives, nous dirons simplement, à titre d'hypothèse, que trois types caractérisés de syntagmes narratifs peuvent être reconnus :

1. les syntagmes performanciels (épreuves);
2. les syntagmes contractuels (établissements et ruptures de contrat);
3. les syntagmes disjonctionnels (départs et retours).

On voit que la définition des éléments et des syntagmes narratifs ne relève pas de la connaissance du contexte, mais de la méthodologie générale de l'établissement des unités linguistiques; et que les unités ainsi définies le sont au profit du modèle narratif, c'est-à-dire de l'armature.

2.4.2. *Délimitations et reconversions.*

La connaissance théorique des unités narratives peut dès lors être exploitée au niveau des procédures de description. Ainsi, la mise en parallèle de deux séquences quelconques, dont l'une est la séquence à interpréter, et l'autre la séquence transformée, peut avoir deux buts différents :

1. Si la séquence à interpréter paraît se situer sur l'isotopie présumée de l'ensemble du récit, la comparaison permettra de déterminer, à l'intérieur de la séquence donnée, les limites des syntagmes narratifs qui y sont contenus.

Évitons toutefois de penser que les syntagmes narratifs, puisqu'ils correspondent aux séquences du texte, sont eux-mêmes continus et amalgamés : leur manifestation, au contraire, épouse souvent la forme des signifiants discontinus de telle sorte que le récit, analysé et décrit comme une série de syntagmes narratifs, cesse d'être isomorphe au texte tel qu'il se présente à l'état brut.

2. Si la séquence à interpréter paraît inversée par rapport à l'isotopie présumée, la comparaison, en confirmant l'hypothèse, permettra de procéder à la *reconversion* du syntagme narratif reconnu et au rétablissement de l'isotopie générale.

En utilisant le terme de *reconversion*, proposé par Hjelmslev dans son *Langage*, nous souhaitons introduire une nouvelle précision pour distinguer les véritables transformations, c'est-à-dire les inversions des contenus (qui correspondent soit aux exigences du modèle narratif, soit aux mutations inter-mythiques), des manifestations antiphrastiques des contenus inversés (dont la reconversion, nécessaire à l'établissement de l'isotopie, ne change rien au statut structurel du mythe).

Notons ici, en passant, que la procédure de reconversion que nous venons d'envisager, ne manque pas de soulever le problème théorique plus général, celui de l'existence de deux *modes narratifs* distincts qu'on pourrait nommer le *mode déceptif* et le *mode véridique*. Le jeu de la vérité et de la déception s'appuie sur une catégorie grammaticale fondamentale, celle de *l'être* vs *le paraître* (qui constitue, on le sait, la première articulation sémantique des propositions attributives); il provoque l'enchevêtrement narratif, bien connu en psychanalyse, qui constitue souvent une des principales difficultés de la lecture parce qu'il crée, à l'intérieur du récit, des couches hiérarchiques de déception stylistique dont le nombre reste en principe indéfini.

2.4.3. *Contexte et dictionnaire.*

L'exploitation des renseignements fournis par le contexte mythologique semble, par conséquent, intéresser les éléments narratifs qui se manifestent dans le discours sous forme de lexèmes. Encore faut-il distinguer les caractéristiques formelles (qu'ils comportent nécessairement) de leurs caractéristiques substantielles. Les premières sont 1° soit des *propriétés grammaticales* qui font des lexèmes ou bien des actants ou bien des prédicats, 2° soit des *propriétés narratives* que ces éléments narratifs tirent de la définition fonctionnelle du rôle qu'ils assument tant à l'intérieur du syntagme narratif que dans le récit considéré dans son ensemble. Ainsi, les actants peuvent être des Sujets-héros ou des Objets-valeurs, des Destinateurs ou des Destinataires, des Opposants-traîtres ou des Adjuvants-forces bénéfiques. La structure actantielle du modèle narratif fait partie de l'armature, et les jeux des distributions, des cumuls, et des disjonctions des rôles font partie du savoir-faire du descripteur et sont antérieurs à l'utilisation du code.

Ces précisions ne sont introduites que pour établir une nette séparation entre l'exploitation du contexte et l'exploitation des connaissances concernant le modèle narratif. Le contexte se présente sous forme de contenus investis, indépendants du récit lui-même et pris en charge a posteriori par le modèle narratif. Ces contenus investis sont déjà des contenus constitués : de même qu'un romancier constitue petit à petit, en poursuivant son récit, ses personnages à partir d'un nom propre qu'il a choisi, de même l'affabulation mythique ininterrompue a constitué les acteurs de la mythologie, pourvus de contenus conceptuels; c'est cette connaissance diffuse des contenus (que possèdent les Bororo et non le descripteur) qui forme la matière première du *contexte* et qu'il s'agit d'organiser en *code.*

Étant donné que ces contenus constitués sont manifestés sous forme de lexèmes, on pourrait considérer que le contexte dans son ensemble est réductible à un *dictionnaire mythologique* où la dénomination « jaguar » serait accompagnée d'une définition comportant 1° d'une part, tout ce que l'on sait sur la « nature » du jaguar (l'ensemble de ses qualifications et 2° d'autre part, tout ce que le jaguar est susceptible de faire ou de subir (l'ensemble de ses fonctions). L'article « jaguar » ne serait, dans ce cas, pas tellement différent de l'article « table », dont la définition, proposée par le *Dictionnaire général de la langue française*, est :

1. *qualificative :* « surface plane de bois, de pierre, etc., soutenue par un ou plusieurs pieds » et

2. *fonctionnelle :* « sur laquelle on pose les objets (pour manger, écrire, travailler, jouer, etc.) ».

Un tel dictionnaire (à condition qu'il ne comporte pas d'*etc.*) pourrait rendre de grands services :

1. en permettant de résoudre des *ambiguïtés de lecture* des énoncés mythiques, grâce aux procédures de sélection de compatibilités et d'exclusion d'incompatibilités entre les différents sens de lexèmes;

2. en facilitant la *pondération* du récit, c'est-à-dire, en permettant *a*) de combler les lacunes dues à l'utilisation litotique de certains lexèmes et *b*) de condenser certaines séquences en expansion stylistique; les deux procédures parallèles visent à établir un équilibre économique de la narration.

2.4.4. *Dictionnaire et code.*

Malheureusement, la constitution d'un tel dictionnaire présuppose une classification préalable des contenus constitués et une connaissance suffisante des modèles narratifs. En se limitant aux seuls lexèmes-actants, on pourrait dire qu'ils relèvent tous d'un « système des êtres » dont parle Lévi-Strauss, système qui classifierait tous les êtres animés ou susceptibles d'animation, des esprits surnaturels jusqu'aux « êtres » minéraux. Mais on s'aperçoit tout de suite qu'une telle classification ne serait pas « vraie » en soi : dire, par exemple, que le jaguar appartient à la classe des animaux n'a pas de sens mythologiquement parlant. La mythologie ne s'intéresse qu'aux cadres classificatoires, elle n'opère qu'avec des « critères de classification », c'est-à-dire, des catégories sémiques, et non avec les lexèmes qui se trouvent ainsi classés. Ce point, méthodologiquement important, mérite d'être précisé.

1. Supposons qu'une opposition catégorique, celle d'*humains* vs *animaux*, se trouve mise en corrélation, à l'intérieur d'un récit, avec la catégorie du modèle narratif : *antériorité* vs *postériorité*. Dans ce cas, elle articulera les contenus topiques en contenus posés et contenus inversés : selon les termes corrélés, on dira que les humains étaient autrefois des animaux, ou l'inverse. Pourtant, sur le plan lexématique le jaguar pourra se promener tout le long du récit sans changer de dénomination : dans la première partie, il sera un être humain, dans la seconde, un animal, ou l'inverse. — Autrement dit, le contenu du lexème « jaguar » n'est pas seulement *taxinomique*, il est en même temps *positionnel*.

2. Parmi les nombreux « effets de sens » que peut comporter le lexème « jaguar », celui qui sera finalement retenu comme pertinent pour la description est déterminé par l'isotopie générale du message, c'est-à-dire par la dimension de l'univers mythologique dont le mythe particulier est la manifestation. Si la dimension traitée est celle de la culture alimentaire, le jaguar sera considéré dans sa fonction de consommateur, et l'analyse sémique de son contenu permettra de voir en lui, en corrélation avec *l'avant* vs *l'après* narratifs, comme consommateur

$$\frac{\text{avant}}{\text{(du) cuit} + \text{frais}} \simeq \frac{\text{après}}{\text{(du) cru} + \text{frais}}.$$

Par conséquent, dire que le jaguar est maître du feu n'est pas correct : il ne l'est que dans certaines positions et non dans d'autres. Le dictionnaire envisagé doit comporter non seulement les définitions positives et inversées du jaguar, mais il présuppose la classification des dimensions culturelles fondamentales de l'univers mythologique.

3. Il existe des transformations d'éléments narratifs qui se situent non pas entre les mythes, mais à l'intérieur du mythe-occurrence. Tel est le cas de notre mythe de référence qui présente la métamorphose du héros-jaguar en héros-cerf. Sur le plan du code alimentaire, il s'agit tout simplement de la transformation du consommateur du :

[cru + frais + animal] en consommateur du [cru + frais + végétal]
(jaguar) (cerf)

et la transformation linguistique se résume à une substitution paradigmatique dans la catégorie (nourriture *animale* vs *végétale*) dont la justification doit être recherchée parmi les exigences structurelles du modèle narratif.

L'exemple présent est opposé à celui que nous avons étudié dans (1) :

a) dans le premier cas, la dénomination ne change pas, tandis que le contenu change;

b) dans le second cas, la dénomination change, le contenu change aussi, mais partiellement.

Ce qui rend compte de ces changements, c'est par conséquent, l'analyse sémique des contenus et non l'analyse au niveau des lexèmes. Le dictionnaire, pour être complet, devrait donc pouvoir indiquer les séries de dénominations équivalentes, qui résultent des transformations reconnues au niveau du code. Le dictionnaire (dont la nécessité pour l'interprétation automatique des mythes paraît impérieuse) ne peut donc se constituer qu'en fonction des progrès accomplis par notre connaissance de l'armature et de l'univers mythologique articulé en codes particuliers : un article de dictionnaire n'aura quelque consistance que le jour où il sera solidement encadré par un ensemble de catégories sémantiques élaborées grâce aux autres composantes de la théorie interprétative des mythes.

2.4.5. *Code et manifestation.*

Nos efforts pour préciser les conditions auxquelles un dictionnaire mythologique serait possible et rentable nous permettent de mieux saisir ce qu'il faut entendre, dans la perspective de Lévi-Strauss, par code et, plus particulièrement, par code alimentaire. Le *code* est une structure formelle 1) constituée d'un petit nombre de catégories sémiques 2) et dont la combinatoire est susceptible, en produisant des sémèmes, de rendre compte de l'ensemble de contenus investis faisant partie de la dimension choisie de l'univers mythologique. A titre d'exemple, le code alimentaire pourrait être présenté, partiellement, sous forme d'un arbre :

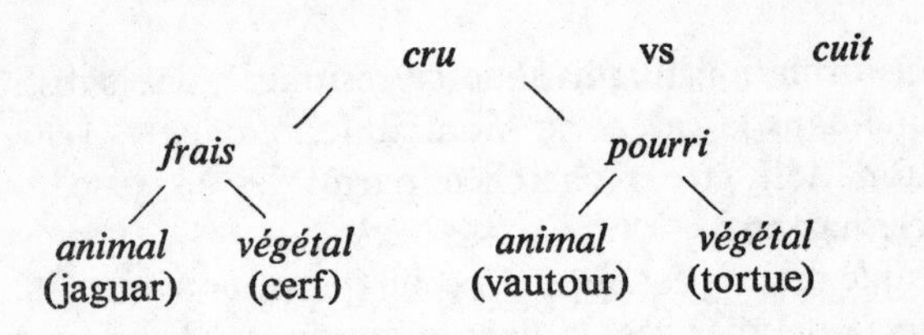

Puisque chaque parcours, de haut en bas, rend compte d'une combinaison sémique constitutive d'un sémème et que chaque sémème représente un contenu investi comme « objet de consommation », la combinatoire vise à épuiser, dans les conditions établies a priori, tous les contenus-objets de consommation possibles.

D'autre part, à chaque sémème correspondent sur le plan de la manifestation narrative, des lexèmes particuliers (que nous avons mis entre parenthèses). La relation qui existe entre le lexème et le sémème qui rend compte de son contenu est contraignante de deux manières différentes :

1. Le lexème manifesté affère chaque fois, comme *sujet* de consommation, au sémème qui est *objet* de consommation. Il s'agit donc d'une relation constante, définie sémantiquement; on peut la considérer comme la *distance stylistique* entre le plan de la manifestation et le plan du contenu.

2. Le choix de telle ou telle figure animale pour manifester telle combinaison codique du contenu, ne dépend pas de la structure formelle, il instaure cependant une clôture du corpus mythologique

manifesté dans une communauté culturelle donnée. L'inventaire lexématique d'une mythologie (c'est-à-dire le dictionnaire) représente une combinatoire fermée, parce que réalisée, alors que le code fonctionne comme une combinatoire relativement ouverte. Le même code peut donc rendre compte de plusieurs univers mythologiques comparables, mais manifestés de manière différente; il constitue ainsi, à condition d'être bien construit, un modèle général qui fonde le comparatisme mythologique lui-même.

L'armature et le code, le modèle narratif et le modèle taxinomique sont, en somme, les deux composantes d'une théorie de l'interprétation mythologique; et la lisibilité plus ou moins grande des textes mythiques est fonction de la connaissance théorique de ces deux structures dont la rencontre a pour effet de produire des messages mythiques.

3. LE MESSAGE NARRATIF

3.1. LA PRAXIS DESCRIPTIVE.

Donc, théoriquement, la lecture du message mythique présuppose la connaissance de la structure du mythe et des principes organisateurs de l'univers mythologique (dont il est la manifestation réalisée dans des conditions historiques données). Pratiquement, cette connaissance n'est que partielle, et la description apparaît dès lors comme une praxis qui en opérant conjointement sur le message-occurrence et les modèles de l'armature et du code, arrive à augmenter à la fois et notre compréhension du message et celle des modèles qui lui sont immanents. Nous serons donc obligé de partir du plan manifesté et de ses différentes isotopies, nous chercherons en même temps à atteindre l'isotopie structurelle unique du message et à définir les procédures permettant de ménager ce passage.

Après avoir découpé le texte en séquences correspondant aux articulations prévisibles du contenu nous essayerons d'analyser chaque séquence séparément, en dégageant à l'aide d'une transcription normalisée, les éléments et les syntagmes mythiques qu'elle contient.

3.2. LE DÉCOUPAGE EN SÉQUENCES.

L'articulation présumée du contenu selon les deux catégories de

contenu topique *vs* contenu corrélé
contenu posé *vs* contenu inversé

permet le découpage du texte en quatre séquences. Les deux séquences topiques paraissent cependant susceptibles d'une nouvelle subdivision, chacune comportant des séries d'événements situées sur deux isotopies en apparence hétérogènes : la première comprend deux expéditions successives du héros; la seconde disjoint spatialement les événements relatifs au retour du héros, en situant les uns dans le village, les autres dans la forêt. Ce deuxième découpage pragmatique, que nous aurons à justifier plus tard, permet donc de diviser le récit en six séquences :

RÉCIT MYTHIQUE						
CONTENUS	*Contenu inversé*			*Contenu posé*		
	Contenu corrélé	Contenu topique		Contenu topique		Contenu corrélé
SÉQUENCES NARRATIVES	Initiale	Nid des âmes	Nid des aras	Retour	Vengeance	Finale

3.3. LA TRANSCRIPTION EN UNITÉS NARRATIVES.

La transcription que nous allons opérer consiste :

1. à présenter le texte sous la forme canonique d'*énoncés narratifs* comportant chacun une fonction suivie d'un ou de plusieurs actants;

2. à organiser les énoncés en algorithmes constitutifs de *syntagmes narratifs*.

Une telle transcription est de nature sélective : elle n'extrait du texte que les renseignements qui sont *attendus* du fait de la connaissance des propriétés formelles du modèle narratif. (Nous essayons d'appliquer ici à l'analyse du récit mythique les formulations des unités narratives, obtenues essentiellement par le ré-examen de l'étude de Propp sur la structure du conte populaire; cf. notre *Sémantique structurale*. Le récit ainsi transcrit ne présente, par conséquent, que l'armature formelle du mythe; on abandonne provisoirement au texte les contenus du message proprement dits.

Les buts de la procédure proposée sont les suivants :

1. en permettant de dégager les unités narratives, elle constitue les cadres formels à l'intérieur desquels les contenus pourront ensuite être versés et correctement analysés;

2. en ne retenant que les unités narratives reconnues, elle permet l'élimination des éléments du récit non-pertinents à la description et la mise en évidence d'autres éléments qui lui sont indispensables;

3. elle doit permettre, finalement, l'identification et la redistribution des propriétés sémantiques des contenus qui proviennent du modèle narratif (soit de la position des contenus à l'intérieur du récit, soit des transformations commandées par le modèle).

Les limites de cet article ne nous permettent pas de justifier pleinement cette transcription. Précisons seulement que, préoccupé en premier lieu par l'établissement des syntagmes narratifs, nous procéderons, dans une première démarche, à la normalisation des fonctions que nous pourrons réunir en algorithmes, quitte à reprendre ensuite l'analyse des actants du récit.

3.4. LA TRANSCRIPTION DES SÉQUENCES.

3.4.1. *La séquence initiale.*

« Dans des temps très anciens, il advint que les femmes allèrent en forêt, pour cueillir les palmes servant à la confection des ***bá*** : étuis péniens remis aux adolescents lors de l'initiation. Un jeune garçon suivit sa mère en cachette, la surprit et la viola.

Quand celle-ci fut de retour, son mari remarqua les plumes arrachées, encore prises à sa ceinture d'écorce et pareilles à celles dont s'ornent les jeunes gens. Soupçonnant quelque aventure, il ordonna qu'une danse ait lieu, pour savoir quel adolescent portait une semblable parure. Mais, à sa grande stupeur, il constate que son fils seul est dans ce cas. L'homme réclame une nouvelle danse, avec le même résultat. »

1. DÉCEPTION

a) *Disjonction*
Départ [femmes] + Déplacement déceptif [fils]

b) *Épreuve*
Combat + Victoire [fils; mère] (viol)
Conséquence : marque inversée [mère] (la mère est marquée, non le fils)

2. RÉVÉLATION

a) *Conjonction*
Retour [mère; fils] + Reconnaissance de la marque [père; mère]

b) *Épreuve*
Épreuve glorifiante simulée et inversée [père; adolescents]
(danse et non lutte; traître et non héros)
Conséquence : révélation du traître [fils] (et non du héros)

CONSÉQUENCES GÉNÉRALES
Punition du traître [père; fils]

Commentaire.

La comparaison de la séquence transcrite avec le schéma narratif permet de voir que celle-ci correspond, dans l'économie générale du récit, au niveau du contenu inversé, à la *déception du pouvoir;* et, au niveau du contenu posé, à la *punition du traître.* Le possesseur se trouve privé, par le comportement déceptif de l'antagoniste, d'un objet magique (non naturel) qui lui conférait un certain pouvoir. Le sujet « déçu » ne peut le récupérer que si le traître est d'abord reconnu et, ensuite, puni. — La partie topique du récit sera la punition du fils-traître, ordonnée par le père rendu impuissant (sur le mode non naturel).

3.4.2. *Expédition au nid des âmes.*

« Persuadé de son infortune et désireux de se venger, il expédie son fils au « nid » des âmes, avec mission de lui rapporter le grand hochet de danse (bapo), qu'il convoite. Le jeune homme consulte sa grand-mère, et celle-ci lui révèle le péril mortel qui s'attache à l'entreprise; elle lui recommande d'obtenir l'aide de l'oiseau-mouche.

Quand le héros, accompagné de l'oiseau-mouche, parvient au séjour aquatique des âmes, il attend sur la berge, tandis que l'oiseau-mouche vole prestement, coupe la cordelette par laquelle est suspendu le hochet : l'instrument tombe à l'eau et résonne, « jo ! ». Alertées par le bruit, les âmes tirent des flèches. Mais l'oiseau-mouche va si vite qu'il regagne la berge indemne, avec son larcin.

Le père commande alors à son fils de lui rapporter le petit hochet des âmes, et le même épisode se reproduit, avec les mêmes détails, l'animal secourable étant cette fois le juriti au vol rapide (*Leptoptila* sp., une colombe). Au cours d'une troisième expédition, le jeune homme s'empare des buttoré : sonnailles bruissantes faites de sabots de caetetu (*Dicotyles torquatus*) enfilés sur un cordon qu'on porte enroulé autour de la cheville. Il est aidé par la grande sauterelle (*Ecridium cristatum*, E.B., vol. I, p. 780), dont le vol est plus lent que celui des oiseaux, de sorte que les flèches l'atteignent à plusieurs reprises, mais sans la tuer. »

1. CONTRAT
Mandement [Père] *vs* Acceptation [Fils]

2. ÉPREUVE QUALIFIANTE
Épreuve hypotaxique [Grand-mère; Fils] (consultation)
Conséquence : réception de l'adjuvant (3 adjuvants)

3. DISJONCTION
Départ [Fils] + Déplacement horizontal rapide [Fils + adjuvants]

4. ÉPREUVE PRINCIPALE
Conséquence : liquidation du manque [Fils] (vol des parures)
Combat + victoire [Fils; Esprits aquatiques] (en syncrétisme)

3 *bis*. CONJONCTION
Déplacement horizontal rapide + Retour [Fils]

1 *bis*. ACCOMPLISSEMENT DU CONTRAT
Liquidation du manque [Fils]
Non rétablissement du contrat [Père]

CONSÉQUENCE GÉNÉRALE
Qualification du héros

Commentaire.

1. Nous rencontrons dans cette séquence un certain nombre de caractéristiques structurelles de la narration bien connues : *a*) le

caractère souvent implicite de l'épreuve qualifiante qui n'est manifestée que par la conséquence, *b*) l'inversion syntagmatique résultant du caractère déceptif de l'épreuve où le vol, suivi de poursuite, se substitue à la lutte ouverte, *c*) le syncrétisme des fonctions que constitue la poursuite, analysable en lutte + déplacement rapide, *d*) la triplication de la séquence, dont la signification ne peut être retrouvée que par une analyse sémique des adjuvants (ou des objets du désir).

2. Dans l'économie générale, la séquence transcrite doit correspondre à la qualification du héros.

3.4.3. *Expédition au nid des aras.*

« Furieux de voir ses plans déjoués, le père invite son fils à venir avec lui, pour capturer des aras qui nichent à flanc de rocher. La grand-mère ne sait trop comment parer à ce nouveau danger, mais elle remet à son petit-fils un bâton magique auquel il pourra se retenir, en cas de chute.

Les deux hommes arrivent au pied de la paroi; le père dresse une longue perche, et ordonne à son fils d'y grimper. A peine celui-ci est-il parvenu à hauteur des nids que le père abat la perche; le garçon a tout juste le temps d'enfoncer son bâton dans une crevasse. Il reste suspendu dans le vide, criant au secours, tandis que le père s'en va.

Notre héros aperçoit une liane à portée de main; il la saisit et se hisse péniblement jusqu'au sommet. Après s'être reposé, il se met en quête de nourriture, confectionne un arc et des flèches avec des branchages, chasse les lézards qui abondent sur le plateau. Il en tue une quantité, dont il accroche le surplus à sa ceinture et aux bandelettes de coton qui enserrent ses bras et ses chevilles. Mais les lézards morts se corrompent, exhalant une si abominable puanteur que le héros s'évanouit. Les vautours charognards (*Cathartes urubu, Coragyps atratus foetens*) s'abattent sur lui, dévorant d'abord les lézards, puis s'attaquant au corps même du malheureux, en commençant par les fesses. Ranimé par la douleur, le héros chasse ses agresseurs, mais non sans qu'ils lui aient décharné complètement l'arrière-train. Ainsi repus les oiseaux se font sauveteurs : avec leur bec, ils soulèvent le héros par sa ceinture et par ses bandelettes de bras et de jambes, prennent leur vol et le déposent doucement au pied de la montagne.

Le héros revient à lui, « comme s'il s'éveillait d'un songe ». Il a faim, mange des fruits sauvages, mais s'aperçoit que, privé de fondement, il ne peut garder la nourriture : celle-ci s'échappe de son corps sans même avoir été digérée. D'abord perplexe, le garçon se souvient d'un conte de sa grand-mère, où le héros résolvait le même problème en se modelant un postérieur artificiel, avec une pâte faite de tubercules écrasés.

Après avoir, par ce moyen, retrouvé son intégrité physique et s'être enfin rassasié... »

1. SUSPENSION DU CONTRAT

a) *Contrat*
Mandement [Père] + Acceptation [Fils]

b) *Épreuve qualifiante*
Épreuve hypotaxique [Grand-mère; Fils] (consultation)
Conséquence : réception de l'adjuvant [Fils] (le bâton)

c) *Disjonction*
Départ [Fils; Père] + Déplacement ascensionnel [Fils]

d) *Épreuve principale*
Combat + Victoire [Père; Fils] (affrontement déceptif : inversion des rôles)
Conséquence : reprise du déplacement [Fils]

e) *Conséquence contractuelle :* suspension du contrat

2. ALIMENTATION ANIMALE

a) *Épreuve négative*
Combat + Victoire [Fils; Lézards] (chasse et absorption de la nourriture crue animale)
Conséquence : échec de l'épreuve (mort du héros)

b) *Épreuve positive*
Combat + Victoire [Vautours; Fils] (chasse et absorption du cru pourri)
Conséquence : réussite de l'épreuve

3. ALIMENTATION VÉGÉTALE

a) *Disjonction*
Déplacement descensionnel [Fils] (en syncrétisme avec l'épreuve précédente : comportement bienfaisant des opposants > adjuvants)

b) *Épreuve négative*
Combat simulé [Fils; fruits sauvages] (cueillette et non chasse)
Victoire déceptive [Fils] (absorption de la nourriture végétale fraîche)
Conséquence : échec de l'épreuve (impossibilité de se nourrir)

c) *Épreuve positive*
Épreuve qualifiante hypotaxique [Grand-mère; Fils]
(consultation en souvenir)
Conséquence : réception de l'adjuvant [Fils] (adjuvant végétal)
Épreuve principale :
Combat simulé redondant + Victoire [Fils; Fruits sauvages]
Conséquence : réussite de l'épreuve (liquidation du manque : impossibilité de se nourrir)

CONSÉQUENCE GÉNÉRALE :
Liquidation du manque (acquisition de certains modes d'alimentation)

Commentaire.

1. La transcription sémantique de cette séquence fait ressortir une des caractéristiques structurelles du mythe étudié : il apparaît de plus en plus comme une construction hypotaxique déroulant, sur plusieurs paliers, les mêmes schémas narratifs. Ainsi, la séquence dont nous nous occupons en ce moment correspond, dans l'économie générale du récit, à l'épreuve principale; considérée en soi, elle réalise pourtant, à elle seule, le schéma narratif dans lequel l'algorithme « suspension du contrat » prend place comme épreuve qualifiante; celui-ci, à son tour, apparaît à la suite de la transcription, comme un récit autonome comportant une épreuve qualifiante et une épreuve principale. Il en résulte la manifestation du schéma narratif sur trois paliers hiérarchiques différents : un syntagme narratif, suivant le niveau où sa lecture est située, est donc susceptible de recevoir successivement plusieurs interprétations.

2. Une autre caractéristique du modèle narratif : la *preuve par l'absurde*, que nous n'avons pas encore rencontrée, apparaît également dans cette séquence.

3.4.4. *Le retour du héros.*

« ... Il retourne à son village, dont il trouve le site abandonné. Longtemps, il erre à la recherche des siens. Un jour, il repère des traces de pas et celles d'un bâton qu'il reconnaît pour appartenir à sa grand-mère. Il suit ces traces, mais, craignant de se montrer, il emprunte l'apparence d'un lézard, dont le manège intrigue longtemps la vieille femme et son second petit-fils, frère cadet du précédent. Il se décide enfin à se manifester à eux sous son véritable aspect. (Pour rejoindre sa grand-mère, le héros se transforme successivement en quatre oiseaux et un papillon, non identifiés, Colb. 2. p. 235-236.)

Cette nuit-là, il y eut une violente tempête accompagnée d'un orage, et tous les feux du village furent noyés, sauf celui de la grand-mère à qui, le matin suivant, tout le monde vint demander des braises, notamment la seconde femme du père meurtrier. »

1. RETOUR DU HÉROS

a) *Retour négatif*
Départ [Fils] + Déplacement horizontal [Fils]
(à partir du lieu de l'épreuve)
Retour déceptif [Fils] (non conjonction du fait de l'absence
du point *ad quem*)

b) *Retour positif*
Départ redondant [Fils] + Déplacement [Fils]
Épreuve hypotaxique [Grand-mère; Fils] (consultation)
Conséquence : réception de l'adjuvant [Fils] (traces du bâton)
Retour véridique incognito [Lézard] (lézard = fils)
Reconnaissance de la marque [Grand-mère; Fils]

2. LIQUIDATION DU MANQUE

a) *Liquidation négative*
Attribution de l'eau malfaisante + Privation du feu bienfaisant

b) *Liquidation positive*
Attribution du feu bienfaisant [Grand-mère; communauté]
Reconnaissance du héros marqué [Belle-mère]
Non révélation du héros [Père; Fils] (accueil ordinaire et non glorifiant)

CONSÉQUENCE GÉNÉRALE : révélation du traître et sa punition

Commentaire.

1. On remarquera d'abord le parallélisme structurel entre les séquences 3 et 4 : à la duplication des épreuves négative et positive correspond ici, d'abord, le retour négatif et positif et, ensuite, la liquidation du manque sous ses deux formes, négative et positive.

2. On notera, comme procédé caractéristique, la démonstration par l'absurde de l'impossibilité de rétablir le contrat, due à l'absence du destinateur à qui l'objet de quête devrait être remis; d'où la quête d'un nouveau destinateur (grand-mère).

3. On relèvera, comme caractéristique de ce mythe particulier, le fait qu'il situe le contenu inversé (c'est-à-dire, d'après ce que nous en savons à ce stade d'analyse, l'absence du feu) non dans le temps mythique d'autrefois, mais dans la quotidienneté d'aujourd'hui et la présente comme une extinction accidentelle des feux. La description doit, dans de tels cas, opérer la reconversion du quotidien en mythique : on voit que le procédé lui-même se définit, à première vue, comme une *conversion stylistique*.

3.4.5. *La vengeance.*

« Elle reconnaît son beau-fils, tenu pour mort, et court avertir son mari. Comme si de rien n'était, celui-ci prend son hochet rituel, et il accueille son fils avec les chants pour saluer le retour des voyageurs.

Cependant, le héros songe à se venger. Un jour qu'il se promène en forêt avec son petit frère, il casse une branche de l'arbre api, ramifiée comme des andouillers. Agissant sur les instructions de son aîné, l'enfant sollicite et obtient de leur père qu'il ordonne une chasse collective; transformé en petit rongeur mea, il repère sans se faire voir l'endroit où leur père s'est mis à l'affût. Le héros arme alors son front des faux andouillers, se change en cerf, et charge son père avec une telle impétuosité qu'il l'embroche. Toujours galopant, il se dirige vers un lac où il précipite sa victime. »

1. CONTRAT DÉCEPTIF
Déception [Frère] + Soumission [Père] (déception du « vouloir »)
Mandement [Père] + Acceptation [Hommes] (Père : faux mandataire)

2. DISJONCTION
Départ [Père; Hommes] + Déplacement horizontal [Père; Hommes]
(disjonction des foyers du village)

3. ÉPREUVE QUALIFIANTE
Transformation de l'adjuvant en décepteur [Frère → Mea]
+ Extorsion des renseignements [Mea]
(déception du « savoir » : le chasseur devient chassé)

Conséquence : réception de l'adjuvant (faux andouillers en bois)
Épreuve qualifiante [Fils]
(Transformation du héros en victime simulée : cerf)

4. ÉPREUVE PRINCIPALE
Combat [Père; Fils] (le faux chasseur contre le faux chassé)
Victoire [Fils] (la fausse victime est victorieuse)
Conséquence : déplacement [Père] (disjonction de la communauté)

CONSÉQUENCE GÉNÉRALE : punition du traître

Commentaire.

1. La séquence entière se déroule sur le mode déceptif. Contrairement à ce qui se passe ailleurs, la déception ne se présente ici *a*) ni comme la conversion du contenu de la séquence (telle qu'elle se manifeste dans l'Expédition au nid des âmes, où l'élément narratif inversé, entraînant les autres transformations, est l'objet du manque *(eau* vs *parures)*), *b*) ni comme l'inversion du syntagme narratif, caractérisée par l'inversion des fonctions (où, par exemple, le vol suivi de persécution, situe syntagmatiquement la conséquence avant l'épreuve même), mais comme une inversion dans la distribution des rôles aux actants prévisibles. Ainsi, le père se comporte comme l'organisateur de la chasse, alors que c'est le fils qui l'organise en fait; le père se considère comme chasseur, alors qu'il est en réalité la victime épiée à l'avance; le héros, véritable chasseur, se déguise, au contraire, en victime-cerf. Nous insistons sur ce schéma, assez fréquent, parce qu'il permet d'envisager, à l'avenir, une *typologie de la déception.*

2. La lecture de la séquence, impossible sans l'utilisation du code, peut être toutefois facilitée par *la formulation d'hypothèses*, que nous la comparions aux séquences précédentes, ou que nous cherchions à déterminer, par l'enregistrement des redondances, l'isotopie propre à la seule séquence étudiée.

a) Le retour du héros a été suivi, on s'en souvient, de la liquidation négative du manque par deux effets complémentaires : l'affirmation de l'eau malfaisante et la dénégation du feu bienfaisant. La liquidation positive du manque est apparue comme l'affirmation du feu bienfaisant : il est logique de supposer que la séquence étudiée en ce moment soit consacrée à la manifestation du terme complémentaire, c'est-à-dire à la dénégation de l'eau malfaisante. L'hypothèse à retenir sera donc l'identification entre

disjonction du père = dénégation de l'eau malfaisante

ce qui permet de supposer la corrélation entre le père et l'eau malfaisante.

b) La recherche des redondances permettant d'établir l'isotopie propre à la seule séquence envisagée permet de supposer un *axe végétal* (le héros et son petit frère se transforment en végétariens; l'arme punitive du traître est d'origine végétale). S'il en est ainsi, à cet axe s'oppose logiquement un *axe animal* qui doit être celui de l'antagoniste (qui, en effet, se définit positivement, en tant que chasseur, comme le consommateur de la nourriture animale). Si, de plus, on observe qu'il s'agit des deux côtés de mangeurs du cru (cela va de soi pour le cerf et le mea, mais convient également au père qui se trouve disjoint du feu des foyers), la figure du père semble entrer en corrélation avec le cru animal (hypothèse qui, nous le verrons, ne se vérifiera que partiellement).

3.4.6. *La séquence finale.*

« Aussitôt, celle-ci est dévorée par les esprits buiogoé qui sont des poissons cannibales. Du macabre festin il ne reste au fond de l'eau que les ossements décharnés, et les poumons qui surnagent, sous forme de plantes aquatiques dont les feuilles, dit-on, ressemblent à des poumons.

De retour au village, le héros se venge aussi des épouses de son père (dont l'une est sa propre mère). »

1. DISJONCTION
Départ [Père; Fils] + Déplacement horizontal rapide [Père; Fils]
Arrivée sur le lieu de l'épreuve [Père] (immersion = conjonction avec l'eau)

2. ÉPREUVE NÉGATIVE
Combat + Victoire [Piranhas; Père]
(absorption de la partie charnelle = du cru animal)
Conséquence : mort du héros-traître

3. ÉPREUVE POSITIVE
Combat + Victoire [Père; Piranhas]
(non absorption de la partie essentielle : poumons + ossements)
Conséquence : survivance du héros-traître

4. DISJONCTION DÉFINITIVE
Départ descensionnel + Transformation en esprit aquatique (?) (ossements)
Départ ascensionnel + Transformation en plante aquatique

Commentaire.

Si nous avons analysé en deux épreuves distinctes le combat du traître avec les esprits cannibales, c'est *a*) pour mieux séparer les deux conséquences divergentes de l'épreuve, mais aussi *b*) pour établir un certain parallélisme structurel avec les séquences précédentes.

3.5. LES ACTANTS ET LES RELATIONS CONTRACTUELLES.

La transcription à laquelle nous venons de procéder a permis de saisir l'enchaînement des fonctions constitutives des syntagmes narratifs. Mais pendant ce temps nous avons négligé le second aspect de cette normalisation : la transcription des actants que nous avons provisoirement laissés sous forme d'acteurs du récit; nous avons subdivisé ainsi la procédure proposée en deux étapes successives.

Si elle est peu rentable pour les syntagmes-épreuves dont le statut est simple et la structure redondante, cette codification des actants retrouve son importance quand il s'agit d'unités contractuelles auxquelles échoit le rôle de l'organisation de l'ensemble du récit. Les fonctions qui les définissent instituent entre parties contractantes un jeu d'acceptations et de refus d'obligations et provoquent, à chaque moment, de nouvelles distributions et redistributions des rôles. Ce n'est donc qu'en étudiant ces distributions de rôles qu'on peut espérer résoudre le problème, difficile à première vue, que posent la transformation du fils-traître en héros et celle, parallèle, du père-victime en traître.

En adoptant le système d'abréviations simple pour noter les actants du récit :

D_1 (destinateur) vs D_2 (destinataire)
S (sujet-héros) vs O (objet-valeur)
A (adjuvant) vs T (opposant-traître)

on pourra présenter, dans la partie topique de la narration, les principales obligations contractuelles et les distributions corrélatives des rôles.

SÉQUENCES		FONCTIONS	ACTANTS
Départ au nid des âmes			
		Punition du traître	Fils = T
	Contrat accepté	Mandement	Père = D_1
		Acceptations et départ	Fils = D_2 + (S) + T
			Remarque. Nous mettons entre parenthèses le héros non qualifié.
Départ au nid des aras			
	Contrat accepté	Mandement	Père = D_1
		Acceptation et départ	Fils = D_2 + S + T
	Contrat suspendu	Combat déceptif	Père = D_1 + T
		Conséquence	Fils = D_2 + S
			Remarque. Le rôle T passe du Fils au Père.
Retour du héros			
	Contrat refusé	Retour	Fils = D_2 + S
		Absence du père	Père = (D_1) + T
	Nouveau contrat	Quête du destinateur	Fils = D_2 + S
		Retour et don	Grand-mère = (D_1)
			Remarque. Le destinateur absent et le nouveau destinateur non manifesté sont mis entre parenthèses.
	Ancien contrat rompu	Distribution du feu	Grand-mère = D1
		Non glorification du héros	Père = T
Vengeance			
		Punition du traître	Père = T
	Nouveau contrat inversé	Mandement	Fils = D_1
		Acceptation et départ	Père = D_2 + (S) + T

La redondance qui marque la rupture du contrat (contrat suspendu → contrat refusé → contrat rompu) et la recherche du nouveau destinateur empêchent de voir nettement la symétrie du récit due au parallélisme des redistributions de rôles entre le père et le fils. On peut les résumer de la manière suivante :

Acteurs	Contrat-punition		Double transformation	Contrat-punition	
Fils	T	D2 + (S) + T	D2 + S	D1	
Père	D1		D1 + T	T	D2 + (S) + T

Commentaire.

1. Il suffit de reconnaître qu'il existe deux formes distinctes du contrat, 1) contrat volontaire qui entraîne une mission de salut et 2) contrat involontaire dont découle une mission de rachat, et de voir dans la vengeance cette deuxième forme d'obligation contractuelle, pour se rendre compte qu'il existe une *articulation contractuelle* du modèle narratif dans son ensemble. La partie topique du mythe apparaît alors comme l'exécution du contrat primitif, découlant de la séquence initiale; la séquence finale, de son côté, se trouve reliée de la même manière au corps du récit. Dès lors, on peut formuler une nouvelle correspondance entre la manifestation narrative et la structure du contenu : *aux corrélations entre contenus non-isotopes* du mythe, au niveau de sa structure, *correspondent les relations contractuelles*, au niveau de la narration.

2. Le passage d'un contrat à l'autre s'effectue grâce à une double transformation, c'est-à-dire, par la substitution paradigmatique des termes sémiques opérant à l'intérieur de deux catégories à la fois : 1) le père devient traître, et le fils, qualifié, héros à part entière (S ⇄ T); 2) le traître ne pouvant pas être destinateur (*incompatibilité* structurelle que nous avons déjà observée en analysant un corpus psychodramatique), le père se transforme en destinataire, laissant le rôle de destinateur à son fils (D1 ⇄ D2). L'hypothèse que nous avons formulée en nous servant des enseignements tirés des analyses antérieures (non mythologiques, mais littéraires) et selon laquelle *l'épreuve est la manifestation*, sur le plan narratif, *de la transformation* des contenus, se

confirme ici : la double transformation que nous formulons ici au niveau des actants correspond, en effet, à l'épreuve déceptive dans le récit.

4. LE MESSAGE STRUCTUREL

4.1. LA BI-ISOTOPIE DE LA NARRATION.

La transcription formelle ne nous a pas donné la clef d'une lecture isotope unique, bien au contraire : le récit semble être conçu de telle manière qu'il manifeste successivement, dans sa partie topique, deux isotopes à la fois. On peut même se demander si les variations d'isotopies, correspondant aux séquences du récit, ne constituent pas un des traits distinctifs permettant d'opposer le récit mythique aux autres types de narration comme le conte populaire, par exemple.

Ainsi, si la séquence « expédition au nid des âmes » peut être considérée, après sa reconversion, comme manifestant l'isotopie de l'eau (et du feu) d'après l'équivalence : *quête des parures* $\simeq$ *quête de l'eau*, la séquence « expédition au nid des aras » abandonne la mission apparente de la quête des parures et ne concerne plus que des problèmes de régime alimentaire, animal et végétal. Par ailleurs, le retour du héros est marqué par le don du feu (et de l'eau), mais la séquence « vengeance » qui suit est presque illisible : c'est à peine si l'on peut y retrouver, grâce aux formulations déductives, le souci de disjoindre l'alimentation végétarienne de la carnivore. La partie topique de la narration se présente donc ainsi :

Isotopies	Nid des âmes	Nid des aras	Retour	Vengeance
Code naturel	———		———	
Code alimentaire		———		———

Deux isotopies apparaissent ainsi nettement, révélant l'existence de deux encodages différents du récit. L'interprétation du mythe aura pour but, à ce stade, l'établissement de l'équivalence entre les deux codes et la réduction de l'ensemble du récit à une isotopie unique. Elle pose au descripteur le problème du *choix stratégique :* quelle est l'isotopie *fondamentale*, dans laquelle il faut traduire la deuxième isotopie, considérée comme *apparente?*

Deux ordres de considérations plaident en faveur du choix du code alimentaire :

1. La transcription formelle permet de constater la différence de niveaux où se situent les contenus à analyser dans les deux isotopies : ces contenus se manifestent dans le message narratif, sous la forme canonique des conséquences des épreuves et, par conséquent, comme des objets de quête; dans le premier cas, les objets sont présents sous forme de *lexèmes* (eau, feu) et, dans le second cas, sous forme de *combinaisons de sèmes* (cru, cuit, pourri, frais, etc.). On peut dire que l'analyse du contenu au niveau sémique est plus profonde que celle qui se situe au niveau des signes : c'est donc le niveau sémique d'analyse qui doit être retenu comme fondamental.

2. L'économie générale du modèle narratif prévoit, dans le déroulement du récit, la succession de trois types d'épreuves :

épreuve qualifiante	épreuve principale	épreuve glorifiante
« nid des âmes »	« nid des aras »	« vengeance »

L'épreuve principale semble chargée de traiter le contenu topique du mythe : son isotopie a donc de fortes chances de manifester le contenu au niveau fondamental.

Mais c'est la convergence de ces deux ordres de considérations qui constitue l'élément décisif du choix stratégique. Nous allons, par conséquent, commencer l'explication et l'intégration du code à partir de ce lieu privilégié qu'est la séquence correspondant à l'épreuve principale.

4.2. L'OBJET DE QUÊTE.

Sans nous préoccuper davantage de l'unité contractuelle qui introduit l'épreuve principale du récit, nous n'avons à analyser que la séquence elle-même, découpée en deux segments par une disjonction spatiale. Ils s'articulent chacun sous forme d'épreuves notifiant l'échec ou la réussite d'un certain mode d'alimentation :

Alimentation			
animale (en haut)		végétale (en bas)	
échec	réussite	échec	réussite

Si l'on admet que les quatre épreuves ainsi distribuées ne sont que des manifestations narratives des transformations structurelles, on dira que les deux échecs doivent être considérés comme des *dénégations*, et les deux réussites, comme des *affirmations* de certains modes alimentaires.

1. Le régime alimentaire dénié en premier lieu est la consommation du *cru animal;* il est dénié, parce que *cannibale :* le code, mais aussi le contexte discursif, nous enseignent que le héros, devenu « maître de l'eau » grâce à l'épreuve qualifiante, est en réalité un lézard, miniaturisation terrestre du crocodile, et, en effet, c'est sous forme de lézard qu'il se présente à son retour à la grand-mère. On peut dire que *le cannibalisme est la manifestation narrative de la conjonction des identités* et que la mort et la putréfaction qui en résulte sont en fait la mort, la disparition du sens.

2. Le régime alimentaire, affirmé par la suite, est la consommation du *cuit animal.* Le héros mort devient une nourriture définie comme le *cru animal pourri.* Les vautours charognards, en ne consommant que la partie « crue et pourrie » du héros (les lézards restants et le postérieur « pourri ») procèdent donc à la disjonction *pourri* vs *frais* et à la dénégation du cru pourri. Cette opération, qui pourrait paraître cannibale à première vue, ne l'est pas en réalité, car les vautours sont, dans le monde inversé de l'avant, les maîtres du feu. Sans entrer dans les détails du contexte que le lecteur de Lévi-Strauss connaît déjà et, sans trop insister sur leur rôle de sorciers capables d'opérer la purification par le feu et la résurrection des morts, on peut dire que leur victoire est la victoire des consommateurs du cuit

et, par conséquent, l'affirmation de la consommation du *cuit animal pourri*. La transformation qui correspond à cette épreuve est la substitution du terme *cuit* au terme *cru* à l'intérieur de la catégorie sémique *cru* vs *cuit*.

3. Il n'est pas inutile de noter, en cette occasion, le phénomène stylistique fréquent de connotation redondante. Ainsi, la disjonction *haut* vs *bas* qui correspond à la déposition du héros au pied de la montagne, se retrouve dans d'autres récits des Bororo. Ceux-ci étaient autrefois des aras qui, une fois leur secret découvert, se sont jetés dans le bûcher ardent. Ils se sont transformés ainsi par une disjonction, en oiseaux (haut) et en plantes (bas) retrouvées parmi les cendres. D'autre part, les prêtres bororo aident à la quête alimentaire : « comme aras, ils cueillent les fruits » : le héros-ara, se réveillant en bas, retrouve donc la partie végétale complémentaire de sa nature.

4. Le régime alimentaire qui est dénié pour la seconde fois est la consommation du *cru végétal*. Plus précisément, ce n'est pas l'objet à consommer (les fruits sauvages) qui est mis en cause, mais le consommateur en sa qualité d'objet de consommation (pour les vautours). Le héros, on le sait, est dépourvu de postérieur, dénié en tant que cru et pourri. Le paradigme de substitution est ainsi ouvert au niveau du corps du héros : la partie *pourrie* étant déjà absente, n'est pas encore remplacée par la partie *fraîche*.

5. La transformation du consommateur dont la partie animale, crue et pourrie est remplacée, à l'aide d'un adjuvant végétal, cru et frais, (qui s'identifie avec cette partie neuve de sa nature) et la possibilité de se nourrir ainsi retrouvée équivalent à l'affirmation de la consommation du *cru végétal frais*.

En somme *a*) la disjonction *haut* vs *bas* opère la distinction entre deux axes de consommation : *animale* vs *végétale b*) la première série d'épreuves consiste dans la transformation du *cru en cuit c*) la deuxième série d'épreuves recouvre la transformation du *pourri en frais*.

4.3. LA CONSTRUCTION DU CODE.

On peut essayer maintenant d'organiser l'acquis afin de voir s'il ne permet pas la construction d'un code rendant compte de l'ensemble de la manifestation topique du mythe.

1. On remarquera d'abord que la séquence étudiée pose le pro-

blème de l'alimentation sous forme de *relation* entre le consommateur et l'objet consommé et que les catégories que nous avons postulées pour articuler le contenu de divers objets de consommation *(cru* vs *cuit; frais* vs *pourri)* n'ont pu être établies qu'en affirmant ou en déniant la possibilité de telle ou telle relation. S'il en est ainsi, le feu et l'eau apparaissent, par rapport à l'objet de consommation, dans la *relation* qui est celle du producteur avec l'objet produit : c'est le feu qui transforme, en effet, le cru en cuit, c'est l'eau qui, à partir du frais, produit du pourri. L'objet de consommation se situe ainsi entre

$$\frac{\text{Destinateur}}{\text{(producteur)}} \rightarrow \textit{Objet} \rightarrow \frac{\text{Destinataire}}{\text{(consommateur)}}.$$

Dès lors on peut dire que la manifestation narrative dans son ensemble se situe tantôt au niveau des contenus qui articulent les objets de consommation, tantôt au niveau des catégories articulant entre eux les destinateurs et les destinataires. D'après cela, la définition de l'isotopie générale du discours que nous avons proposée ailleurs et selon laquelle celle-ci n'est pas l'itération d'une seule catégorie sémantique, mais d'un faisceau de catégories organisé, paraît applicable au récit mythique : l'objet de consommation qui est le propos du discours, est *stylistiquement* présent tantôt avec son contenu propre, tantôt sous forme de contenus *distanciés* à l'aide de relations que l'on peut définir catégoriquement. L'établissement de la lecture unique consistera donc dans la réduction de ces écarts stylistiques.

2. A considérer de plus près les deux fonctions de purification par le feu et de putréfaction par l'eau, on s'aperçoit que l'une peut être dénommée comme *vitale* et l'autre, comme *mortelle;* et que la distance qui sépare le cuit du pourri est celle de l'opposition entre la vie et la mort. Une nouvelle connotation, plus générale, des catégories alimentaires, due à leur caractère vital et bénéfique, ou mortel et maléfique, paraît possible. En effet,

si *cuit* $\simeq$ V, alors *cru* $\simeq$ non V, et
si *pourri* $\simeq$ M, alors *frais* $\simeq$ non M.

D'autre part, la nouvelle catégorie connotative permet, grâce à la réduction de la distance stylistique entre le producteur et l'objet produit, une distribution parallèle des termes sémiques recouverts par les lexèmes *feu* et *eau*. Le tableau ci-dessous résumera brièvement les résultats de cette réduction qui aboutit à la construction d'un code bi-valent, mais symétrique. Celui-ci ne pourra être considéré comme correctement établi que dans la mesure où il permettra de rendre compte de l'ensemble des contenus topiques manifestés.

	Vie	Mort	
V	cuit feu vital	cru feu mortel	non V
non M	frais eau vitale	pourri eau mortelle	M

4.4. LA TRANSFORMATION DIALECTIQUE.

Dans le cadre ainsi établi, l'ensemble des transformations contenues dans la séquence étudiée sont susceptibles d'être subsumées sous forme d'un *algorithme dialectique*. En effet, les épreuves qui se suivent, consistent :

(1) à dénier le terme *cru* (non V)
(2) à affirmer le terme *cuit* (V)
(1) à affirmer le terme *frais* (non M)
(2) en déniant le terme *pourri* (M)

L'assertion dialectique de synthèse, consistera alors à postuler l'existence d'une relation nécessaire entre *le cuit* et *le frais* (V + non M, termes appartenant à des catégories de contenus originellement distinctes), et à affirmer que leur conjonction constitue la vie, c'est-à-dire, la culture alimentaire, (ou, en transposant dans le code parallèle, que la conjonction du feu du foyer et de la pluie bienfaisante constitue les conditions « naturelles » de cette culture).

Cette analyse rend du même coup évidentes les manifestations lexématiques des acteurs assumant à la fois les fonctions du producteur et du consommateur : ainsi le vautour-charognard qui, en tant que mangeur du cru pourri, est l'oiseau de la mort, s'adjoint, une fois situé dans un avant mythique, les fonctions du producteur du feu et devient l'oiseau de la vie, opérant les résurrections. De même, le jaguar mange-cru et la tortue mange-pourri constituent, après inversion, le couple culturel parfait. Il n'est pas étonnant dès lors que notre héros porte le nom du consommateur transformé en celui de destinateur, celui de Geriguiguiatugo, c'est-à-dire, de jaguar-tortue. (L'interprétation de jaguar = feu et de tortue = bois de chauffage, constitue une connotation parallèle, catégorisable sans référence à leur statut de consommateur).

4.5. LA LIQUIDATION DU MANQUE.

1. On a vu que le comportement déceptif du destinateur-père a eu pour conséquence de dédoubler aussi bien le retour du héros que la liquidation du manque en les présentant sous des formes négative et positive :

$$\frac{\text{Retour négatif}}{\text{Don négatif}} \simeq \frac{\text{Retour positif}}{\text{Don positif}}.$$

Il en résulte que le premier don du héros est le don de la mort, et non de la vie : ce n'est que par l'intermédiaire du nouveau destinateur-grand-mère qu'il renouvellera son don, cette fois-ci positif.

On remarquera que l'algorithme dialectique du don se trouve doublement inversé par rapport à celui de la quête : 1° parce que don, il est *inversé syntagmatiquement*, et l'affirmation y précède la dénégation; 2° parce que don négatif, il est inversé dans ses termes : il affirme les propriétés de mort, et non de vie. Il consiste donc dans

(1) l'affirmation de M (pourri $\simeq$ eau mortelle)
(2) entraînant la dénégation de non M (frais $\simeq$ eau vitale)
(1) la dénégation de V (cuit $\simeq$ feu vital)
(2) impliquant l'affirmation de non V (cru $\simeq$ feu mortel)

Le don négatif établit, par conséquent, la relation nécessaire entre deux contenus affirmés, c'est-à-dire entre M + non V; ce qui est la définition même de la mort et, par là même, de l'anti-culture.

2. Dès lors, on peut supposer que le don positif aura la même structure syntagmatique opérant sur des contenus différents, affirmant

la vie, et non la mort. La distribution du feu, accomplie par la grand-mère, peut se transcrire comme constituant la première partie de l'algorithme :

(1) l'affirmation de V (cuit ≃ feu vital)
(2) impliquant la dénégation de non V (cru ≃ feu mortel)

L'épisode de la chasse déceptive ne peut être logiquement que la manifestation de la deuxième partie de l'algorithme, c'est-à-dire :

(1) l'affirmation de non M (frais ≃ eau vitale)
(2) comportant la dénégation de M (pourri ≃ eau mortelle)

Une telle interprétation, bien que fort plausible, n'entraîne cependant pas l'adhésion du descripteur comme une évidence. En apparence du moins, tout se passe comme si l'opération chasse avait été montée pour mettre en présence le *cru* vs le *frais* et non le *pourri* vs le *frais*. En effet, le père, ayant refusé de glorifier le héros, ne participe pas nécessairement aux bienfaits du feu, il reste « cru ». De façon redondante, sa crudité se trouve confirmée par la disjonction des hommes par rapport aux feux du village, où ils se trouvent en situation de mangeurs de cru.

La description soulève à cet endroit quelque difficulté, parce que le code que nous avons construit reste encore incomplet : nous n'avons établi d'isomorphisme qu'entre les catégories alimentaires articulant l'objet de consommation et les catégories « naturelles » différenciant les producteurs; nous avons laissé de côté l'articulation permettant de décrire, de façon isomorphe, les consommateurs (qui présentent, par rapport à l'objet, un écart stylistique comparable à celui des producteurs). Nous sommes donc obligé d'abandonner provisoirement l'analyse commencée pour essayer de compléter d'abord notre connaissance du code sur ce point précis.

4.6. LA CULTURE SEXUELLE.

1. En introduisant la catégorie *vie* vs *mort*, nous avons pu constituer une grille culturelle qui, tout en articulant le code du mythe selon deux dimensions différentes, possède cependant un caractère plus général que la culture alimentaire qu'elle organise.

S'il en est ainsi, on peut essayer d'appliquer cette grille au plan de la culture sexuelle en cherchant à établir les équivalences entre valeurs culinaires et sexuelles; elles ne seront reconnues comme isomorphes que si elles peuvent comporter une distribution formellement identique. Il s'agit ici de la culture sexuelle, c'est-à-dire de l'ensemble de représentations relatives aux rapports sexuels (qui est de nature métalinguistique et axiologique), et non de la structure de la parenté qui lui est logiquement antérieure. Le tableau ci-dessous mettra en évidence l'isomorphisme proposé.

V	cuit époux	cru enfant mâle	non V
non M	frais mère (grand-mère)	pourri épouse	M

Une telle distribution semble une simplification grossière : elle devrait, en principe, suffire pour justifier l'isomorphisme entre les deux dimensions culturelles de l'univers mythologique et rendre possible le transcodage d'un système à l'autre. Tel qu'il est, le tableau rend compte d'un certain nombre de faits : *a*) la femme bororo est un fruit pourri; *b*) en tant que mère elle est nourricière et, tout en restant de nature végétale, constitue le terme complexe M + non M (tandis que la grand-mère, n'étant plus épouse, correspond au seul terme non M); *c*) le comportement sexuel à l'intérieur du mariage est vital : c'est une cuisson qui, par la conjonction avec le pourri, provoque la fermentation et la vie; *d*) le mâle célibataire et, surtout, l'enfant non initié est à rejeter du côté du cru et du feu mortel.

2. Le viol, grâce à ce mode bi-valent peut être interprété comme une épreuve, manifestant une série de transformations que l'on peut réunir en un seul algorithme dialectique :

(1) la dénégation du cuit (V) (le fils se substitue à l'époux)
(2) entraînant l'affirmation du cru (non V) et
(1) l'affirmation du pourri (M)
(2) comportant la dénégation du frais (non M)
(la femme est niée en tant que mère)

L'acte sexuel extraconjugal serait donc l'expression de la conjonction du cru et du pourri, et s'identifierait avec l'assertion dialectique instaurant la mort : non seulement le fils affirme ainsi sa nature anti-culturelle, mais il en est de même du père, dont la qualité de « cuisinier » est déniée et qui, en se conjoignant dorénavant avec sa femme (et, surtout, sa nouvelle épouse qui apparaît comme exprès) ne pourra que reproduire l'assertion non V + M. A la suite du viol, les deux protagonistes mâles se trouvent donc définis de la même manière, mais alors que le fils, en passant — bien que sur une autre dimension culturelle — par une série d'épreuves héroïques, se transformera pour devenir le contraire de celui qu'il était au début, le père conservera sa nature crue et pourrie.

3. Cette extrapolation, dans la mesure où elle est correcte, permet un certain nombre de constatations relatives aussi bien au statut de la narration qu'aux procédures de description : 1º la construction du code présuppose l'établissement d'une grille culturelle d'une généralité suffisante pour pouvoir intégrer les codages isomorphes non seulement des contenus topiques, mais aussi des contenus corrélés; 2º à l'enchaînement syntagmatique que nous avons interprété comme une relation de cause à effet (le contrat punitif) correspond le passage d'une dimension culturelle à une autre (culture sexuelle en culture alimentaire).

4. L'établissement d'équivalences entre différents codes nous permet, d'autre part, de mieux comprendre certains procédés stylistiques de la narration. Ainsi, les deux éléments constitutifs de la nature des protagonistes — et qui, au niveau du code sexuel, correspondent à la nature mâle et la nature femelle — se trouvent entre eux dans une relation que l'on peut généraliser sous forme de la catégorie *agent* vs *patient*. Ceci permet d'interpréter les inversions de rôles que l'on peut observer dans les épisodes de chasse :

a) en tant que *crus*, les acteurs sont des *chasseurs* (chasse aux lézards, chasse au cerf);

b) en tant que *pourris*, ils sont *chassés* (par les vautours, par le cerf).

On peut revenir maintenant à l'analyse laissée en suspens et relire l'épisode de la chasse finale : si le père, en tant que chasseur, affirme bien sa nature de *cru*, le renseignement rapporté par l'adjuvant-décepteur mea sur l'endroit où il se trouve aux aguets, le transforme en être chassé, c'est-à-dire, en *pourri*. La victoire du cerf, armé de faux andouillers (= bois frais) rend compte, par conséquent, de la transformation qui apparut comme la dénégation du pourri, corrélative de l'affirmation du frais.

4.7. QUALIFICATION ET DISQUALIFICATION.

Il nous reste à examiner la dernière séquence qui consacre la disjonction du père-traître (non V + M) de la communauté. On a déjà noté que le statut du père est, à cet endroit du récit, symétrique à celui du fils à la suite du viol : *a*) du point de vue du contenu, ils se définissent tous les deux comme agents de la mort, comme à la fois crus et pourris; *b*) du point de vue de la structure syntagmatique du récit, ils sont objets de vengeance, donc obligés d'exécuter un contrat-punition. Il en résulte que les séquences « expédition au nid des âmes » et « immersion dans le lac », consécutives des deux disjonctions, doivent être, en principe, comparables. On peut alors tenter de les juxtaposer et de les interpréter simultanément, en mettant en évidence les identités et les différences.

> *Remarque :* Du point de vue des techniques de description, nous cherchons à valoriser ainsi la procédure du *comparatisme interne* au récit : nous l'avons déjà pratiquée, en analysant successivement les deux aspects de la liquidation du manque (en tant que quête, et en tant que don).

Expédition au nid des âmes	*Séquence finale*
Disjonction à la suite d'une victoire — de la société anti-culturelle	Disjonction à la suite d'une défaite — de la société culturelle
Conjonction avec les esprits aquatiques — en vue d'une position disjonctive (combat)	Conjonction avec les esprits aquatiques — en vue d'une position conjonctive (intégration)
Qualification du héros	*Disqualification du héros*
Procédure analytique : articulation en éléments constitutifs par adjonction (sous forme d'adjuvants)	Procédure analytique : articulation en éléments constitutifs par disjonction (désarticulation)
1. *Oiseau-mouche*	1. *Ossements*
Disjonction maximale par rapport aux esprits aquatiques (haut) (anti-eau = feu = vie absolue)	Conjonction maximale par rapport aux esprits aquatiques (bas) (ossements = esprits aquatiques = mort absolue)

2. *Pigeon* Disjonction par rapport au pourri (pigeon = destructeur de l'eau mortelle)	2. *Poumons — Plantes aquatiques* Conjonction avec le pourri (le lac-marais est la manifestation du pourri)
3. *Sauterelle blessée* Disjonction par rapport au cru : *a*) affirmation du cru : sauterelle = destructeur des jardins = sécheresse = feu mortel *b*) possibilité d'affirmation du frais : la blessure, par les esprits aquatiques, est la négation du cru absolu	3. *Piranha* Conjonction avec le cru : *a*) affirmation du cru : piranha = pourri = feu mortel *b*) conjonction des identités : la partie crue du héros est absorbée et non remplacée (cf. cannibalisme des vautours)
Conséquences Acquisition complémentaire, par le héros, des qualités en opposition avec sa nature : possibilité de la culture humaine	*Conséquences* Identification des qualités du héros avec celles de la nature : possibilité de l'anticulture non humaine

Commentaire.

La procédure comparatiste qui a exploité les données contextuelles au niveau des lexèmes a permis de dégager l'articulation générale des deux séquences :

a) On a vu que la disjonction du héros par rapport à la société des hommes a pour conséquence sa conjonction avec la société des esprits. Il en résulte la confrontation de la nature du héros avec les qualités correspondantes de la surnature.

b) Les deux héros, identiques quant à leur nature, auront pourtant un comportement différent. Cette différence ne peut provenir que de leur statut syntagmatique en tant qu'actants-sujets qui se trouve polarisé de la manière suivante :

Sujet-héros	*Sujet-héros*
chargé d'une potentialité *de vie*	chargé d'une potentialité *de mort*
héros victorieux	héros défait
à la conquête d'une culture	à la conquête d'une anti-culture
provoque les épreuves	subit les épreuves
acquiert des qualités	perd des qualités
qu'il arrache aux esprits	qu'il transmet aux esprits

c) Une telle analyse se maintient cependant au niveau lexématique et apparaît, de ce fait, insuffisante. La description cherche à atteindre le niveau de l'articulation sémique des contenus et à rendre compte des transformations sous-jacentes aux séquences narratives. Les questions qui se posent dès lors sont les suivantes : à quoi correspond, au niveau des transformations structurelles, la qualification du héros? Quelles transformations comporte, de son côté, la disqualification du héros?

4.8. LA QUALIFICATION DU HÉROS.

Selon les prévisions fournies par le modèle narratif, la séquence qui s'intercale entre le départ du héros et l'affrontement de l'épreuve principale est destinée à *qualifier* le héros, c'est-à-dire à lui ajouter des qualités dont il était dépourvu et qui le rendront capable de surmonter l'épreuve. Cependant, si l'on considère la composition sémique du contenu de notre héros avant et après la qualification, on n'y trouve pas de différence notable : le héros est, dans un cas comme l'autre, *cru* + *pourri*.

En quoi consiste dans ce cas la qualification? Il semble bien qu'elle ne peut résider que dans l'acquisition des qualités virtuelles qui, tout en étant contradictoires et complémentaires par rapport à sa nature, confèrent cependant au héros le pouvoir d'affirmer et de dénier, le transforment en *méta-sujet des transformations dialectiques* (ce qu'indiquent, imparfaitement, les désignations telles que « maître du feu » ou « maître de l'eau »). Le héros qualifié comporterait donc, dans sa nature, et son contenu propre, et les termes contradictoires susceptibles de le nier. Ce n'est qu'à la suite de sa qualification qu'il deviendrait vraiment un *médiateur* dont le contenu catégorique serait *complexe*, subsumant en même temps les termes *s* et *non s* de chaque catégorie. — Le caractère hypothétique de nos formulations provient, on s'en doute, de l'absence quasi totale de connaissances relatives à l'articulation du modèle narratif en cet endroit, et nos efforts tendent davantage à détecter les propriétés structurelles du modèle qu'à interpréter correctement la séquence.

1. Le héros qui est *pourri* (M) au moment où il entreprend la première épreuve qualifiante, ne peut s'opposer aux esprits aquatiques qui, eux aussi, comportent la détermination M. L'affrontement nes't possible que grâce à l'adjuvant *oiseau-mouche* qui, du fait de sa

disjonction maximale par rapport à l'eau (mais aussi parce qu'il est non-buveur et très souvent « maître du feu ») représente le terme diamétralement opposé à M, c'est-à-dire le terme V. Par l'adjonction à sa nature de la propriété V, définissant l'adjuvant oiseau-mouche, le héros se transforme en terme complexe *M + V*, c'est-à-dire, en un être ambigu, médiateur entre la vie et la mort. C'est cette nature complexe qui lui permet ensuite d'apparaître comme un *pigeon*, c'est-à-dire à la fois un consommateur et un négateur du pourri. Ceci nous permet de dire que le héros est, à ce stade,

Statiquement	*Dynamiquement*
$\mathrm{M} + \mathrm{V}$	$\overline{\mathrm{M}}$

où le signe de la négation indique le pouvoir que possède la vie de dénier la mort. En termes quotidiens, cela veut dire que le héros est devenu le maître éventuel de l'eau maléfique.

2. Le héros, qui est en même temps *cru* (non V), s'identifie à son tour avec la *sauterelle*, destructrice des jardins qui, eux-mêmes, ne sont possibles que grâce à l'eau bénéfique. A ce titre il est *blessé* par les esprits aquatiques, c'est-à-dire rendu inapte à détruire complètement les effets de l'eau bénéfique. En tant que *sauterelle blessée*, le héros voit le terme cru de sa nature se transformer en terme complexe *non V + non M*, il est, dans le second aspect de sa nature,

Statiquement	*Dynamiquement*
$\text{non V} + \text{non M}$	$\overline{\text{non V}}$

(la négation indique le pouvoir de l'eau vitale de dénier le caractère absolu du feu mortel).

3. Le protocole de la transcription des contenus comportant des catégories complexes et de leurs transformations n'étant pas établi, nous dirons naïvement que le héros qualifié se présente soit comme

$$(\mathrm{M} + \mathrm{V}) + (\text{non V} + \text{non M})$$

soit comme dénégateur des contenus « mortels » :

$$\overline{\mathrm{M}} + \overline{\text{non V}} = \overline{(\mathrm{M} + \text{non V})}$$

Cette dernière transcription visualise mieux la permanence de la nature « mortelle » du héros, à laquelle est venue se surajouter une seconde nature qui en fait un méta-sujet.

4.9. LA CULTURE « NATURELLE ».

La disqualification du père, héros de l'aventure aquatique, est due essentiellement à son manque de combativité, à son statut de héros défait qui court à la mort. L'épisode sous l'eau correspond, on le sait, au double enterrement (de la chair et des os) pratiqué par les Bororo. Au lieu d'acquérir de nouvelles propriétés qui le qualifieraient, le héros se divise et conjoint chacun des termes définissant sa nature avec le terme correspondant dans le monde des esprits. A la *conjonction des termes contradictoires* qui caractérise la qualification, correspond ici la *conjonction des termes identiques*, c'est-à-dire la neutralisation du sens. La symétrie se trouve maintenue une fois de plus : le terme *neutre* de la structure élémentaire de la signification est en effet symétrique du terme *complexe*.

Les possibilités offertes par le comparatisme ainsi exploitées, on peut s'interroger maintenant sur la signification de la séquence en tant que *contenu corrélé* à la partie topique positive du mythe. Les deux contenus, topique et non topique, expriment l'instauration d'un certain ordre sur deux dimensions différentes de l'univers mythologique. Il nous reste donc à répondre à deux questions : quel est l'ordre ainsi instauré, corrélatif de l'institution de la culture alimentaire? Quelle est la dimension où se trouve situé cet ordre?

1. La rencontre du héros avec les piranhas équivaut à la fois à une analyse et à une dislocation de sa nature : elle disjoint d'abord absolument deux éléments constitutifs de cette nature : le *cru* est accepté et conjoint avec la nature crue des piranhas; le *pourri* est rejeté et va se conjoindre avec d'autres éléments. Cette disjonction n'est autre chose que l'éclatement du *concept synthétique* (non V + M) qui définit toute anti-culture; si la culture vient d'être instituée comme une synthèse, l'anti-culture, elle, se trouve désorganisée :

Culture		*Anti-culture*
(V + non M)	vs	(non V *vs* M)

On entrevoit ainsi que l'institution d'un ordre anti-culturel ne peut être que la disjonction maximale des termes dont le rapprochement menacerait la culture.

2. C'est à cette lumière qu'il convient d'interpréter la suite des

événements. Le pourri, disjoint du cru, se manifeste sous deux formes (ossements *vs* poumons) : d'une part, dans un mouvement de descente, il va rejoindre le séjour des âmes et s'y conjoindre dans une survie mortelle; d'autre part, dans un mouvement ascensionnel, le pourri « surnage », c'est-à-dire, se sépare de l'eau pour apparaître, dans une première métamorphose, sous forme *végétale*, comme une plante aquatique.

Or il semble que les Bororo savent fort heureusement, que l'ascension verticale du pourri ne s'arrête pas là et que c'est sous forme d'un *Bouquet de Fleurs* — par la voie métaphorique qui est l'affirmation et la conjonction d'identités — qu'il se fixe au ciel et constitue la constellation des Pléiades. La disjonction du cru et du pourri se trouve ainsi consolidée à l'aide d'une inversion spatiale disjonctive : le feu maléfique, d'origine céleste, est maintenu dans l'eau et incarné dans les piranhas; l'eau maléfique, d'origine souterraine, est projetée dans le ciel, sous forme de constellation d'étoiles.

3. La réorganisation de la nature — (le terme exact pour la désigner serait la culture naturelle : elle est en effet la nouvelle dimension mythologique que nous essayons de définir) — ne s'arrête pas là. On pourrait suggérer que le frais, défini précédemment en termes de culture culinaire, subit la même transformation et se trouve projeté au ciel : la *Tortue* terrestre, « maître du frais », en sa qualité de mange-pourri, s'y fixe sous la forme de la constellation du Corbeau. L'eau mortelle et l'eau vitale se trouvent ainsi réunies au ciel. Deux précisions peuvent être ajoutées pour expliquer la nouvelle disposition : *a*) la relation entre la Tortue (non M) et le Bouquet de Fleurs (M) est, ne l'oublions pas, celle d'obligations contractuelles établies entre le destinateur (fils) et le destinataire (père) chargé d'une mission de rachat; et la nature malfaisante est subordonnée à la nature bienfaisante; *b*) le héros n'a pu quitter la terre que parce qu'il y a laissé son jeune frère, apparu par la procédé de duplication au moment même du retour du héros : le mea remplirait donc sur terre les fonctions du protecteur du feu des foyers (V), tout en restant conjoint, par les liens du sang, à l'eau bienfaisante (non M). — Reste la dernière disjonction, complétée d'une inversion spatiale, celle du feu maléfique et bénéfique; le premier est maîtrisé, parce qu'il est fixé dans l'eau (piranhas), le second, est présent sur terre, car sa conjonction avec l'eau serait néfaste.

4. Il en résulte que l'instauration de la culture naturelle consiste dans l'inversion topologique de l'ordre de la nature. En utilisant deux catégories dont l'une est topologique (haut *vs* bas) et l'autre biologique (vie *vs* mort), la « civilisation » de la nature consiste dans l'encadrement des valeurs naturelles dans deux codes à la fois et qui ne sont isomorphes qu'après inversion des signes :

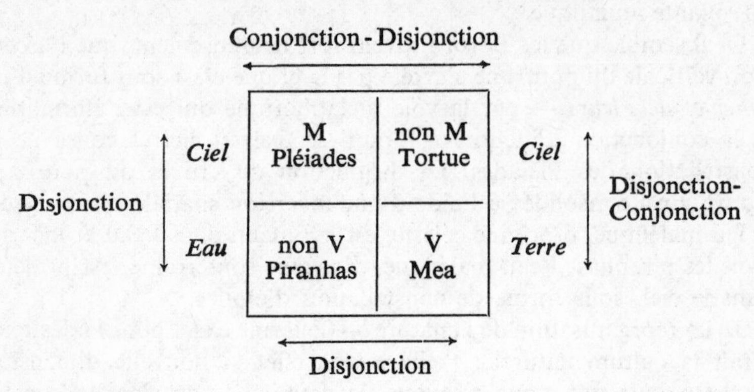

La disjonction topologique fondamentale consiste à séparer les valeurs mortelles (M et non M) renvoyées au ciel, des valeurs vitales (V et non V), situées ici-bas; elle pose ainsi l'impossibilité de l'assertion *M + non V* qui détruirait la culture; et elle ménage toutefois, grâce aux liens de sang, une possibilité de conjonction culturelle *non M + V*. Une deuxième distinction opère la disjonction entre non V, situé dans l'eau, et V, situé sur terre (ces termes sont doublement disjoints, car leur conjonction menacerait la culture); elle entraîne une conjonction spatiale (au ciel) entre M et non M, parce que celui-ci se trouve dans une relation de subordination culturelle.

En somme, la culture naturelle, en introduisant un nouveau code, consolide le caractère discret des valeurs naturelles; elle affirme l'impossibilité des conjonctions « contre nature » et la possibilité de certaines autres relations « selon la nature ». Elle pourrait être notée symboliquement comme

$$(\text{non } M \rightarrow M) \quad \text{vs} \quad (\text{non } V \text{ vs } V)$$

Remarque : Les limites de cette étude ne permettent pas d'insister sur le caractère *discontinu* (et singulier) des valeurs culturelles (Tortue, Mea) qui les opposent au caractère *continu* (et pluriel) des valeurs non culturelles (Bouquet de Fleurs, Piranhas); ni sur l'instauration de l'ordre diachronique des saisons qui résulte des relations de subordination syntagmatique entre non M et M. C. Lévi-Strauss est suffisamment explicite là-dessus.

5. LA STRUCTURE DU MESSAGE

Nous présentons, sous forme d'un tableau, les principaux résultats obtenus dans l'interprétation de ce mythe bororo :

Contenus	inversés		posés	
	corrélés	topiques		corrélés
Résultats des transformations	non V + M	M + non V	V + non M	$\frac{\text{non M} \rightarrow \text{M}}{\text{non V vs V}}$
Dimension culturelle	sexuelle	culinaire		naturelle
Perspective stylistique	consommateur	objet de consommation		producteur

POST-SCRIPTUM.

Nous ne pouvons pas passer sous silence, pour des raisons déontologiques, le fait que Claude Lévi-Strauss, à la lecture de ce texte, a exprimé des réserves concernant notre interprétation des faits mythiques bororo et, plus particulièrement, de ceux relatifs aux séquences initiale et finale du récit. Étant donné que notre compétence dans ce domaine, plus que limitée, ne peut se mesurer à la sienne, le lecteur est ainsi prévenu contre une adhésion complète à notre interprétation d'un mythe occurrence. Nous maintenons toutefois le principe utilisé comme hypothèse interprétative : il existe une corrélation entre les contenus topiques du récit et les contenus manifestés dans les séquences périphériques.

La quête de la peur[1]
réflexions sur un groupe de contes populaires

REMARQUES PRÉLIMINAIRES

Les réflexions qui suivent se présentent sous la forme d'une pré-analyse et ne peuvent être considérées que comme des suggestions ou des hypothèses. Elles sont orientées dans deux directions différentes :

a) elles cherchent à accroître notre connaissance des modèles narratifs;

b) elles désirent apporter quelques éléments au problème, difficile et délicat, des relations qui peuvent exister entre folklore et mythologie.

Le corpus sur lequel s'appuient ces réflexions est constitué par trente-trois variantes du conte populaire lithuanien qui a pour thème les aventures du Héros sans Peur[2]. Ce thème fort répandu fait partie de l'imagerie et de l'affabulation populaires de l'ensemble de l'Europe : ceci nous dispense de présenter ici le texte du conte lui-même, et nous permet du supposer que les considérations relatives à la structure narrative ont une portée plus générale. Dans la mesure, pourtant, où le contenu proprement « merveilleux » ou mythique du conte est envisagé, les conclusions qui en sont parfois tirées ont un caractère restrictif et ne s'appliquent qu'au contexte culturel lithuanien : si des extrapolations, ou des rapprochements avec des faits appartenant à

1. Texte écrit pour un hommage à Claude Lévi-Strauss, à paraître.

2. Cinq variantes de ce conte se trouvent dans l'ouvrage de J. Basanavičius, *Apie gyvenima véliu bei velniu*, Chicago, 1905. Nous devons le reste des variantes à l'obligeance de l'Institut de Langue et Littérature Lithuaniennes de l'Académie des Sciences de Lithuanie dont les archives possèdent vingt-sept autres variantes manuscrites. Une dernière variante a été publiée, en traduction polonaise, par M. Dowojna Sylwestrowicz, *Podania Żmuidzkie*, t. II, p. 419.

l'aire européenne ou à la mythologie indo-européenne sont parfois possibles, ils sortent du cadre de cet essai [1].

1. LA STRUCTURE NARRATIVE

Un des moyens d'explorer un domaine inconnu, c'est évidemment, de partir du connu. Or, ce que nous connaissons encore le mieux dans le domaine du conte populaire nous vient de Propp, qui a analysé le groupe de contes russes traditionnellement réunis sous la désignation de contes merveilleux. Et ce caractère de « merveilleux », le petit groupe de contes sur lesquels porte notre réflexion le possède en commun avec les contes explorés par Propp : on pourrait penser que notre conte n'est qu'un sous-groupe du genre « merveilleux ». Malheureusement le caractère merveilleux lui-même des contes n'a pu être décrit, en fait, par Propp, faute de connaître suffisamment leur code (l'univers sémantique dont ils relèvent), à quoi il faut ajouter qu'une des originalités de l'analyse de Propp consiste précisément dans la définition formelle du conte (considéré comme un genre particulier, comme un des types possibles de la structure narrative), indépendamment de son contenu.

En cherchant à exploiter la découverte de Propp, nous avons tenté de dégager les principales catégories sémantiques qui donnent son cadre formel à la structure narrative [2]. Aussi sera-t-il utile de reprendre une à une les principales catégories reconnues, pour voir comment elles se comportent dans le récit des exploits du Héros sans Peur.

1.1. LE HÉROS ET L'ORDRE SOCIAL.

La situation initiale du conte merveilleux semble comporter un certain nombre de constantes :

1. Nous avouons notre ignorance du contenu de l'important ouvrage que M. M. Ivanov et Toporov ont consacré à la mythologie biélo-russienne, très proche de la lithuanienne.

2. Cf. notre *Sémantique structurale*, Paris, Larousse, 1966, et surtout les trois derniers chapitres traitant des structures narratives.

1. S'y affirme l'existence d'un ordre social, manifesté par la distinction entre les classes d'âge, et fondé sur la reconnaissance de l'autorité des anciens.

2. Elle est caractérisée par la rupture de cet ordre, due à la désobéissance des représentants de la jeune génération (mais non du héros lui-même) et par l'apparition consécutive d'un malheur, d'une aliénation de la société.

3. Le rôle du héros — un individu qui se détache ainsi de la société — consiste à se charger d'une mission, avec le but de supprimer l'aliénation et de rétablir l'ordre social perturbé.

Considéré sous cet angle, le conte étudié par Propp apparaît comme faisant partie d'une *sous-classe de récits* (contenant également les récits mythiques, littéraires, ou simplement les histoires que l'homme se raconte à lui-même) que l'on peut désigner comme des récits de la restauration de l'ordre social.

Par rapport à cette sous-classe, le conte du Héros sans Peur présente des différences assez marquées :

1. Il comporte bien, d'abord, l'affirmation d'un ordre social fondé sur l'autorité au sens large : obéissance aux anciens et peur du sacré.

2. Seulement cet ordre social, s'il est rompu, ne l'est pas par la jeune génération, mais par la conduite insolite du héros dont le caractère asocial est très nettement marqué. Il serait peut-être plus juste de dire qu'en fait on ne voit ni la rupture de l'ordre social ni les conséquences fâcheuses qui en découleraient. La rupture et l'aliénation ne se situent pas au niveau de la société, mais au niveau de l'individu : la non reconnaissance (dans laquelle il vit) de l'autorité profane et sacrée est éprouvée par le héros comme un manque, comme une aliénation; elle constitue ainsi le ressort du récit, qui se présente comme une quête de l'autorité à reconnaître.

3. Le héros, dépourvu de fonction sociale, cherche à supprimer sa propre aliénation, à retrouver le principe de l'ordre dans lequel il pourrait s'intégrer.

Le Héros sans Peur ne cherche donc pas à restaurer l'ordre social, mais à trouver un ordre du monde.

1.2. L'ABSENCE DU CONTRAT ET LA QUÊTE DU DESTINATEUR.

Il résulte de ces données initiales une transformation importante et prévisible de la structure du récit.

Le récit de la *restauration* de l'ordre social s'organise, nous l'avons vu, sur deux axes sémantiques fondamentaux :

1. Le destinateur (autorité sociale qui charge le héros d'une certaine mission de salut) investit le héros du rôle de destinataire, et établit ainsi une relation contractuelle, étant entendu que l'accomplissement du contrat sera sanctionné par une récompense (le récit épousant ainsi la forme, plus générale, de l'échange).

2. Le contrat institue l'axe de la quête, manifestation narrative du désir du sujet d'atteindre l'objet; il explique ainsi la présence du corps du récit qui s'articule comme une activité programmée.

Le récit qui cherche à instaurer un ordre *nouveau* se présente autrement :

1. Que le *héros* parte à l'aventure de son propre gré, ou qu'il soit chassé de chez lui sans mission, cela montre l'absence du destinateur et prive le héros de sa qualité, normalement requise, de destinataire. L'axe *destinateur* vs *destinataire* n'est donc pas manifesté et ne peut fonder la quête. Le héros est ainsi, en quelque sorte, l'incarnation de la volonté et de la pure liberté d'agir.

2. La primauté de l'axe *sujet* vs *objet* ne peut que provoquer des syncrétismes d'actants dont le narrateur est le premier à souffrir. Ainsi le héros sans contrat devient-il son propre destinateur : lors de ses exploits, non seulement il refuse la récompense (ne qualifiant pas ainsi les destinateurs accidentels), mais il récompense lui-même ceux qui lui indiquent où il peut trouver la peur. Il y a donc syncrétisme du sujet et du destinateur. Par ailleurs, que l'objet de la quête soit la peur signifie que le sujet cherche quelque chose ou quelqu'un qui — métonymiquement ou directement — lui fasse peur, c'est-à-dire quelqu'un dont il puisse reconnaître l'autorité. Sa quête est en somme la quête du destinateur : il y a donc syncrétisme de l'objet et du destinateur.

En poursuivant ce raisonnement, on peut dire que le désir de trouver le destinateur implique celui de devenir destinataire : la quête est donc celle du contrat.

1.3. L'ÉPREUVE : VICTOIRE OU ÉCHEC.

L'analyse par Propp de la structure narrative a dégagé l'existence, à côté du contrat, d'un autre syntagme narratif fondamental : l'épreuve. Une fois parti en quête, le héros accomplit une série de performances qui, graduées d'une certaine manière, doivent aboutir à la victoire que suit l'appropriation de l'objet d'aliénation. Notre sous-groupe de contes possède sans aucun doute cette structure syntagmatique élémentaire située sur l'axe du désir : le désir constitue, en effet, sur le plan du comportement extérieur, la raison d'être de la combativité de notre héros et de sa volonté de vaincre. Pour être vraiment le héros, il doit désirer vaincre et même, dans le genre de récits auquel nous nous référons, être victorieux.

Or, la peur est l'objet de sa quête et les épreuves qu'il recherche sont toutes conçues pour lui faire peur. L'opposant, dans ces épreuves, ne peut être que l'éventuel destinateur (ou son émanation, sa manifestation hyponymique). La situation à laquelle aboutit le récit est donc paradoxale : le héros se trouve en présence de deux exigences contradictoires; il doit désirer la victoire, mais, une fois victorieux, il n'atteindra pas l'objet de sa quête; pour accomplir sa tâche, il se doit d'être vaincu; mais, s'il est vaincu, il cesse d'être héros. Deux principes régissent simultanément ce genre narratif : *a*) le caractère héroïque du héros (règle de la structure actantielle) *b*) la nécessité, pour le récit, d'avoir une fin, c'est-à-dire d'accomplir l'épreuve par l'obtention de l'objet (règle de la structure fonctionnelle); et les deux principes semblent, dans ce cas, s'exclure mutuellement.

Le problème est, à première vue, sans solution, et l'on peut même se demander si le genre de récits envisagé est propre à la manifestation de contenus comme ceux-ci. Nous y reviendrons.

Il faut noter en tout cas l'embarras du narrateur mis devant cette contradiction. Nous avons eu l'occasion de voir par ailleurs[1] en nous plaçant au point de vue du narrateur, que la génération du récit l'oblige à tenir compte à la fois des compatibilités et des incompatibilités entre ce début et la fin du récit, et qu'il est plus difficile de tenir compte de la fin que du début, ne serait-ce que parce que le nombre de variables à dominer est plus élevé.

1. Cf. plus loin *la Structure des actants du récit*.

Il est normal, par conséquent, que la plupart des variantes de notre conte *préfèrent le héros victorieux à sa victoire finale* (c'est-à-dire, en somme, à son échec) et que le conte subisse pendant le processus de narration une déviation qui fait oublier l'objet de la quête, en même temps que sa finalité : le *Héros*, victorieux de Velnias (≃ du diable), est récompensé de sa réussite et obtient la fille du roi et les rênes du pouvoir. Seules six variantes sur les trente-trois connues se souviennent du but que le Héros s'était assigné, et ajoutent au récit une séquence-épilogue sans rapport — au niveau de la structure narrative superficielle — avec le récit lui-même, mais qui essaye de sauver, de cette façon non canonique, sa structure profonde.

On voit que l'inversion de la situation initiale qui provoque la permutation syntagmatique des structures narratives — en plaçant le contrat après, et non avant l'épreuve — a pour résultat de susciter les contradictions structurelles et aboutit finalement à l'échec du récit considéré dans son statut formel.

1.4. L'ESPACE HÉROÏQUE : LE MERVEILLEUX OU LE MYTHIQUE?

Un dernier élément structurel qui entre dans la définition du récit en tant que genre : la disjonction spatiale. Le récit est nécessairement situé sur deux isotopies différentes et disjointes : le lieu où est établie la société et le lieu où le héros accomplit ses performances. Cet espace héroïque — où se situe d'ailleurs presque tout le « merveilleux » du conte analysé par Propp — est un espace clos et se trouve délimité par une deixis sociale que marque le retour du héros. Par rapport à un *ici* social, c'est un *ailleurs* qui permet l'isolement du héros et l'accomplissement des transformations de valeurs, qui se répercutent ensuite à son retour sur l'être axiologique de la société.

Le sous-groupe de contes que nous considérons est, au contraire, caractérisé par le non retour du héros. A quelques exceptions près, le départ du héros est définitif, quelle que soit la solution finale que le narrateur trouve pour arrêter le conte. Ceci est d'ailleurs cohérent puisque le héros est le négateur des valeurs sur lesquelles est fondée la société : l'autorité profane représentée par le père et l'autorité sacrée dont le détenteur, le prêtre, n'est qu'un simulateur déceptif. Il lui manque, d'autre part, pour être un héros ésotérique, le désir de transformer la société.

Nous avons vu qu'il en résulte, sur le plan de la narration, une déviation du récit qui, étant donné un héros sans contrat et sans engagement de retour, ne peut qu'engendrer un deuxième conte sans relation avec le premier. Mais ce second récit, ainsi détaché, a du même coup perdu sa finalité. Les performances du héros — bien qu'agencées d'une variante à l'autre, selon certains principes simples de gradation — apparaissent de ce fait comme des épisodes discontinus que l'on pourrait disposer en une seule chaîne, comme des « faits et gestes » gratuits d'un héros (dont les activités constituent un éventail de manifestations prédicatives illustrant sa façon d'être permanente et renvoient à sa « nature »), et non plus comme des épreuves exprimant, d'une manière anthropomorphique, les transformations de contenus topiques. Autrement dit, le second récit, situé sur l'espace héroïque, semble se prêter davantage, si l'on réunit l'ensemble des variantes connues, à une analyse qualificative, taxinomique, qu'à une analyse fonctionnelle et idéologique.

Aussi peut-on se demander si l'inversion syntagmatique déjà constatée n'a pas pour corollaire une transformation comparable des valeurs accordées aux deux isotopies du récit; et si l'espace clos du récit n'est pas celui du bref séjour du héros dans la société humaine où il aurait pour fonction de rappeler, par la négation des valeurs établies, l'existence d'un autre système de valeurs possible. Le « merveilleux », qui est un ailleurs, prendrait ainsi la signification d'un mythique omniprésent.

Sans aller aussi loin, on formulera l'hypothèse suivante : le conte que nous considérons possède un contenu mythique, antérieur ou diffus, manifesté à l'aide de structures narratives conventionnelles qui ne lui sont pas entièrement adaptées. L'ensemble des séquences du récit, situées dans l'espace mythique du conte (considéré dans la totalité de ses variantes), constituent les éléments d'un inventaire qui, bien qu'incomplet, doit en principe permettre la reconstitution partielle du code mythologique.

Ainsi donc, en restreignant la portée de nos réflexions au seul contexte culturel lithuanien, nous essayerons de voir quels éléments de l'univers mythique on peut extraire du conte en question et quelles procédures peuvent être employées pour ce faire.

2. L'UNIVERS MYTHIQUE

2.1. L'ESPACE MYTHIQUE.

Le départ du héros l'introduit dans un univers fondamentalement différent de celui qu'il vient de quitter.

1. La différence la plus sensible consiste dans la distribution particulière des êtres humains en classes selon la catégorie *vie* vs *mort*, et qui est de type ternaire : à côté du monde des vivants, il existe un monde des morts et, situé entre les deux, le monde des morts-vivants, des *vélés*, (âmes mortes qui mènent une vie parallèle à celle des vivants et sont dotées d'une présence physique). Outre les *vélés*, participent à cette vie les *velniai* (qui se confondent partiellement avec les diables chrétiens), et leur maître à tous, *Velnias*.

2. Une deuxième caractéristique de cet univers le rapproche des autres univers mythiques : la taxinomie des êtres y reste formelle et non nécessaire : car si les classes d'êtres existent en soi, les êtres particuliers sont susceptibles de passer d'une classe à une autre (ainsi les vivants passent par enchantement dans la classe des morts-vivants, les morts-vivants dans la classe des morts, et inversement). Ces transformations ne dépendent pas du bon vouloir des êtres eux-mêmes, mais uniquement du pouvoir de deux protagonistes du conte : Velnias (et, par délégation du pouvoir, ses acolytes) et le Héros sans Peur.

La frontière qui sépare le monde des vivants du monde des *vélés* peut être tracée à l'aide de catégories temporelles (*nuit* vs *jour*) ou spatiales (*haut* = le monde sous le soleil vs *bas* = le monde souterrain), ou de diverses combinaisons de catégories. Cette frontière reste en tout cas relative : quand un homme rencontre en plein jour un autre homme, il ne sait pas à qui il a affaire : à un vivant, à une *vélé* ou à un *velnias*. Le seul critère qui semble pertinent pour distinguer un vivant est la peur qu'il a des non-vivants. De ce seul point de vue, le héros, qui n'a peur de rien, n'appartient pas à la classe des vivants. Bien plus : il est celui qui nie délibérément et en toute circonstance l'existence de la frontière entre les deux mondes; son comportement est le même avec tous : ni les apparences étranges, ni les actions anormales ne l'étonnent; et les paroles qu'il adresse sont toujours marquées d'un parti-pris de normalité. Le héros participe donc à une double vie; la disjonction de la vie et de la mort ne le concerne pas.

Une telle conception de la vie et de la mort est conforme à des croyances lithuaniennes encore courantes au XIXe siècle : la participation des vélés à la vie de tous les jours allait de soi; ce monde de l'au-delà était connu par une classe de *voyants* (dont faisaient partie, par exemple, ceux qui étaient nés entre le jeudi saint et le dimanche de Pâques, mais où l'on pouvait entrer par des techniques précises). Le merveilleux du conte populaire se confond donc entièrement avec le réel mythique; la nouveauté du conte ne réside même pas dans le fait que le héros puisse pénétrer dans cet univers mythique, mais dans les pouvoirs considérables qu'il y détient sans aucune qualification préalable. Il nous semble que ce fait constitue un argument en faveur de l'hypothèse proposée (*cf.* 1.4.).

2.2. DU BON USAGE DES STRUCTURES NARRATIVES.

L'espace dans lequel évolue le héros se présente comme un univers en grande partie pré-chrétien ou n'existent ni l'opposition dualiste de la vie et de la mort, ni la fixité des classifications ontologiques; on peut essayer de voir si le comportement du héros et de ses opposants permet d'en approfondir la connaissance.

La procédure qu'on adoptera dans une telle analyse préliminaire consistera :

1° à ne considérer les séquences narratives qu'en elles-mêmes, indépendamment de leur place dans chaque conte-occurrence et de la signification fonctionnelle qu'elles acquièrent de ce fait, et à réunir les séquences comparables dispersées dans différentes variantes, afin d'en constituer (à la manière de l'analyse de la chaîne pratiquée en linguistique) une séquence unique la plus longue et la plus complète possible;

2° à n'utiliser que partiellement l'organisation séquencielle du récit, pour expliciter le code et non le message.

Un coup d'œil superficiel sur les agencements typiques des contes-variantes permet de reconnaître deux sortes d'organisations séquencielles : *a*) la structure binaire : le héros rencontre d'abord les *vélés* et ensuite seulement doit faire face à *velniai; b*) la structure ternaire qui se manifeste sous la forme, bien connue, de triplications, le héros devant, par exemple, passer trois nuits successives dans un endroit et y subir une série d'épreuves graduées.

Dans le premier cas, le crescendo du récit peut être interprété taxinomiquement comme la manifestation d'une relation hiérarchique entre les *vélés* et les *velniai* et permet ainsi de distinguer une classe des maîtres de cet univers, dans le second cas, le procédé de triplication — avec sa signification paradigmatique de totalité et syntagmatique, d'achèvement — indique nettement que la dernière épreuve subsumera les précédentes et apportera la solution décisive.

Or, dans les récits à triplication, même si les épreuves des nuits précédentes se trouvent différemment distribuées d'une variante à l'autre, la troisième nuit est consacrée à la confrontation du héros avec Velnias. Cela nous suffit pour considérer que le Héros sans Peur est situé hiérarchiquement sur le même plan de puissance que Velnias, maître jusqu'alors incontesté de l'univers où se trouvent les deux protagonistes.

Il en résulte une conséquence pratique pour la poursuite de l'analyse : au lieu de chercher, parmi les différentes séquences, lesquelles représentent l'état archaïque et lesquelles sont les versions modernes du conte — tâche qui peut se révéler nécessaire, mais qui introduit des critères historicistes et, avec eux, des difficultés qui rebutent souvent les chercheurs —, il suffira de choisir ceux des contes qui situent à leur point culminant la lutte du héros avec Velnias; quitte à compléter ensuite, par la procédure indiquée au début de ce paragraphe, les différentes séquences du groupe de variantes constituant notre conte de référence.

2.3. DEUX MAITRES ÈS ARTS.

L'épisode relatant la rencontre du Héros avec Velnias (en cinq variantes très proches l'une de l'autre) frappe par son caractère inattendu et presqu'insolite. Résumons-le brièvement.

1. L'épiphanie de Velnias est à l'opposé de l'habituel pandemonium d'inspiration chrétienne : Velnias est un vieillard de haute stature,

parfois un géant, portant une longue barbe blanche qui lui descend jusqu'aux genoux.

2. L'épreuve pour laquelle ils se mettent préalablement d'accord a lieu dans une forge souterraine, et non pas dans le lieu enchanté où se situait l'attente du héros : la confrontation exige donc une véritable disjonction spatiale.

3. Le contrat conclu entre les protagonistes prévoit qu'en cas de la défaite du héros, Velnias lui livrera le secret de la peur, mais qu'il devra le payer de sa mort. Le héros accepte le contrat, sans que cela affecte en rien son désir de vaincre : *Velnias* reconnaît d'ailleurs que la connaissance de la peur, sanctionnée par la mort, ne relève pas du monde sur lequel il règne.

4. L'affrontement sera une épreuve de force : mais, d'un commun accord, la lutte à bras nus se trouve éliminée au profit d'une confrontation médiatisée à l'aide d'un outillage : la hache (ou le marteau) et l'enclume. Or le héros, dans de nombreuses variantes, est présenté comme un forgeron; la forme de la lutte choisie non seulement met les combattants à égalité, mais indique qu'ils partagent la même sphère d'activité et de puissance.

5. Le héros sort vainqueur de l'épreuve non parce qu'il enfonce plus profondément l'enclume dans la terre, mais parce que la barbe du vieillard se trouve prise dans la fente qu'il a pratiquée à l'intérieur de l'enclume. La victoire ne provient donc ni d'une force physique supérieure ni d'une quelconque opération magique, mais de la seule ingéniosité du héros.

On a l'impression d'assister à un affrontement de deux maîtres forgerons dont les manifestations de puissance sont comparables et dont les domaines d'activité empiètent l'un sur l'autre.

2.4. HÉROS CULTUREL.

C'est en pensant à cet affrontement qu'il faut considérer les événements des nuits précédentes. Les performances du héros apparaissent dès lors beaucoup plus comme des démonstrations d'un certain *savoir-faire* que comme des épreuves-luttes. Leur nombre et leur distribution changent d'ailleurs d'une variante à l'autre, c'est pourquoi nous allons prendre comme point de repère les adjuvants que le héros se choisit pour passer trois nuits dans le palais enchanté. Ces adjuvants, qui sont au nombre de trois :

1. le feu
2. l'établi
3. la râpe à polir

correspondent à trois performances du héros; les deux triplications — trois nuits à passer dans le lieu enchanté, trois épreuves à subir — ne se superposent donc pas et laissent l'épisode de la lutte avec Velnias en dehors de la structure de ces performances préparatoires.

La fonction des adjuvants dans l'organisation actantielle du récit consiste à servir de manifestations hyponymiques, d'extériorisations, sous forme d'objets ou d'êtres, des attributs de la nature profonde du héros; ainsi ces trois adjuvants, pris ensemble, se présentent-ils comme des outils d'un maître des arts et métiers, comme des prolongements médiatisants de la puissance propre au héros du monde culturel.

Les épreuves où prennent place ces adjuvants ne font que confirmer cette première impression. La place nous manque pour les rapporter en détail : aussi ne ferons-nous qu'en extraire les éléments qui nous paraissent particulièrement significatifs.

1. L'établi sert au héros à prendre au piège (pour les *tuer* et les jeter dans la mare) deux chats noirs (évidemment des acolytes de Velnias) en y coinçant leurs pattes afin de leur limer les ongles : le héros accepte leur proposition de jouer aux cartes, mais les persuade d'abord, pour des raisons de convenance, de se faire enlever les ongles.

2. La râpe sert à polir les crânes des morts dont les visiteurs insolites de la nuit suivante se servent pour jouer aux boules, avec des tibias pour jetons. Là aussi, avant de participer au jeu, le héros transforme en objets culturels les têtes de mort dont la signification pourrait paraître obscure si l'on ne les rencontrait dans d'autres séquences (la tête est, dans la morphologie mythique du corps, la deixis où l'on situe le principe vital de la *vélé :* pour qu'elle « retrouve la paix », il faut lui couper la tête et la mettre, dans la bière, entre les jambes, sinon elle passe ses nuits à se rouler en hurlant dans le cimetière). Bien que le contexte ne soit pas explicite, on peut supposer que le héros enlève ainsi les têtes de *vélés* à l'emprise des *velniai* et leur rend le repos.

3. Le feu semble jouer le rôle fondamental : l'épisode de la résurrection du mort qui lui est lié, est aussi le plus détaillé; il se retrouve,

isolé, dans de nombreuses autres variantes. Ce feu est celui du foyer; il sert à la préparation du repas nocturne. C'est pendant la cuisson de la viande — en concomitance et ou en contiguïté — que le mort dégringole, par morceaux détachés, de la cheminée : si le héros autorise le mort à tomber, il le prévient toutefois de ne pas tomber dans la casserole, opérant ainsi la disjonction de la *chair cuite* (que se prépare le héros et que mangent les vivants) et de la *chair crue* (la chair humaine — et non les os — étant la nourriture des *velniai*). Le feu, en tant que chaleur, entre, d'autre part, dans la première phase de l'opération de résurrection : le héros, en effet, après avoir recomposé le mort, le met debout pour le réchauffer près du feu (mais la résurrection est due finalement à la chaleur du corps du héros qui se couche à côté du mort dans le lit ou dans le cercueil).

Les adjuvants sont donc les attributs essentiels de la nature du héros : le feu est le principe vital, intériorisé en tant que chaleur vivifiante du corps, mais aussi le moyen de transformation de la nature en culture; les outils sont l'expression de l'ingéniosité et du génie technicien du héros qui exerce un attrait même sur des êtres non humains, et humanise le monde. La nature du héros et la sphère où s'exerce son pouvoir se trouvent ainsi précisées.

2.5. LE MAITRE DE LA VIE ET DE LA MORT.

L'accent mis sur les moyens dont dispose le héros nous a obligé à remettre à plus tard l'interrogation sur le sens qu'il faut attribuer à ses performances. Elles nous sont apparues comme autant de démonstrations d'un savoir-faire. Car d'une part, la performance ne se situe pas au moment du jeu de cartes ou du jeu de boules — qui seraient alors des épreuves simulées —, mais avant le moment de l'affrontement. La résurrection, d'autre part, n'est pas la libération de l'âme, au sens chrétien, reprise aux griffes du diable : le ressuscité en veut au héros et engage la lutte avec lui. Les performances du héros sont des actes gratuits, des manifestations de son pouvoir.

L'agencement des trois épreuves et de la conséquence finale se situe sur un seul axe, et fait apparaître le héros comme le maître de la vie et de la mort. Cet axe est l'axe sémantique sur lequel se situe l'articulation des êtres en classes selon leur mode d'existence; et le héros est le méta-sujet qui opère des transformations, en les faisant passer d'une classe à l'autre. Si la première transformation consiste à envoyer les adjuvants de Velnias à la mort absolue (considérée comme le pôle négatif), la victoire sur Velnias libère de l'enchantement et, par conséquent, transforme les êtres qui se trouvaient à l'état de *vélés* — de morts-vivants — en vivants (la vie se situant au pôle positif). Les deux autres transformations consistent à transgresser la frontière dans les deux sens, entre deux types de morts : le héros rend la mort-repos aux têtes de *vélés*, en transformant les morts-vivants en morts; il lui rend le statut de *vélé* en ressuscitant un mort couché dans son cercueil ou coupé en morceaux. (Le mécontentement de celui-ci et la lutte pour le droit de s'asseoir sur le banc près du feu — une des représentations lithuaniennes communes de la mort paisible — montrent ses origines et ses préférences pour la mort véritable.)

Deux transformations vers la vie, deux autres vers la mort — dont l'une est conforme aux vœux de l'intéressé, et l'autre va contre sa volonté — : cela constitue un ensemble convaincant.

2.6. HÉROS OU DIEU?

Si nous avons surtout insisté ici sur les faits et gestes du héros, en considérant ses comportements comme des signes révélateurs de sa nature, et cherché à approfondir la connaissance de ce champion sans nom dont les seules armoiries sont les actes, c'est que son antagoniste, Velnias, maître de la magie, nous est beaucoup mieux connu. Leur affrontement final prend plus de relief : étant de force à peu près égale, ils occupent, dans la hiérarchie des êtres, un rang comparable. Ce sont deux seigneurs dotés d'un pouvoir suprême, du pouvoir de vie et de mort : lequel reste aujourd'hui encore, pour nos présidents de la république, le symbole évident de la souveraineté. Ce pouvoir se manifeste par le maniement de techniques comparables mais différentes : l'ingéniosité s'oppose à la magie. Chacun possède un domaine propre pour l'exercice de son pouvoir :

l'un domine la vie avant la mort, et le monde solaire,

l'autre, la vie après la mort, le monde nocturne et souterrain; mais chacun empiète sur le domaine de l'autre et y poursuit une lutte, qui n'a pas de raisons de cesser.

Il appartient à d'autres de dire si les éléments du code mythique ainsi dégagés permettent de faire un pas de plus, et de donner à cet ennemi de *Velnias* le nom mythologique de *Perkūnas :* héros qui, lui-aussi, poursuit, selon d'autres sources, un éternel combat contre Velnias. Si cette hypothèse a quelque valeur, les éléments de notre enquête pourraient encore compléter le dossier des comparaisons entre *Velnias* et *Varuna*[1].

3. ÉPILOGUE

3.1. LA RÉCOMPENSE PRÉCÈDE LE CONTRAT.

La grande majorité des variantes de ce conte oublie la situation initiale, et conclut le récit par la victoire du héros, qui devient régent au royaume et gendre du roi. Il existe cependant six variantes qui gardent présente la finalité du conte et permettent au héros de trouver la peur dans une séquence surajoutée, sans rapport narratif apparent avec le corps du récit.

A l'égard de cet épilogue, deux attitudes sont possibles : on peut le considérer comme une rationalisation humoristique, ou comme les débris d'un second volet du récit qui, s'il pouvait être reconstitué, nous livrerait peut-être la clef d'une geste mythique. La minceur des matériaux dont nous disposons, la connaissance insuffisante des éléments du code mythique rendent une telle reconstitution fort hasardeuse. Nous essayerons cependant d'en esquisser les grandes lignes, car l'omission de cet épisode risquerait d'induire en erreur les lecteurs qui n'ont pas accès aux sources lithuaniennes; d'autre part, l'enjeu d'une tentative de reconstruction est considérable : il s'agit de se demander si, à partir des seules données structurelles, on peut ou non prévoir un point de convergence où se situerait une troisième divinité du panthéon lithuanien (on a avancé que ce panthéon devait posséder une structure ternaire, mais ce propos est généralement considéré comme une invention romantique).

1. Cette équivalence nous a été rappelée par R. Jakobson qui l'a reprise à Saussure pour la développer, et que nous remercions ici d'être à l'origine de ces réflexions.

Or, un épisode humoristique qui consiste à faire peur au héros en déversant sur lui, pendant son sommeil, un seau d'eau froide, prend une nouvelle signification dès que, au lieu de le traiter isolément, on l'intègre au corps du récit mythique. A partir de là, en effet, la régence que le héros obtient en récompense de sa victoire sur *Velnias* ne s'exerce pas à l'intérieur de la société humaine, mais exprime plutôt, on va le voir, son pouvoir de maître du monde solaire.

Au contrat scellé par le mariage manque une des parties contractantes, le Destinateur : le héros continue d'ailleurs à invoquer la peur et c'est cet appel, présenté comme une obsession, qui décide sa femme à agir. La fille du roi est, on le sait, l'objet dont la transmission scelle le contrat : mais elle est en même temps l'objet du désir du héros, c'est-à-dire, le représentant métonymique du destinateur, alors le maître de la Peur. C'est l'autorité du roi mythique, dont elle est la fille, que doit reconnaître le héros pour légitimer son règne sur les vivants et parfaire le contrat (qui se présente sous l'habituelle forme permutée où la récompense précède l'acceptation).

3.2. QUI FAIT PEUR AU HÉROS?

Jusqu'à présent, nous n'avons utilisé aucun des éléments du code, nous nous sommes contenté d'extrapoler les données structurelles du récit, d'après l'hypothèse que l'épisode envisagé fait partie d'un seul et unique récit. Utilisons maintenant le peu que nous pouvons savoir.

La fille du roi agit sur les conseils d'une mendiante, un de ces êtres errants parmi lesquels se recrutent le plus souvent les *voyants*. Voir, pouvoir percer du regard les mystères de l'au-delà relève de l'ordre du savoir. Ainsi, par une substitution hyponymique (la mendiante étant l'adjuvant de la fille du roi, et celle-ci une manifestation du destinateur) peut-on arriver à considérer le destinateur-roi comme le terme manquant de la structure ternaire : il représente le *Savoir* à côté du *Vouloir* (qu'incarne le héros agissant) et du *Pouvoir* (de nature magique et, comme tel, potentialité de Velnias).

L'épreuve à laquelle est soumis le héros le trouve d'ailleurs *dormant*, c'est-à-dire, incapable d'agir (ce qui serait dans sa nature de héros), et *couché;* ces deux termes, réunis, constituent l'état qui correspond, dans le monde des vivants, à celui que nous connaissons déjà dans la mort : le repos. S'il y a partage de l'univers, si le héros est le maître du monde des *vivants* et, Velnias de celui des vélés, des *morts-vivants*, il reste au destinateur — que nous recherchons avec le héros — le monde des *morts*, qui doit avoir son maître lui aussi. Si Velnias se manifeste dans le monde des vivants par une présence nocturne et tapageuse, le domaine d'intervention du destinateur est celui du sommeil; et l'on sait que le sommeil est rempli de rêves — état souvent considéré par les croyances lithuaniennes comme équivalent de la voyance — grâce auxquels on peut accéder à des parcelles du savoir.

La présence métonymique du destinateur dans l'épreuve se manifeste sous forme d'une eau froide où, sur le conseil de la mendiante, grouillent des petits poissons ou des têtards. Si cette présence grouillante est facile à interpréter comme le principe vital qui coexiste avec l'eau froide, la mort est aussi une forme d'existence (et les têtards seraient là pour signaler toutes les métamorphoses possibles); le froid de la mort s'oppose à la chaleur de la vie. Puisque la terre et le monde souterrain sont déjà attribués à Velnias, et que le héros, dans la mesure où il peut être assimilé à Perkunas, divinité céleste et sorte de Jupiter Tonans, est le maître du feu, il reste au destinateur un domaine non attribué : celui de l'eau.

Voilà la peur connue, l'horreur sacrée devant le maître de la mort éprouvée, le destinateur reconnu, et accepté le contrat légitimant la régence du héros sur le monde des vivants. L'organisation de la puissance divine reposerait donc sur une tripartition fonctionnelle, en corrélation avec l'articulation en trois modes distincts des formes possibles de l'existence humaine, sur une taxinomie de l'intelligible organisant la vie grouillante et changeante. Le conte du héros sans peur serait alors le récit de l'instauration de l'ordre sacré, à la fois divin et humain.

Nous ne savons pas nous-même ce qu'il faut penser de ces hypothèses. Le narrateur — ou le transcripteur — de l'un des contes, un brave prussien rationaliste à la manière du XIXe siècle, termine le récit en notant qu'il existe, malheureusement, beaucoup de gens stupides qui ont peur de l'eau froide. Peur naturelle ou culturelle?

dans le monde [illegible]

[illegible]

il [illegible] des matières — que [illegible]

[illegible] dans le monde des vivants [illegible]

[illegible]

Un [illegible] de ces observations qui [illegible]

[illegible]

[illegible] de l'eau [illegible]

[illegible]

Nous ne savons pas [illegible]

[illegible] de l'eau liquide [illegible]

La structure des actants du récit[1]

essai d'approche générative

1. ANALYSE PRÉLIMINAIRE

1.1. CONSTITUTION ET CARACTÉRISTIQUE DU CORPUS.

Pour accroître notre connaissance des modèles de la constitution et de l'agencement des personnages dans le discours narratif, nous nous proposons de voir ici si, à partir d'une structure de base, on peut rendre compte à la fois de la génération des actants d'un récit et du nombre des récits possibles selon la distribution différente de ces actants.

Pour ce faire, nous avons constitué un corpus expérimental de dimensions réduites. Il comporte onze variantes d'une séquence narrative tirée de la version lithuanienne de ce conte populaire connu dans l'ensemble des communautés linguistiques européennes, de Finlande jusqu'en Sicile, et que nous avons étudié déjà : son sujet peut être caractérisé, on le sait, comme la Quête de la Peur.

Nous n'analyserons point ici la situation initiale du récit : elle présente les caractéristiques minimales suivantes :

a) la structure familiale réduite à deux acteurs : le Père et le Fils;

b) le caractère asocial du héros-fils : refus de l'ordre profane (désobéissance ou indiscipline); ignorance de l'ordre sacré (désir de connaître la Peur).

A partir de cette situation initiale, il se produit, dans chacune des trente-trois variantes connues de la version lithuanienne, une disjonc-

1. Paru dans *Festschrit André Martinet*, *Word*, vol. 23, nº 1-2-3.

tion spatiale : le héros quitte le lieu de son séjour habituel et part à la recherche de la Peur dans un *ailleurs* sans aucun rapport avec l'*ici* de la séquence initiale.

1.2. L'AUTONOMIE DE LA SÉQUENCE.

Sur les trente-trois variantes recensées, vingt-deux présentent cette disjonction comme le départ volontaire d'un héros actif, tandis que les onze variantes restantes intercalent entre la séquence initiale et le début de la quête une séquence additionnelle qui sera l'objet de notre analyse. *Grosso modo*, le père du héros remet son fils à un personnage possédant les caractéristiques de l'autorité sacrée, en vue d'un apprentissage de la peur : étant entendu que cet apprentissage se fera à l'aide d'une épreuve simulée, déceptive.

Un certain nombre de caractéristiques catégorielles permettent donc de découper, dans la chaîne du discours-récit, une séquence narrative autonome, justifiant ainsi la constitution du *corpus* envisagée. Ces caractéristiques sont les suivantes :

a) A la catégorie *activité* vs *passivité*, qualifiant le héros, correspond, sélectivement, *absence* vs *présence* de la séquence déceptive.

b) A la disjonction spatiale binaire du récit ordinaire (que nous avons caractérisée comme *ici* vs *ailleurs*), s'ajoute un troisième terme qu'on pourrait désigner comme un *là :* la séquence déceptive possède ainsi une deixis autonome.

c) La séquence comporte enfin une caractéristique externe qui la distingue de toutes les autres : elle contient une épreuve déceptive dans laquelle l'Opposant est modalisé par la catégorie *être* vs *paraître :* son être-profane est camouflé par un paraître-sacré.

Ces déterminations sont suffisantes pour nous permettre d'extraire la séquence en question, considérée comme une unité narrative autonome au niveau du discours-récit.

1.3. LA DESCRIPTION.

Nous choisirons une variante du conte, dénommée C_3, pour présenter la séquence intégralement, dans sa manifestation linguistique.

Toutefois, pour faciliter la compréhension des considérations qui vont suivre, nous donnerons la version française du texte de la séquence déjà découpée et organisée en syntagmes narratifs (dont le caractère suffisamment général s'est dégagé des précédentes analyses de récit).

0. *Segment initial : D' = père; S = fils.*
Il y avait une fois un père et un fils. Le fils ne connaissait pas la peur.

1. *Substitution de destinateur : D' = père; D" = prêtre.*
Il le confia donc à un prêtre : peut-être celui-ci lui fera-t-il connaître la peur. Il l'amena chez le prêtre et le laissa là.

2 A. *Établissement du contrat.*
2.1. *Mission positive :* D" → S.
Le prêtre se mit à l'envoyer chaque soir, vers minuit, chercher de la bière.
2.2. *Mission négative : D"* → 0.
Le prêtre fit habiller une fille de cuisine de vêtements blancs et lui ordonna d'aller s'installer sous le porche (de l'enceinte de l'église et de la cure) : « Quand il viendra, ne le laisse pas passer », lui dit-il.

3. *Épreuve.*
3.1. *Mise en présence des antagonistes : S vs O.*
Elle se met donc sous le porche, au milieu de l'entrée. Le garçon rentre de la ville et aperçoit quelqu'un de blanc qui se tient là debout.
3.2. *Interpellation.*
Il s'approche et dit : « Qu'est-ce que tu fais là? Retire-toi et laisse-moi rentrer! » — Elle ne se retire pas.
3.3. *Menace.*
Il lui dit alors : « Retire-toi ou je te donne un coup sur le front avec cette cruche et je te tue! »
3.4. *Victoire* (sans conséquence).
La fille prit peur et se retira.

Remarque : On reconnaîtra la duplication de l'épreuve marquée d'un crescendo.

2 B. *Accomplissement du contrat.*

2.1. *Mission positive : accomplie.*

2.2. *Mission négative : non accomplie.*

Il est allé auprès du prêtre. Celui-ci lui demande : « As-tu vu quelqu'un en rentrant? » — Il répond : « Je n'ai vu personne. Il y avait, il est vrai, quelqu'un de blanc debout au milieu de la porte, mais je l'ai menacé de ma cruche et il s'est retiré. »

DUPLICATION.

2 A *bis*. *Établissement du contrat.*

2.1. *Mission positive.*

Le soir suivant, on l'y envoya de nouveau...

2.2. *Mission négative.*

et l'on fit de nouveau habiller la fille de vêtements blancs en lui ordonnant de se mettre au milieu du passage et de ne pas se retirer.

3 *bis*. *Épreuve.*

3.1. *Mise en présence des antagonistes.*

Le garçon revient et voit quelqu'un de blanc sur son passage.

3.2. *Interpellation.*

Il lui dit : « Tu es là de nouveau! »

3.3. *Menace.*

« Retire-toi ou je te frappe avec la cruche et je te tue. »

La fille, cette fois-ci, ne se retira pas.

3.4. *Victoire* (avec conséquence).

Il lui asséna alors un coup sur le front avec la cruche et la tua.

2 B *bis*. *Accomplissement du contrat.*

2.1. *Mission positive : non accomplie.*

2.2. *Mission négative : et accomplie et non accomplie.*

Le garçon se rendit auprès du prêtre. Le prêtre lui dit : « Qu'as-tu fait de ma bière et de ma cruche? »

Le garçon lui dit : « J'ai aperçu quelqu'un de blanc se tenant debout sous le porche. Je lui ai donné un coup sur le front avec la cruche : la cruche s'est cassée, mais j'ai tué cette (apparence) blanche. »

4. *Fin de la séquence.*
Le prêtre prit peur : il alla chercher la fille et l'enterra en cachette.

Remarque : On notera l'inversion : c'est le destinateur-prêtre qui prend peur, et non le destinataire-fils.

1.4. PREMIER COMMENTAIRE.

A la séquence, qui est une unité linguistique du discours, nous avons superposé un réseau d'unités narratives, d'ordre sémantique, qui relèvent de notre connaissance de l'armature du récit en général. Cette séquence comporte, on le voit, tous les éléments nécessaires à l'existence d'un récit : ils sont au nombre de trois : *disjonction*, *contrat*, *épreuve*. La séquence est, par conséquent, — et c'est là une de ses définitions possibles — une unité du discours narratif autonome, susceptible de fonctionner comme un récit, mais pouvant également se trouver intégrée, comme une de ces parties constitutives, dans un récit plus large : la place qu'elle y occupera déterminera sa fonction dans l'économie globale de la structure narrative.

La séquence occurrencielle présentée ici offre également une certaine distribution d'*acteurs* (unités lexicalisées), à partir d'*actants* (unités sémantiques de l'armature du récit). L'actant sujet-héros est représenté par l'acteur Fils, tandis que l'actant destinateur l'est à la fois par l'acteur Père et l'acteur Prêtre. Un quatrième acteur, la Fille de cuisine, représente l'opposant, sans que pour autant la fonction dù traître puisse lui être exclusivement attribuée : on dira plutôt que l'opposant-traître, en tant qu'actant, est lexicalisé à la fois par la Fille et le Prêtre.

Si l'on veut pousser plus avant l'élucidation des rapports entre acteurs et actants, on doit avoir recours à un certain comparatisme, c'est-à-dire à la superposition de l'ensemble des onze variantes disponibles, pour voir quelles sont les diverses distributions des acteurs qu'on y rencontre.

2. LES PERSONNAGES

2.1. APPROCHE DISTRIBUTIONNELLE.

		HÉROS	DESTINATEUR		
				TRAITRE	
GROUPE	VARIANTES	*S*	*D'*	*D''*	*O*
A	C_3	Fils	Père	Prêtre	une Fille
	C_5	Fils	Père (Allemand)	Prêtre	une Fille
	C_{31}	Fils	Père (Allemand)	Prêtre	une Fille
	C_{32}	Fils	Père	Prêtre	Vieillard à cheveux gris
B	C_{21}	Frère cadet	Frère aîné-Prêtre	un Allemand	quelqu'un
C	C_{13}	Fils	Père-sacristain	Père-sacristain	Père-sacristain
	C_{25}	Fils	Père-sacristain	Père-sacristain	Père-sacristain
D	C_{20}	Fils	Père	Sacristain	Sacristain
	C_{28}	Fils	Père	Sacristain	Sacristain
E	C_{27}	Fils	—	—	un Valet de ferme
	C_{30}	Frère cadet	—	—	Frère aîné

Ce tableau comparatif, destiné en premier lieu à faciliter la compréhension schématique de l'ensemble des variantes de la séquence, offre également d'autres avantages : 1º il rend compte, dans une certaine mesure, de la distribution des acteurs et 2º permet de réduire les onze variantes en cinq groupes, A, B, C, D et E, à l'intérieur desquels ne subsistent plus que des *variations stylistiques* (*Valet de ferme* vs

Frère aîné, dans le groupe E), ou des *hapax* (le cadavre du vieillard à cheveux gris, dans le groupe A), etc.

L'étude comparative des acteurs cherche à les intégrer dans les classes d'actants; elle peut être rapprochée des procédures distributionnelles de la linguistique : elle en comporte les avantages et en retrouve les difficultés. Ainsi, on peut dire que tous les acteurs « Fils » ou « Frère cadet » constituent une seule classe H et, par conséquent, un seul actant Héros, parce que cette affirmation peut être contrôlée, sur le plan formel, par la distribution identique des acteurs et par leur non-commutabilité avec les acteurs inscrits dans d'autres colonnes; le héros ne peut être ni destinateur, ni traître. En revanche, la procédure perd de son efficacité lorsqu'il s'agit de la discrimination entre D″ et O ou entre D′ et D″. Dans le premier cas (D″ *vs* O), on peut poser, à partir des occurrences des groupes A et B, qu'il s'agit de deux actants non commutables et que les occurrences des groupes C et D ne constituent que des cas de syncrétisme. Cependant, en partant des groupes C et D, on peut tout aussi bien ne voir en D″ et O qu'un seul actant, les occurrences des groupes A et B représentant le même actant en distribution complémentaire.

La même ambiguïté d'interprétation se rencontre quand on veut vérifier formellement s'il existe une relation entre les colonnes D′ et D″. Cette difficulté n'est pas propre à la sémantique, mais à toute description linguistique; la décision ultime, lorsqu'il s'agit par exemple de se prononcer sur l'existence d'un seul ou de deux phonèmes, se réfère généralement à d'autres critères, extérieurs à la procédure utilisée, tels que la simplicité ou l'efficacité de la description. Pour contourner l'obstacle, au lieu d'avoir recours à la construction de l'actant considéré comme un *archi-acteur*, il est possible d'emprunter une autre voie : chercher à dégager des unités sémantiques plus petites, des sortes de *sous-acteurs*, dont l'agencement rendrait compte de la manifestation diversifiée des acteurs et faciliterait ainsi la compréhension des actants-invariants.

2.2. LES ACTEURS ET LES ROLES.

Si l'on réserve au terme d'*acteur* son statut d'unité lexicale du discours, tout en définissant son contenu sémantique minimal par la présence des sèmes : *a*) *entité figurative* (anthropomorphique, zoomorphique ou autre), *b*) *animé* et *c*) susceptible d'*individuation* (concrétisé, dans le cas de certains récits, surtout littéraires, par l'attribution d'un nom propre), on s'aperçoit que tel acteur est capable d'assumer un ou plusieurs rôles : ainsi, dans le groupe C, un seul acteur, — qui n'est pas doté d'un nom propre, comme c'est presque toujours le cas dans les contes populaires — est à la fois Père et Sacristain; dans le groupe B, un acteur assume les rôles du Frère aîné et du Prêtre. On peut essayer de définir à partir de là le concept de *rôle :* au niveau du discours, il se manifeste, d'une part, comme une qualification, comme un attribut de l'acteur, et d'autre part, cette qualification n'est, du point de vue sémantique, que la dénomination subsumant un champ de fonctions (c'est-à-dire de comportements réellement notés dans le récit, ou simplement sous-entendus). Le contenu sémantique minimal du *rôle* est, par conséquent, identique à celui de l'acteur, *à l'exception toutefois du sème d'individuation* qu'il ne comporte pas : le rôle est une entité figurative animée, mais anonyme et *sociale;* l'acteur, en retour, est un *individu* intégrant et assumant un ou plusieurs rôles.

S'il en va ainsi, le jeu narratif se joue non pas à deux niveaux, mais à *trois niveaux* distincts : les *rôles,* unités actantielles élémentaires correspondant aux champs fonctionnels cohérents, entrent dans la composition de deux sortes d'unités plus larges : les *acteurs,* unités du discours, et les *actants,* unités du récit.

Reste à voir si cette nouvelle distinction est rentable sur le plan de l'analyse.

2.3. LES ROLES ET LEUR INTERPRÉTATION.

Si l'on essaie d'appliquer les conclusions précédentes à l'élucidation du problème du destinateur et qu'on regarde les colonnes D′ et D″, on s'aperçoit que, abstraction faite de toute distribution d'acteurs, deux types de rôles s'y manifestent nettement :

Prêtre Sacristain	*vs*	Père Frère aîné

Remarque : On laisse pour l'instant de côté l'*Allemand, décepteur caractéristique du folklore lithuanien.*

Les rôles groupés ainsi en colonnes relèvent d'une part, de l'analyse des fonctions (le père se comporte en père, le prêtre a le comportement du prêtre); ils entrent, d'autre part, par leurs contenus investis, en opposition pertinente entre eux. Cette opposition, manifestée au niveau de la narration, peut être transférée au niveau de la structure du contenu, et exprimée à l'aide d'une catégorie sémique simple, comme :

sacré (s_1) vs *profane* (s_2)

Ainsi les rôles ne sont que la manifestation, sur le plan narratif, d'une catégorie *sacré* vs *profane*, située sur l'axe de l'autorité.

Si l'on considère, à présent, que le sacristain et le frère aîné sont des lexicalisations atténuées du prêtre et du père respectivement, on peut utiliser les majuscules pour indiquer les manifestations *fortes* et les minuscules pour les manifestations *atténuées*. En tenant compte du fait que les deux rôles peuvent être combinés et manifestés de manières syncrétique par un seul acteur, ou se présenter comme disjoints sous forme de deux acteurs, on obtient un schéma qui présente toutes les possibilités théoriques de manifestation découlant de la catégorie d'articulation proposée :

GROUPE	SYNCRÉTISME : $D' = D''$	DISJONCTION : D' *vs* D''	GROUPE
B	$s_2 + S_1$	s_2 *vs* S_1	*X*
α	$S_2 + S_1$	S_2 *vs* S_1	A
C	$S_2 + s_1$	S_2 *vs* s_1	D

Remarque : Le groupe E, ne possédant pas de destinateur explicite, n'est pas pris en considération.

3. LE PROBLÈME DU DESTINATEUR

3.1. LA FORMULATION THÉORIQUE.

Ces premiers résultats nous incitent à assigner à l'interprétation qui s'esquisse ici une démarche plus nettement générative. Une telle interprétation doit d'abord satisfaire à deux conditions :

a) elle doit indiquer le terme *ab quo*, c'est-à-dire la structure de base à partir de laquelle toutes les autres structures peuvent être générées;

b) elle doit rendre compte, d'une certaine manière, du principe causal qui déclenche le processus de génération lui-même : on ne comprendrait pas, autrement, pour quelle raison la structure de base, simple et économique par définition, ne se reproduirait pas telle quelle, pourquoi un conte ou un mythe ne seraient pas toujours racontés sous une seule et même forme.

La solution recherchée ne peut que prendre la forme d'un modèle construit à partir d'hypothèses répondant à ces conditions. Le modèle sera satisfaisant s'il rend compte, d'une manière cohérente et univoque, de l'ensemble des possibilités de manifestation préalablement établies, tout en tenant compte des deux conditions.

Supposons donc que *a*) la structure de base soit celle que nous avons désignée comme α, et que *b*) le principe de génération réside dans l'alexicalité de cette structure de base, c'est-à-dire dans l'impossibilité où se trouve une communauté historiquement définie de la manifester dans le discours. En pratique, il s'agirait donc d'un conte impossible où *a*) le fils, négateur de l'autorité profane et sacrée, se trouverait en conflit avec son père qui serait prêtre en même temps, un conte *b*) que le narrateur ne pourrait pas réciter devant ses auditeurs, la société paysanne catholique n'admettant pas que le prêtre puisse avoir un fils. A supposer que le conteur s'obstine à développer son récit, il aura à sa disposition, pour contourner cet interdit initial, un certain nombre de canaux de transformation qui rendront la narration viable. Nous les indiquerons d'abord globalement, tout en les numérotant en vue du commentaire :

$$\text{Structure de base :} \left\{ \begin{array}{l} s_2 + S_1 \overset{5}{\Longrightarrow} s_2 \; vs \; S_1 \\ \;2 \Uparrow \\ S_2 + S_1 \overset{3}{\Longrightarrow} S_2 \; vs \; S_1 \\ \;1 \Downarrow \\ S_2 + s_1 \overset{4}{\Longrightarrow} S_2 \; vs \; s_1 \end{array} \right.$$

3.2. INTERPRÉTATION DU MODÈLE.

La structure complexe, celle qui réunit les deux rôles en un seul acteur, ne sera possible qu'à condition qu'elle se trouve déséquilibrée : ou bien le prêtre s'atténue en sacristain (1), ou bien le père se trouve remplacé par le frère aîné (2).

Dans le premier cas (1), il s'agit de la transformation de la structure complexe équilibrée en *structure complexe négative :*

$$S_2 + S_1 \Longrightarrow (1)\; S_2 + s_1$$

Dans le second cas (2), la même structure complexe et équilibrée se transforme en *structure complexe positive :*

$$S_2 + S_1 \Longrightarrow (2)\; s_2 + S_1$$

Une deuxième possibilité consiste dans la disjonction de deux rôles qui seront manifestés sous forme de deux acteurs distincts, le père et le prêtre. Il s'agit, dans ce cas (3), de la transformation de la structure complexe en *structure élémentaire*, c'est-à-dire en une catégorie sémique qui manifeste séparément chacun de ses termes :

$$S_2 + S_1 \Longrightarrow (3)\; S_2 \; vs \; S_1$$

La structure élémentaire, prise à son tour comme modèle de manifestation, peut dès lors entraîner de nouvelles transformations de second degré. Sa structure complexe négative se transforme en *structure élémentaire négative :*

$$S_2 + S_1 \Longrightarrow (1)\; S_2 + s_1 \Longrightarrow (4)\; S_2 \; vs \; s_1$$

ou bien la structure complexe positive peut se transformer en *structure élémentaire positive :*

$$S_2 + S_1 \Longrightarrow (2)\; s_2 + S_1 \Longrightarrow (5)\; s_2 \; vs \; S_1$$

Si l'on compare maintenant l'ensemble des transformations possibles avec les transformations effectivement manifestées, on s'aperçoit que seule la structure résultant de la transformation (5) ne se trouve pas manifestée sous forme d'une variante autonome de la séquence. L'explication de ce phénomène peut être double : *a*) ou bien cette variante n'a pas de manifestation ou, plus simplement encore, elle ne nous est pas connue parce que non enregistrée; *b*) ou bien il existe des raisons objectives, des interdits que nous n'avons pas encore reconnus, qui empêchent cette manifestation.

4. LE PROBLÈME DU TRAITRE

4.1. LA TRANSFORMATION DES CONTENUS.

Le modèle proposé pour résoudre le problème du destinateur se présente comme la mise en place d'une première génération d'acteurs, rendant compte de la situation initiale du récit et organisant ainsi une des structures essentielles de la narration : le *contrat*. La poursuite de l'analyse, en appliquant les mêmes méthodes à la progression du récit, ne peut que mettre en évidence de nouvelles complications du modèle.

Celles-ci viennent des propriétés structurelles fondamentales du récit lui-même. Dans la mesure où l'on reconnaît le caractère algorithmique de la narration et entend par récit un discours fermé ayant à la fois une finalité et une fin, on doit admettre que le narrateur n'est pas libre de disposer à sa guise des acteurs mis en place dans la phase initiale : il doit tenir compte en même temps de la solution finale qu'il envisage de donner. Une analyse qui cherche à reproduire le processus d'engendrement du récit dans son ensemble doit, par conséquent, décrire à la fois les transformations à partir de la situation initiale et les transformations en vue de la solution finale.

Ceci limite déjà, dans une large mesure, la portée de la méthode que nous essayons d'appliquer : la connaissance préalable des propriétés structurelles du modèle narratif est de plus en plus nécessaire et ne peut être obtenue que par les procédures interprétatives de la description. Quant au narrateur, avant de narrer quelque chose, il doit être en possession de ce qu'on peut appeler la faculté narrative, c'est-à-dire, en somme, la connaissance implicite du modèle narratif.

Le narrateur doit savoir notamment que l'établissement du contrat, c'est-à-dire la mise en place du destinateur qui transforme le héros en destinataire, doit être suivie du syntagme narratif protocolaire appelé *épreuve.* Si l'épreuve, comme nous avons essayé de le montrer par ailleurs, n'est que la manifestation superficielle, située sur le plan anthropomorphique, de la transformation des contenus profonds du récit, le narrateur, pour conduire les acteurs déjà institués vers l'épreuve, doit prévoir de quelle manière leur affrontement aura à s'effectuer pour produire la transformation finale souhaitée.

Dans la séquence que nous étudions, les choses se passent de la manière suivante : le destinateur (qui est le représentant de l'autorité sacrée (S_1)) envoie le destinataire-héros accomplir une mission lors de laquelle il devra subir une épreuve. Mais en même temps, il envoie un autre destinataire-opposant, avec la mission de faire échouer cette épreuve. Du même coup, le destinateur apparaît — à l'auditeur et non au héros — comme le représentant du faux sacré $(\overline{S}_2)$; et l'on peut dire que le but de l'épreuve, si elle réussit, est la révélation de sa fausseté, c'est-à-dire la transformation de S_1 en $\overline{S}_1$. Mais le héros ne peut obtenir ce résultat, par le moyen de l'épreuve, qu'en s'attaquant à l'opposant qui, en vérité, ne relève pas du sacré (son contenu sera donc dit un S_2 *bis*) mais se présente avec toutes les apparences du non profane S_2 *bis*). Ce n'est qu'en supprimant cette fausse apparence, qu'en niant le caractère non profane de l'opposant, qu'il a quelque chance de révéler l'imposture du destinateur.

Il en résulte que la structure du traître, au niveau des contenus investis, est double, et qu'à la suite de l'épreuve réussie, le traître doit apparaître à la fois comme $(\overline{S}_1)$ et (S_2 *bis*). Si l'on se rappelle que nous avons convenu de désigner du nom de *rôles* les contenus catégoriques prêts à la lexicalisation, nous disposons, pour la manifestation du traître, de deux rôles : celui du faux destinateur $(\overline{S}_1)$ et celui de l'opposant profane (S_2 *bis*); ces rôles peuvent se trouver manifestés dans le discours narratif soit de façon conjointe, sous forme d'un seul acteur, soit de façon disjointe, sous forme de deux acteurs.

4.2. LA MANIFESTATION DU TRAITRE.

Ces considérations sur l'épreuve et ses conséquences permettent de revenir en arrière et de reprendre les acteurs de la première génération là où nous les avons laissés. En face du héros-destinataire, nous avons pu placer, théoriquement, cinq acteurs-destinateurs, représentants du sacré (S) et envisager ainsi cinq récits différents possibles. Comme la structure du traître comporte nécessairement le rôle $(\overline{S})$ et que ce rôle n'est que la transformation négative du rôle (S) — qui est déjà celui qu'assument les cinq destinateurs-acteurs —, il est évident que ce sont les mêmes acteurs qui doivent apparaître à la fin du récit, comme des traîtres démasqués. La seule incertitude qui reste est de savoir si le second rôle du traître sera assumé par le même acteur $(S_1 \rightarrow \overline{S}_1)$, ou par un acteur nouveau, fait pour ce seul rôle (S_2 *bis*). Cela veut dire qu'en théorie, le traître peut être manifesté

soit comme structure complexe ($\overline{S}_1 + S_2$ *bis*)
soit comme structure élémentaire disjointe ($\overline{S}_1$ *vs* S_2 *bis*).

Nous sommes donc en mesure de reprendre le premier modèle et de le perfectionner en prévoyant pour chaque destinateur représentant du sacré, la possibilité d'apparaître à la fin du récit comme un traître intégral assumant les deux rôles ($\overline{S}_1 + S_2$ *bis*), ou seulement sous forme du faux destinateur $(\overline{S}_1)$ dont l'émanation profane prendra alors la forme d'acteur-opposant (S_2 *bis*).

Voici donc le schéma d'ensemble où la première série des transformations est indiquée par les flèches dédoublées, et la seconde série, par des flèches simples.

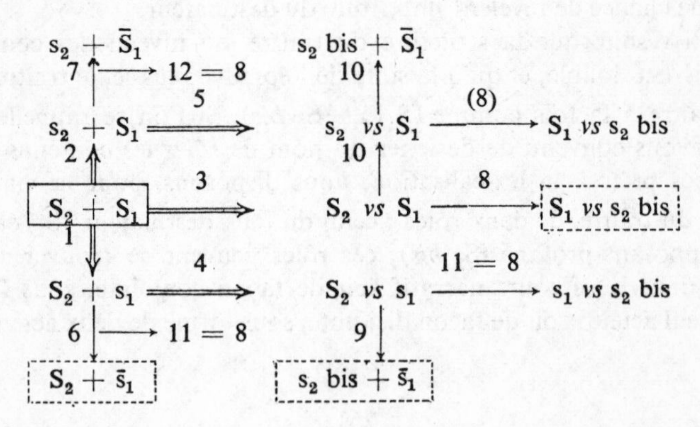

4.3. L'INTERPRÉTATION DU MODÈLE.

Les possiblités théoriques relatives au début du récit et à la structure du destinateur laissaient prévoir l'épanouissement d'un seul et même conte en cinq variantes; les considérations relatives à la fin du récit et à la structure du traître permettent d'envisager une nouvelle bifurcation et un dédoublement de chaque variante à partir du moment où apparaît dans le récit le syntagme narratif comportant l'épreuve : on trouve dix variantes possibles, dont trois seulement sont effectivement réalisées ou du moins connues et enregistrées (elles sont, dans le schéma, entourées d'un cercle en pointillé). Cela veut dire simplement que sur les cinq manières possibles de commencer le conte, les narrateurs n'en ont retenu que quatre, et que sur les huit manières possibles de le terminer, trois solutions seulement ont été retenues. La distance qui sépare le possible du manifesté, même si l'on admet l'existence de variantes non enregistrées, est trop grande : elle demande une explication.

4.3.1. *Un nouvelle règle d'incompatibilité.*

Pour faciliter la lecture du schéma, la structure de base (située à gauche de la ligne du milieu et entourée d'un cercle) a été prise comme point de départ à la fois fondamental et jamais manifesté : nous avons admis, à titre d'hypothèse, qu'une contrainte historico-sociale jouait dans la société paysanne catholique, empêchant d'envisager que le prêtre puisse être en même temps père du héros. La transformation (1) (dont les prolongements se situent sur la ligne du bas) revient à changer le prêtre en sacristain pour rendre le récit possible. La transformation (2) (dont les prolongements constituent la ligne du haut) change le père en frère aîné, lui permettant ainsi de rester prêtre.

De façon curieuse, les variantes possibles sur la ligne supérieure ne sont pas réalisées; ou bien si la situation initiale est admise, elles échouent par la suite. Nous avons déjà noté que la transformation (5), qui distingue deux acteurs (le *frère aîné* qui envoie son cadet chez le *prêtre* pour que celui-ci lui enseigne la peur), ne se trouve pas réalisée. Cela n'est pas tellement étonnant : dans la suite, un tel récit se serait nécessairement confondu avec la situation résultant de la transformation (3) : peu importe que l'autorité profane soit incarnée par le père ou par le frère aîné; le héros, une fois arrivé chez le prêtre, n'est plus lié, dans son comportement, avec sa famille représentant l'autorité profane.

En revanche, l'échec de la variante issue de la transformation (2) demande à être justifié. La situation initiale en existe bien dans la variante C_{21} : le frère aîné, qui est en même temps prêtre, s'inquiète de l'absence de toute peur que ne cesse de proclamer son cadet. Théoriquement, deux solutions sont, dès lors possibles : ou bien il s'identifiera à l'opposant et essaiera de faire peur lui-même au héros (7); ou bien il enverra à sa place un opposant profane, une fille de cuisine par exemple, ce qui identifierait la suite du récit avec le conte de référence (12 = 8). Or, aucune de ces deux solutions n'est en réalité adoptée, et la variante se déroule de façon boiteuse : un nouveau destinateur (un Allemand) apparaît qui envoie « quelqu'un » pendant la nuit dans le clocher de l'église pour faire peur au héros : et le héros le tue. La solution est doublement boiteuse; car si l'acteur-Allemand se comporte, par le lieu d'épreuve choisi, comme l'acteur-sacristain (9), le meurtre qui le termine rapproche le récit de la solution (8). La variante est intéressante comme exemple caractéristique de la narration composite et mériterait d'être étudiée de plus près; elle montre déjà que *a)* le corps du récit, c'est-à-dire l'épreuve, ne tient plus aucun compte de la structure initiale, et que de plus *b)* la conséquence est de faire échouer le récit : le traître (est-ce l'Allemand? est-ce le frère aîné?) n'est pas démasqué.

> *Remarque :* Le recours au décepteur — l'Allemand est, dans le folklore lithuanien, tantôt le représentant de la fausse autorité sacrée (une des apparences du Diable), tantôt celui de la fausse autorité profane — mérite également d'être relevé. Il indiquerait une des fonctions narratives du décepteur : sauver, par sa nature ambiguë, une situation narrative embarrassante.

Une hypothèse pourrait justifier ces échecs : l'ensemble des variantes ayant pour destinateur le prêtre-frère aîné du héros ne peut se réaliser, parce que : *a)* si l'opposant se trouvait disjoint du prêtre, les variantes aboutiraient à une solution qui se confondrait avec la transformation (8); *b*) si le prêtre était en même temps opposant, l'épreuve aurait pour conséquence le *meurtre du prêtre*, solution qui est *incompatible avec le contexte historique donné*.

Cette hypothèse peut être valable ou non; en la formulant, nous désirons surtout souligner que le récit folklorique, dans la mesure où il est solidement encadré dans son contexte historique, peut rencontrer des incompatibilités qui empêchent la manifestation de certaines variantes théoriquement possibles; et, ce qui est plus, ces règles d'incompatibilité peuvent être prévues tout aussi bien par l'analyse de la situation initiale que par celle de la situation finale.

4.3.2. *L'échec de l'épreuve.*

La ligne qui part horizontalement de la structure de base et comporte la transformation (3) correspond à la solution adoptée par notre conte de référence. Pour la préparation de l'épreuve, deux solutions sont possibles : ou bien le prêtre va assumer lui-même le rôle de l'opposant (10) et il sera tué (ce qui, selon notre hypothèse, n'est pas imaginable et ne sera pas réalisé); ou bien il enverra un opposant disjoint (8). Cette seule solution possible aboutit pourtant à la victoire apparente du héros et à l'échec de l'épreuve elle-même : la dénégation du non profane qui s'exprime par le meurtre de l'opposant est bien réalisée, mais la disjonction des deux rôles du traître ne permet pas la révélation du faux sacré. Sur le plan structurel du récit, cela implique la duplication de l'épreuve (qui a d'ailleurs effectivement lieu). Que le meurtre de l'opposant ne soit pas pertinent montre que ce que nous avons d'abord traité comme une variante autonome (le groupe B) est bien une variante stylistique : le prêtre y envoie le héros dans le caveau de l'église pour chercher la tabatière qu'il a exprès oubliée au chevet du cadavre d'un vieillard à barbe grise. Le fait que l'opposant soit déjà mort ou que le héros le tue ne change rien à l'affaire, tant que l'épreuve est incapable de provoquer la révélation du traître.

On peut toutefois noter, pour une meilleure connaissance de la narration que c'est la non pertinence structurelle du syntagme narratif qui permet l'apparition des *variations stylistiques* et des résurgences des *hapax;* le vieillard à la barbe grise apparaît, dans d'autres variantes, bien vivant et même maître d'un certain univers sacré.

4.3.3. *La réussite de l'épreuve.*

C'est donc la troisième possibilité initiale — qui consiste dans la réduction du sacré et dans sa lexicalisation sous forme de sacristain (1 et 4) — qui paraît finalement comme la seule vraiment rentable, puisqu'elle permet d'engendrer deux variantes différentes du récit (6 et 9). Remarquons tout de suite que, sur les quatre solutions finales possibles, deux se trouvent éliminées, c'est-à-dire non réalisées ou non connues : ce sont les transformations qui impliquent la disjonction structurelle du traître. Le sacristain, chargé d'inculquer la peur du sacré, n'est pas en mesure d'envoyer à sa place un opposant-substitut : du point de vue structurel, une telle transformation (11) aboutirait à la solution (8) (déjà envisagée pour le prêtre) qui aboutit à l'échec de l'épreuve. Ce qui est remarquable, c'est que le narrateur n'éprouve même pas le besoin d'emprunter ce parcours en mettant le sacristain à la place du prêtre, bien que le récit soit possible sous cette forme superficielle et qu'il puisse se dérouler avec un décor extérieur différent.

Les deux épreuves qui sont effectivement réalisées et les deux récits qu'on peut considérer comme réussis possèdent, au niveau de la structure des actants, une caractéristique commune : le traître y assume successivement les deux rôles du faux destinateur et de l'opposant. Ils s'en distinguent cependant en ceci que dans le premier cas (6) le traître-sacristain est en même temps le père du héros, tandis que, dans le second cas (9), il ne l'est pas. En rapport avec cette distinction, les deux épreuves et leurs conséquences développent, dans leur manifestation, de manière différente :

Groupe	*Traître*	*Lieu*	*Attitude de l'opposant*	*Forme de la victoire*	*Conséquence pour le héros*	*Type de l'épreuve*
C	Sacristain-père	église	agressivité	meurtre	Il est chassé	Épreuve décisive
D	Sacristain-non père	clocher	passivité	blessure	Il est renvoyé (avec argent)	Épreuve qualifiante

La comparaison de ces deux récits nous apporte des éclaircissements sur un certain nombre de points :

a) Dans la mesure où, comme nous l'avons proposé au début, on peut considérer la séquence comme un récit autonome comportant sa propre finalité, le but du récit est atteint dans les deux variantes : conformément aux prévisions et au vœu implicite du narrateur, les deux récits ont pour conséquence finale la révélation du faux sacré et la punition de l'imposture.

b) Les deux récits n'en restent pas moins fondamentalement différents en ce que le second ne sert qu'à dévoiler l'imposture du sacré, tandis que le premier dénie en même temps l'autorité profane représentée par le père. En fait, c'est le choix initial de la forme sous laquelle sera manifesté le destinateur (structure élémentaire et deux acteurs; ou structure complexe et un seul acteur) qui décide de la suite du récit : on voit que les deux parcours du récit sont parallèles et, somme toute, linéaires. Dans la mesure où l'opposant (S'_2 *bis*) s'identifie avec la nature du père (S_2 *bis*) (c'est-à-dire avec l'autorité profane dans sa manifestation forte), l'épreuve est également sanctionnée de manière forte, c'est-à-dire, par le meurtre du père. Dans le second cas, où l'opposant (S_2 *bis*) n'est que le substitut atténué de cette autorité, la sanction prend la forme d'une *marque :* l'opposant est marqué par la blessure qui permet de reconnaître ensuite le faux sacré. De même, dans le premier cas, le héros, libéré de toute attache, est chassé pour un *ailleurs* définitif; tandis que, dans le second cas, après s'être qualifié pour la rencontre éventuelle avec le vrai sacré, il est d'abord renvoyé chez son père qui facilite son départ définitif en lui donnant de l'argent pour son voyage. Ainsi, la première épreuve apparaît décisive, la seconde, seulement qualifiante.

4.3.4. *La fonctionnalité de la séquence.*

Nous sommes ainsi amené à établir une corrélation entre, d'une part, le nombre et le type des variantes réalisées et, de l'autre, le nombre et la nature des épreuves caractéristiques de ce genre de récits. Notre hypothèse est que le petit nombre de variantes connues n'est pas dû au hasard ou au manque d'imagination du narrateur, mais à des propriétés structurelles restreignantes du récit. Ainsi en essayant de simplifier le modèle interprétatif du conte merveilleux proposé par Propp, nous avons proposé une première typologie des

épreuves, celles-ci pouvant être considérées, suivant la fonction qu'elles assument dans l'économie générale du récit, comme
qualifiantes,
décisives ou
glorifiantes.
Si l'on ajoute à cette liste le quatrième type, la *pseudo-épreuve*, caractérisée par son échec et provoquant la duplication, on arrive à n'envisager en tout que quatre épreuves possibles.

Chaque séquence narrative peut constituer à elle seule un récit autonome et avoir sa propre finalité, mais elle peut également se situer à l'intérieur d'un récit plus vaste et y remplir une fonction particulière. Dès lors, toute séquence narrative, dans la mesure où elle comporte une épreuve, sera susceptible de recevoir une sorte de deuxième signification, une signification fonctionnelle du fait de sa situation dans l'ensemble narratif. Il est curieux de constater qu'à cette typologie fonctionnelle des épreuves correspond, dans le conte que nous utilisons à titre exemplaire, une typologie des opposants et des lieux de l'épreuve.

Nº	ÉPREUVE	OPPOSANT	LIEU	GROUPE DE VARIANTES
1	indéterminée	quelqu'un (sans destinateur)	cimetière	E
2	pseudo-épreuve (pour duplication)	fille de cuisine	enceinte de l'église	A (et B)
3	qualifiante	sacristain-non père	clocher	D (et B)
4	décisive	sacristain-père	église-autel	C
5	glorifiante	représentant du sacré	l'autre monde	—

Sur les cinq épreuves prises en considération, les épreuves (1) et (5) demandent un bref commentaire :

(1) Le groupe de variantes E présente le phénomène de la dégradation des contes — marquée, dans notre cas, par l'affaiblissement du sacré — et soulève le problème méthodologique intéressant de leur reconstitution. Celle-ci nous paraît possible, mais dépasserait le cadre de notre article : elle ne ferait que reconnaître, dans les variantes indéterminées, un des trois types possibles : (2), (3) ou (4).

(5) Nous n'avons inscrit l'épreuve glorifiante que pour mémoire : celle-ci se situe à la fin du récit pris dans son ensemble et non pas au début, et elle exige la révélation non du traître mais du héros.

On voit, par conséquent, que la séquence considérée dans sa fonctionnalité ne peut comporter que trois issues : la première invite à la duplication de l'épreuve pour en suggérer la difficulté; la seconde qualifie le héros pour l'aventure principale; la troisième, enfin, en signifiant le refus total et du faux sacré et du faux profane, exclut le héros et sa quête de la communauté, socialement déterminée, des vivants.

4.3.5. *La corrélation entre les acteurs et les épreuves.*

Une dernière corrélation doit être notée : elle s'établit, d'une part, entre les types d'épreuves et les solutions finales possibles et, d'autre part, le nombre d'acteurs mis en place au début du récit.

a) La variante dont l'épreuve est décisive ne comporte que deux acteurs : le fils-héros et le père, à la fois destinateur et traître. Elle synthétise le récit à l'extrême, et lui confère une autonomie presque totale : par rapport à la suite du récit, la séquence n'est ni présupposante, ni présupposée.

b) La variante dont l'épreuve est qualifiante comporte trois acteurs: le héros, son père et le sacristain. L'augmentation du nombre des acteurs entraîne une ouverture du récit : le héros, une fois qualifié, est censé accomplir d'autres prouesses. La séquence est présupposante, mais non présupposée.

c) La variante dont l'épreuve se termine par un échec comprend quatre acteurs : le fils, le père, le prêtre et la fille de cuisine. Du fait de son échec, elle invite à recommencer le récit. Inutile si elle est considérée en elle-même, la séquence est, en principe, et présupposante et présupposée. Sa fonction paraît être de prolongation et de complication du récit : elle permet d'introduire, dans la séquence suivante, de nouveaux acteurs et de nouvelles épreuves; sa duplication signale formellement, comme effet de sens, la difficulté de l'entreprise.

Cette corrélation entre la situation initiale et la situation finale, entre le nombre des acteurs et le type des épreuves auxquelles il est lié, ne manque pas de poser déjà un nouveau problème : celui de la *densité* du récit.

La linguistique structurale et la poétique[1]

1. LA SPÉCIFICITÉ DE LA POÉSIE

1.1. LA LINGUISTIQUE STRUCTURALE ET LA POÉTIQUE.

Les relations entre la linguistique structurale et la poétique ne peuvent être qu'étroites : non seulement l'identité de l'objet décrit, de nature linguistique dans les deux cas, mais aussi la façon d'envisager son mode d'existence (savoir : celle d'un système de relations, c'est-à-dire d'une structure complexe), autorisent à penser qu'une même méthodologie de base peut servir à l'analyse des objets linguistiques et poétiques; et que les procédures de description pour la poétique doivent être, au moins dans une première phase, l'application et le prolongement des procédures élaborées en linguistique.

1.2. L'UNIVERS SÉMANTIQUE ET LE DOMAINE LITTÉRAIRE.

Les objets poétiques, tout en possédant leur spécificité, appartiennent au domaine littéraire, qui se dégage, avec son articulation propre, de l'univers sémantique comprenant la totalité des significations recouvertes par une langue naturelle. Le domaine littéraire se distingue lui-même des autres domaines autonomes (religion, droit, etc.) en ce qu'il ne se caractérise pas par une zone particulière de la substance du contenu. Au contraire, les « formes » du contenu

1. Paru dans *Revue internationale des sciences sociales*, vol. XIX, nº 1, 1967.

qui semblent à première vue définir son domaine (tropes et genres) sont métalinguistiques par rapport aux langues naturelles et font partie des propriétés structurelles générales du langage.

La communication linguistique comporte, de façon générale, une très forte redondance que l'on peut considérer comme un « manque à gagner » du point de vue de l'information. L'originalité des objets « littéraires » (le terme est absolument impropre) semble pouvoir se définir par une autre particularité de la communication : l'épuisement progressif de l'information, corrélatif du déroulement du discours. Ce phénomène général se trouve systématisé dans la *clôture* du discours : celle-ci, arrêtant le flot des informations, donne une nouvelle signification à la redondance, qui, au lieu de constituer une perte d'information, va au contraire valoriser les contenus sélectionnés et clôturés. La clôture transforme donc ici le discours en objet structurel et l'histoire en permanence.

On voit que la « littérature », écrite ou orale, ne constitue pas un domaine sémantique, mais un ensemble de structures linguistiques utilisées soit comme catégories de construction, soit comme règles de fonctionnement, organisant les contenus qui se manifestent à l'intérieur de séquences discursives clôturées.

1.3. RECHERCHE LITTÉRAIRE ET RECHERCHE POÉTIQUE.

Si la recherche dite littéraire vise la description de schémas et de modèles structurels relevant de la *forme du contenu* et servant à l'organisation de sa substance, la recherche poétique opère à partir d'un sous-ensemble de séquences discursives clôturées, et caractérisées par une organisation parallèle de la *forme de l'expression.* Bien que la poétique travaille sur un corpus empiriquement plus restreint, elle apparaît donc comme une entreprise plus vaste et plus complexe : elle doit se constituer un outillage méthodologique et technologique qui permette non seulement de décrire les articulations formelles des deux plans du signifiant et du signifié, mais aussi de rendre compte de la corrélation spécifique que l'objet établit entre ces deux plans.

2. LA COMMUNICATION POÉTIQUE

2.1. UNITÉS LINGUISTIQUES ET UNITÉS POÉTIQUES.

Le message poétique se transmet sous forme de discours articulé dans une langue naturelle quelconque. Outre les unités linguistiques proprement dites en lesquelles ce discours peut être divisé, *de nouvelles unités* poétiques, dédoublant les premières, apparaissent sur les deux plans de l'expression et du contenu. Leurs caractéristiques sont les suivantes : *a*) elles sont reconnaissables de par la redondance syntagmatique (à l'intérieur d'un texte clos) ou paradigmatique (celle-ci permettant de superposer plusieurs textes comparables); *b*) elles ne sont concomitantes ni avec les articulations syntaxiques ni avec les articulations prosodiques du discours naturel et *débordant* les cadres phrastiques, elles constituent de larges séquences discursives; *c*) ce sont des unités structurelles, donc caractérisées par l'existence d'une relation entre au moins deux termes.

Une telle conception de la communication poétique (synthèse des définitions du style données par Bloch et par Hill) réserve le problème du contenu du message poétique transmis grâce à ces unités — ce qui est normal à ce stade —; elle n'en pose pas moins le problème de la signification des structures de l'expression qui font partie du même message, et, en affirmant la nature linguistique des unités poétiques, ne se prononce ni sur leurs dimensions ni sur leur articulation interne; elle soulève ainsi le problème des niveaux de communication poétique et de la typologie structurelle de ses unités.

2.2. UNITÉS POÉTIQUES : SCHÉMAS SYNTAGMATIQUES.

Si l'on accepte comme point de départ l'interprétation distributionaliste (Levin) selon laquelle les unités poétiques ne sont que des projections des schémas syntagmatiques (*patterns*) reconnus sur le plan de l'analyse des signes, on peut distinguer, pour les deux plans de l'expression et du contenu, deux niveaux hiérarchiques de communication poétique caractérisés chacun par la présence d'unités poétiques que différencient leurs dimensions syntagmatiques d'origine :

Plan du langage / Dimensions	Expression	Contenu
Syntagme	Schémas phonématiques	Schémas grammaticaux
Énoncé	Schémas prosodiques	Schémas narratifs

Un certain isomorphisme semble ainsi s'établir entre les schémas de l'expression et les schémas du contenu; on le voit en mettant en parallèle les unités de dimensions comparables : aux schémas phonématiques, faits de distributions particulières de phonèmes constituant des groupes syllabiques, correspondent, en gros, les schémas syntaxiques ou morphologiques (les « couplages » de Levin); aux schémas prosodiques, utilisant tantôt les phrases de modulation, tantôt les accents de groupes syllabiques (avec l'enchevêtrement des deux niveaux de l'expression dans le cas des schémas institutionalisés de la poésie rythmée et rimée à la fois), correspondent les schémas narratifs, qui ne seraient que l'application des catégories constitutives de l'énoncé aux séquences discursives transphrastiques. Il est évident qu'une subdivision des niveaux décrits et une classification plus raffinée des schémas poétiques sont possibles et même prévisibles : l'une et l'autre reposent, en effet, sur les principes bien connus de l'analyse linguistique en constituants immédiats.

2.3. ANALYSE DES SCHÉMAS SYNTAGMATIQUES.

Outre l'établissement du catalogue des schémas poétiques la tâche de la poétique est double à ce stade de l'analyse : description des niveaux de communication poétique, chacun de ces niveaux étant pris séparément; et établissement des corrélations entre chacun des niveaux poétiques et le niveau linguistique correspondant, tel qu'il se trouve manifesté sur le plan des signes. La *distorsion* de la communication que montre cette comparaison — certains y voient un des éléments possibles de la définition du style — est inévitable, du fait que les mêmes schémas assument chaque fois une double fonction : à l'intérieur des limites de la phrase (communication ordinaire) et à l'intérieur des unités discursives plus larges. L'analyse visera donc à reconnaître ces distorsions et à en établir la pertinence. Elle ne doit pas cependant être confondue avec la recherche des corrélations entre les différents niveaux de communication poétique.

2.4. LA TRANSFORMATION DES HYPOTAXIES EN ÉQUIVALENCES.

L'inventaire des schémas poétiques une fois établi, le problème de leur signification ne peut être évité. Tout ce que l'on peut dire là-dessus provient directement de l'impulsion révolutionnaire donnée aux recherches par la définition du langage poétique comme une projection des équivalences sur la chaîne syntagmatique (R. Jakobson). Si l'on considère que la manifestation discursive du langage consiste le plus souvent dans l'établissement de relations *hiérarchiques*, la prise en charge de ces relations hypotaxiques par la communication poétique les transforme en relations d'*équivalence*, c'est-à-dire, en somme, en relations de conjonction et de disjonction. Les schémas phonématiques et grammaticaux se transforment ainsi en matrices poétiques, et les schémas prosodiques et narratifs en modèles de « genres ». Ce double statut des unités poétiques — qui sont en même temps des schémas syntagmatiques et des modèles paradigmatiques — ne fait que confirmer l'observation de Lévi-Strauss selon laquelle toute métaphore s'achève en métonymie, et inversement.

2.5. LA STRUCTURE PARADIGMATIQUE DE LA SUBSTANCE POÉTIQUE.

Ce fait prend toute sa signification si l'on considère que les relations ainsi transformées sont métalinguistiques : elles lient entre elles les *classes* de phonèmes, ou de lexèmes (morphèmes), et non des occurrences. Aussi peut-on interpréter de telles transformations de relations, lorsqu'elles affectent deux phonèmes ou deux lexèmes, comme des bouleversements de la *structure* interne de ces unités : elles neutralisent les relations hypo- ou hypertaxiques entre les phèmes ou les sèmes à l'intérieur des phonèmes ou des lexèmes; elles valorisent ceux des traits distinctifs qui sont identiques (conjonctifs) ou opposés (disjonctifs). De telles restructurations de la substance peuvent être reconnues et enregistrées par la procédure générale d'homologation, selon laquelle A : A′ : : B : B′, et dont le « couplage » (Levin) n'est qu'un cas d'espèce.

Les relations poétiques ont donc pour fonction *l'organisation paradigmatique de la substance investie*, aussi bien celle du contenu que celle de l'expression. C'est ainsi que, dans une première étape, les schémas constitués d'assonances et d'allitérations ou de ressemblances et de rapprochements sémantiques peuvent être analysés et reconstruits, en opérant avec leurs traits pertinents, en matrices phémiques ou sémiques, faites d'identités et d'oppositions. Cependant la redondance n'est pas seulement l'itération des formes, mais aussi celle des *substances;* elle constitue une isotopie fondamentale où se situe, sur le plan du contenu comme sur celui de l'expression, la communication poétique.

2.6. L'ISOTOPIE POÉTIQUE ET LE PLAN DU DISCOURS.

Le concept d'isotopie de la communication nous paraît indispensable pour fonder, sur le plan du *contenu*, non seulement la tropologie, mais aussi la canonique des structures narratives closes. On peut évaluer la distance qui sépare cette isotopie (conçue comme un faisceau redondant de catégories sémiques) des manifestations discursives particulières, et définir par cette distance le statut structurel des tropes, pour en constituer ensuite, grâce à une typologie des relations poétiques (synecdoques, métonymies, antiphrases, etc.) reconnues déjà dans la manifestation syntagmatique du discours, un inventaire complet. C'est, d'autre part, par la détermination du niveau isotope du récit que Lévi-Strauss a pu établir l'analyse du mythe d'Œdipe; et tel sonnet de Louise Labé peut paraître comme constitué d'une série de transformations isotopes d'un seul énoncé : « Je t'aime » (Ruwet).

Les mêmes procédures de description peuvent être appliquées encore plus facilement au plan de *l'expression :* permettant ainsi d'établir, à partir d'une isotopie phonétique, articulée en termes de traits distinctifs et non de phonèmes, tout aussi bien les structures de « tonalité générale » des objets poétiques qu'une « tropologie » de l'expression.

2.7. LES « ÉCRITURES » ET LES « CODES » POÉTIQUES.

Ce renversement des rapports entre l'isotopie de la communication poétique (ou « littéraire ») et le plan de la manifestation discursive rejoint la tradition antique en matière de poétique (et de rhétorique); il a provoqué récemment un renouveau de recherches dans ce domaine.

Au niveau des relations formelles constitutives des unités poétiques, le concept d'écriture (Barthes) pourrait permettre la classification des formes littéraires et poétiques de caractère collectif, et rendre possible une typologie des « styles ».

Au niveau de l'isotopie de la substance du contenu, un certain nombre de recherches convergentes mettent en valeur certaines catégories de l'isotopie sémantique (catégories du genre et du nombre, de l'animé et de l'inanimé, du matériel et du moral), basée sur la projection des relations morpho-syntaxiques de l'énoncé (accord et rection). Mais ces recherches aboutissent ainsi à reconnaître l'existence des isotopies sémiologiques, faites de l'utilisation, par la communication poétique, des codes isomorphes dans une large mesure et traductibles les uns dans les autres (Bachelard, Lévi-Strauss) qui organisent les différents ordres sensoriels; elles confèrent ainsi le statut structurel à l'ancienne notion métaphysique de « correspondances ».

Le développement prévisible de la recherche poétique dans ces deux directions parallèles et la transposition des mêmes concepts sur le plan de l'expression ne feront que souligner davantage la nature plurilinéaire de la communication discursive.

3. LA CORRÉLATION ENTRE L'EXPRESSION ET LE CONTENU

3.1. LA RESTRICTION DE LA COMBINATOIRE ET LA CO-OCCURRENCE DES FORMES.

Tout le monde s'accorde pour dire que la distinction entre le littéraire et le poétique n'est pas seulement d'ordre quantitatif, et que la poésie ne se définit pas, dans ses relations avec la littérature, par l'adjonction d'un plan de l'expression supplémentaire (même si celui-ci possède une articulation parallèle et parfois isomorphe au plan du contenu), mais plutôt qu'elle résulte de la « fusion intime » des deux plans. Ce dernier concept, fort vague, demande à être traduit dans les termes de la linguistique structurale.

La clôture de tout objet poétique constitue le premier élément d'interprétation : l'univers poétique clos possède deux inventaires limités de catégories (phémiques et sémiques) et deux structures (de l'expression et du contenu). Ce n'est qu'à partir de ces deux inventaires fermés que peut opérer une combinatoire poétique donnant lieu à la manifestation poétique discursive, qui se situe au niveau des signes. Tout discours poétique est, par conséquent, la manifestation de deux combinatoires parallèles restreintes; il en résulte une probabilité théoriquement élevée que les schémas poétiques de l'expression et du contenu soient en position concomitante. La co-occurrence des formes de deux plans est l'un des éléments de la définition du langage poétique.

3.2. L'ADÉQUATION STRUCTURELLE DE L'EXPRESSION ET DU CONTENU.

Cette co-occurrence doit, de plus, être définie dans son statut structurel. Pour conserver son caractère linguistique, elle ne doit pas se situer au niveau des interjections, où la fusion du sens et du son serait totale (Ruwet); elle ne peut pas non plus épouser toutes les caractéristiques de la double articulation : elle rejoindrait ainsi l'arbitraire des signes des langues naturelles. C'est donc, au niveau des matrices phémiques et sémiques (elles-mêmes résultant des transformations des schémas phonématiques et grammaticaux), que se manifeste l'adéquation structurale entre les distributions homologuées de l'expression et du contenu. Ces matrices, obtenues par un jeu d'identités et d'oppositions catégoriques, sont évidemment des structures formelles qui articulent, d'une part, la substance de l'expression, et de l'autre, celle du contenu. La co-occurrence des formes de l'expression et du contenu se transforme donc en adéquation lorsque les matrices phémiques et sémiques, identiques quant à leur structure formelle, articulent de manière symétrique les substances de l'expression et du contenu. L'adéquation des matrices (abondamment illustrée par les analyses de sonnets de Jakobson et Lévi-Strauss, et de Ruwet) a été également mise en évidence dans le domaine de l'étymologie (Guiraud) non seulement dans la prise en charge des onomatopées en vue de leur articulation linguistique, mais aussi au niveau des structures sous-jacentes qui, sous le nom d'« étymologies populaires », redistribuent en de nouvelles classes les étymons de provenances diverses. Le même phénomène se retrouve, à un autre niveau et avec un maniement moins raffiné, dans les jeux de mots et les calembours.

Ce qu'il y a de commun dans tous ces phénomènes, c'est le raccourcissement de la distance entre le signifiant et le signifié : on dirait que le langage poétique, tout en restant langage, cherche à rejoindre le « cri originel » et se situe ainsi à mi-chemin entre l'articulation simple et l'articulation linguistique double. Il en résulte un « effet de sens », commun aux différents exemples cités, qui est celui d'une « vérité redécouverte », originelle ou originale, selon les cas. C'est dans cette signification illusoire de « sens profond », caché et inhérent au plan de l'expression, qu'on pourrait situer, notamment, le problème des anagrammes. La recherche poétique n'est malheureusement pas assez avancée pour qu'on puisse entrevoir déjà la solution du problème (posé par Jakobson) de la *signification* des formes poétiques : *une des manières de le résoudre serait de conférer la signification « vérité » à l'adéquation du contenu et de l'expression.*

Cette adéquation, dont la poétique intraphrastique précise progressivement le statut structurel, doit être recherchée aussi au niveau transphrastique, où la poétique sera amenée à renouveler l'ancienne problématique des genres poétiques, définis traditionnellement eux aussi, par l'adéquation « de la forme et du fond ».

4. L'OBJET POÉTIQUE

4.1. LA CONVERGENCE DES STRUCTURES CONTRAIGNANTES.

Le but de la poétique est double : d'une part, elle cherche à comprendre et à décrire, dans les termes de la linguistique structurale, la communication poétique; d'autre part, elle doit être en mesure de rendre compte de l'être structurel de tout objet poétique particulier.

L'objet poétique quelconque (distique, sonnet ou épopée) apparaît à la fois comme le point de convergence de tous les niveaux de communication poétique, et comme le lieu de sélection de certaines unités poétiques à l'exclusion d'autres. Ce choix semble être conditionné par deux sortes de contraintes : *a*) celles qui partent de la langue naturelle utilisée et limitent de ce fait les choix des contenus et des expressions possibles, se laissent désigner sous la forme d'une écriture sociale, imposée a priori (cette écriture pouvant être niée, mais non ignorée); *b*) celles qui partent de la même langue naturelle, apprise et assumée d'une manière idiolectale par des individus, peuvent être considérées comme relevant d'un style individuel, imposé par la structure linguistique de la personnalité, et qui doit son originalité à cette structure comme aux interactions distordantes des autres structures sémiotiques, non linguistiques, propres à chaque individu.

On voit que ces contraintes (formulées par R. Barthes) constituent un déterminisme fort lâche : la convergence de deux types de structures diacritiques complexes provoque l'apparition d'un événement — objet poétique de caractère probabilitaire. L'analyse de l'objet poétique présuppose donc, théoriquement, la connaissance de l'écriture sociale sous-tendue, ainsi que la description préalable de la structure linguistique de la personnalité du poète. Dans la pratique, les deux sortes de recherches sont menées parallèlement et se complètent.

Une connaissance insuffisante de ces conditionnements et la nature probabilitaire de l'objet manifesté ne permettent pas encore, semble-t-il, de poser correctement le problème de la valeur esthétique de l'objet poétique, si du moins on tentait de la déduire soit des choix de niveaux ou d'unités poétiques, soit des corrélations symétriques ou asymétriques reconnues entre les niveaux enregistrés.

4.2. DESCRIPTION FORMELLE ET SUBSTANTIELLE.

Il est inévitable que dans l'analyse des objets particuliers, la poétique en arrive à confondre la description des schémas et des structures formels avec celle des substances qui s'y trouvent investies, et rejoigne ainsi les préoccupations de la sémantique et de la phonétique. Ainsi, les meilleurs exemples de descriptions récentes *(Les chats)* relèvent à la fois des recherches poétiques *stricto sensu* et des explorations sémantiques. De même — mais sans un égal savoir-faire — des écoles entières (la néocritique française, par exemple) se consacrent aux descriptions sémantiques des univers poétiques clos.

Ce glissement n'est que l'extrapolation de la conception jakobsonienne de la poésie comme projection des équivalences dans le discours : considéré comme un tout fermé, le discours poétique est ainsi immédiatement saisissable et facilement mémorisable comme une structure achronique, comme un « objet total ». Les analyses partielles révèlent l'existence de matrices paradigmatiques dont l'homologation n'a qu'un sens et ne peut avoir pour résultat que la description du discours poétique sous la forme d'une structure hiérarchique : son articulation formelle est — ou sera bientôt — prévisible; la substance linguistique qui y est investie en constitue l'*unicité*. Ainsi la poétique, dans la mesure où elle se propose de rendre compte non seulement de la communication poétique, mais aussi de la structure des objets poétiques, se trouve amenée à élargir le champ de ses investigations — et à y inclure la description de la substance linguistique (sémantique et phonétique) telle qu'elle se manifeste dans les objets poétiques; elle envisage du même coup la possibilité d'une typologie des contenus et des « tonalités musicales » des systèmes clos que sont les objets poétiques.

4.3. STRUCTURES ACHRONIQUES ET STRUCTURES DIACHRONIQUES.

C'est, à notre connaissance, dans le domaine de l'analyse des contenus sémantiques que des progrès essentiels ont pu être enregistrés ces derniers temps. Il serait souhaitable que la description de l'expression, délaissant le niveau phonétique de caractère impressionniste, cherche à dégager les structures phonématiques comparables, fondées sur l'analyse des traits distinctifs.

Différentes recherches récentes (celles de Jakobson et de Lévi-Strauss, en particulier) ont mis en évidence l'existence, dans les œuvres fermées, au niveau de l'articulation du contenu, de la possibilité d'une double lecture d'un même objet poétique (ou « littéraire »). Dans le premier cas, l'objet apparaît comme un « système clos » dont les articulations partielles s'intègrent dans une structure paradigmatique. Dans le second cas, l'objet est lisible comme un « système ouvert », manifestant, à un moment donné de son déroulement discursif, une continuité qui peut être interprétée comme une transformation diachronique du contenu, constitutive d'un avant et d'un après sémantiques. A cette possibilité, à première vue insolite, d'une double lecture correspond une double schématisation du poème. Ainsi une nouvelle distinction — fonctionnelle celle-là — entre les unités poétiques se trouve établie grâce à l'analyse de l'isotopie, implicite ou explicite, de l'objet. Par ailleurs, au concept d'isotopie, postulé au niveau de la communication, correspond le concept de taxinomie, rendant compte de l'objet poétique, considéré comme un système clos; et les ruptures de l'isotopie peuvent être interprétées comme des transformations linguistiques opérant sur des ensembles taxinomiques.

5. L'EUPHORIE POÉTIQUE

5.1. LA CONNOTATION EUPHORIQUE ET DYSPHORIQUE.

S'il est incontestable que la communication poétique est, dans son ensemble, créatrice d'euphorie, il ne fait pas de doute que la substance phonétique et sémantique qui est l'objet de cette communication se trouve connotée, au niveau de toutes ses articulations, par la catégorie proprioceptive manifestant tantôt son terme euphorique, tantôt son terme dysphorique. L'apparente contradiction pourrait être levée, si l'on admettait, comme nous l'avons proposé, l'existence d'une *signification des formes* poétiques, distincte de la *signification de la substance :* alors que la substance est connotée par les variations isotopes à la fois euphoriques et dysphoriques, la forme poétique (manifestée fondamentalement par la redondance, et l'adéquation de l'expression et du contenu) provoquant les « effets de sens » de permanence et de vérité, serait pure euphorie.

L'écriture cruciverbiste[1]

1. COMMUNICATION ET MÉDIATION

1.1. LA COMMUNICATION CRUCIVERBISTE.

Tout problème cruciverbiste se compose : *a*) d'une grille de dénominations et *b*) d'un inventaire de définitions.

Si l'on se limite, comme nous avons l'intention de le faire, à la seule exploration des relations existant entre ces deux composantes [2], on peut dire, en simplifiant beaucoup, que le cruciverbiste-producteur, à une étape donnée de la construction du problème, doit constituer un inventaire de définitions à partir d'une grille entièrement remplie alors que le cruciverbiste-consommateur, au contraire, aura à sa disposition un inventaire de définitions et devra reconstituer intégralement la grille. Entre ces deux états, diachroniquement distincts, se situent les procédures que l'on peut considérer, dans le premier cas, comme celles d'un *encodage* et, dans le second, comme celles d'un *décodage :* ces deux termes, désignant le transcodage, ne diffèrent entre eux, en principe, que du point de vue de l'*orientation* des opérations. Mais on peut tout aussi bien utiliser un autre vocabulaire et dire que la procédure se résume, dans un cas comme dans l'autre, en un algorithme de démarches qui, à partir d'instructions initiales, se développent comme des règles d'un savoir-faire implicite qu'il s'agit de formuler.

1. Paru sous ce titre dans *To Honor Roman Jakobson*, La Haye-Paris, Mouton et Cº, 1967.

2. On laissera, par conséquent, de côté le problème de la structure graphématique de la grille et de son rôle dans les procédures de découverte.

Quoi qu'il en soit, la communication cruciverbiste apparaît comme une *communication différée* [1] et caractérisée par la présence d'un message-objet médiatisé, intercalé entre le destinateur et le destinataire, et qui nécessite, de ce fait, la mise en place de procédures de reconversion.

1.2. COMMUNICATION CRUCIVERBISTE ET COMMUNICATION POÉTIQUE.

Que l'art cruciverbiste se serve d'une expression graphématique propre à différer la communication et que, de plus, les deux plans de l'expression et du contenu se trouvent enchevêtrés lors de la communication, cela le rapproche, apparemment, du langage poétique. Les différences, toutefois, sautent aux yeux :

1. L'enchevêtrement des plans de l'expression et du contenu se manifeste, dans les mots croisés, au niveau de la grille, à partir de laquelle l'auteur opère le transcodage de la signification; en poésie au contraire la « fusion » des structures du contenu et de l'expression se fait lors de la manifestation, telle qu'elle se présente au lecteur.

2. Une deuxième différence en découle : si la communication poétique, de nature syntagmatique, présuppose un code paradigmatique implicite, le décodage de la signification dans la lecture cruciverbiste vise également à reconstituer une grille, c'est-à-dire une sorte de code. Mais dans le premier cas, le code relève du signifié et sert de grille à l'interprétation de la poésie; dans le second cas, au contraire, la grille est purement graphématique et, comme telle, dépourvue de signification.

Malgré le caractère très sommaire de ces généralisations, on peut avancer que la communication cruciverbiste n'est pas *apoétique*, mais *anti-poétique :* par certains de ses traits importants elle apparaît comme l'inversion négative des principes de l'organisation poétique. Ainsi, sa lecture se propose, à partir du sens, d'obtenir du non-sens, et, à partir de la manifestation libre que révèle l'inventaire inarticulé de ses définitions, de retrouver un code contraignant. La lecture poétique, au contraire, du moins dans certaines de ses formes qui nous sont proches, part du non-sens apparent à la recherche de la

1. Elle est comparable en ceci à un sous-ensemble de communications dites, à défaut d'un terme plus adéquat, esthétiques (telles que les communications poétique, picturale, filmique, etc.).

signification et s'impose une canonique du signifiant contraignante, lieu de la manifestation des choix supposés libres.

Des ressemblances n'en existent pas moins : certaines sont plus ou moins implicites et ont servi de base à la découverte des divergences; d'autres, au contraire, bien que partielles, sont évidentes. Elles ne relèvent, il est vrai, que du plan du contenu et ne concernent que l'aspect littéraire de la communication poétique. En effet, le problème des relations entre un élément de la grille et l'élément correspondant de l'inventaire se pose en termes comparables à ceux qu'on doit introduire lors de l'étude des figures dites stylistiques du langage littéraire. En étudiant un corpus très simple, constitué de mots croisés, pour français « cultivé[1] », on peut tenter une approche simplifiée de certains problèmes stylistiques.

1.3. DÉFINITION ET DÉNOMINATION.

Les unités linguistiques de la grille et de l'inventaire se présentent respectivement comme des mots et comme des expansions syntagmatiques de ces mots. L'inventaire offert au lecteur apparaît comme un dictionnaire à l'envers, constitué d'une liste de définitions (Df) dont la grille contient les dénominations (Dn).

Le langage littéraire présente souvent des situations comparables : un nombre assez considérable de ses unités est constitué non de mots, mais de segments plus larges que l'on peut considérer comme des expressions syntagmatiques. Tel est le cas, notamment, des comparaisons, des images, de certains symboles poétiques. Dès lors, en posant comme hypothèse que la figure stylistique peut être comprise comme la distance entre deux expressions différentes d'un même contenu, on peut tenter d'assimiler ces expansions littéraires à des Df et chercher à établir, pour chacune des Df, une Dn correspondante. En utilisant des Dn disponibles dans la langue naturelle, ou en construisant, au besoin, des Dn artificielles, on pourrait ainsi poser les premiers jalons d'un *dictionnaire* du langage poétique, limité à des corpus définis, qui rendrait compte à la fois de la polysémie et des possibilités de reconversions entre les codes multiples.

1. Nous avons choisi, en effet, 40 grilles ordinaires des *Mots croisés* de Max Favalelli, 2e recueil, 1964, éd. du Livre de Poche.

Nous sommes loin de nous dissimuler les difficultés d'une telle entreprise, la première résidant dans le fait que l'expansion syntagmatique ne constitue ni le seul critère, ni le plus important, pour évaluer la distance entre Df et Dn.

1.4. ÉQUIVALENCE ET DISTANCE.

La distance, terme qui nous sert à désigner provisoirement la relation entre Dn et Df, est visiblement une notion ambiguë. Elle indique en même temps : *a*) que les deux termes, Dn et Df, sont, d'une certaine manière, équivalents, puisqu'il est possible, en partant de l'un de retrouver l'autre, et *b*) que cette équivalence est pourtant cachée, puisqu'il s'agit justement de la retrouver.

> *Remarque :* La distance, même si elle n'est saisie que de manière intuitive, apparaît comme une variable, qui peut servir éventuellement à caractériser, et à opposer, certains sous-genres sémiotiques : ainsi, elle paraît maximale dans les devinettes arméniennes où l'équivalence, bien qu'exigée, est pratiquement impossible à définir; elle diminue, jusqu'à disparaître complètement parfois, dans certains dictionnaires scientifiques.

On peut chercher à préciser le concept de distance en l'opposant à celui d'équivalence. On dira donc que l'équivalence entre Dn et Df est une règle de jeu implicite : elle constitue, pour le lecteur, une visée, un état *ad quem;* l'auteur, au contraire, part de l'équivalence comme d'un état *ab quo*, et cherche à compliquer le jeu en la voilant. Il s'agit, dans un cas, de *créer la distance* en rendant implicite l'équivalence et, dans l'autre, de *supprimer la distance* en explicitant les itinéraires de la complication.

Dans un cas comme dans l'autre, la tâche du linguiste consiste à décrire les procédures de manipulation de contenus, posés comme équivalents en tant que noyaux de Dn et Df et qui subissent une série de conversions et de transformations pour être finalement recouverts, dans leur manifestation lexématique, par des expressions différentes, distanciées, souvent méconnaissables. Peu importe que le résultat de cette explicitation des manifestations soit présenté sous forme de règles de conversion ou d'une description de réseaux de relations : il suffit que ces manifestations ne soient pas considérées comme *orientées*, puisque, théoriquement du moins, la procédure créatrice de l'auteur emprunte les voies que la procédure interprétative du lecteur doit retrouver et parcourir en sens inverse.

Notre hypothèse de travail consiste donc à dire que, l'équivalence entre les contenus Dn et Df une fois posée, celle-ci ne peut être établie que par la suppression de la distance (Di) :

$$C(Dn) \simeq C(Df) - Di$$

Il s'agit maintenant de voir, de façon plus précise et plus détaillée, en quoi consiste cette distance.

2. LA DISTANCE SYNTAXIQUE

2.1. LE STATUT SYNTAXIQUE DE LA DÉFINITION.

Si la Df est une expansion syntagmatique de la Dn, elle peut être caractérisée par l'unité syntaxique dont elle emprunte les dimensions. En prenant l'énoncé simple comme étalon de mesure, trois cas peuvent se présenter : Df peut être :

a) soit plus étendue que l'énoncé simple;
b) soit égale à l'énoncé;
c) soit ne constituer qu'une partie de l'énoncé.

Le cas *a*) est, dans notre *corpus*, statistiquement rare; comme, de plus, tout énoncé complexe peut être réduit à la forme canonique de l'énoncé simple, nous n'en tiendrons pas compte par la suite.

Dans le cas *b*), où Df possède la structure de l'énoncé complet, Dn est présente dans l'énoncé sous forme d'une anaphore correspondant à l'un des éléments de celui-ci.

Dans le cas *c*), statistiquement le plus fréquent, Df se présente

1° soit comme une unité syntaxique de la même nature que Dn;
2° soit comme une unité de nature différente.

On voit que, dans ce dernier cas *c*), on peut parler soit de l'isomorphisme, soit de l'hétéromorphisme syntaxique (cette division correspond à la distinction que Jakobson a établie entre métaphore et métonymie).

Avant de poursuivre notre réflexion, il s'agit maintenant de donner un nombre suffisant d'échantillons du corpus.

2.2. DÉFINITIONS PHRASTIQUES.

a) *Dérivés de premier degré.*

(1) Dn = A_1 (Sujet)

Heureusement *il* ne manque pas de tact — *Aveugle*
Des ans *elle* est l'irréparable outrage — *Ride*

(2) Dn = A_2 (Objet)

On peut *le* prendre sans nuire à quiconque — *Elan*
Il n'est pas toujours facile de *le* réparer — *Oubli*

(3) Dn = A_4 (Destinataire)

Nous *lui* devons d'être éclairés sur bien des points — *Edison*
Il *lui* arrive d'avoir le feu quelque part — *Casserole*

(4) Dn = C (Circonstant)

On *en* sort les mains nettes — *Toilettes*
La bergère peut *y* voisiner avec le crapaud — *Chambre*

b) *Dérivés de second degré.*

(1) Dn = Complément du nom

Son passage est silencieux — *Ange*
Ses fous vont et viennent en toute liberté — *Volant*

(2) Dn = Épithète

Un *tel* style n'a rien d'agréable — *Heurté*

(3) Dn = Substantif du groupe nominal

Ceux de Lusace furent germanisés — *Serbes*
Le dernier est sans appel — *Set*

(4) Dn = Attribut

Le Français se pique de *l'*être — *Débrouillard*
Il est rare que la paresse *en* soit *un* — *Atout*

Remarques : 1. La Df phrastique présente en quelque sorte à l'état pur les relations grammaticales qui existent entre Dn et Df; Dn étant présente dans l'énoncé sous sa forme anaphorique, la relation entre les deux, sur le plan syntaxique, est ainsi établie; l'équivalence de contenu entre Dn et Df étant, d'autre part, posée, une relation de non-équivalence syntaxique se trouve en même temps affichée : elle apparaît comme une relation de partie (Dn) au tout (Df)[1]. On voit en tout cas que les relations d'*équivalence* et de *distance hypotaxique* se trouvent ainsi signalées.

2. L'absence, dans l'échantillon présenté, du verbe et, plus généralement, du groupe prédicatif, n'est pas une omission de notre part, mais une caractéristique de l'écriture cruciverbiste étudiée. On pourrait dire que de telles absences, ou des présences numériquement faibles, peuvent servir d'indices à partir desquels une typologie, toute relative, des *écritures* peut être conçue. Dans la mesure où une écriture « littéraire » se définit statistiquement, l'établissement des normes relatives *a*) à la langue naturelle utilisée (le français moderne utilise apparemment beaucoup moins d'anaphores verbales que l'ancien français, par exemple) *b*) aux règles du genre étudié (le cruciverbiste « cultivé » a tendance à utiliser le « style substantif » du XXe siècle), pourrait permettre le calcul des écarts significatifs qui caractérise une écriture spécifique.

3. Un dernier trait caractéristique, enfin : les exemples choisis, représentatifs du corpus entier, montrent bien que la présence d'une anaphore est presque toujours accompagnée, dans le même énoncé, de celle d'un indéfini; autrement dit, lorsque Df se présente comme un énoncé syntaxiquement complet, cet énoncé apparaît du même coup comme vidé d'une partie de son contenu, et ne garde que les valeurs grammaticales comme : *on*, *il*, *nous*, etc., de telle sorte qu'il devient sémantiquement équivalent des expansions subphrastiques que nous allons illustrer maintenant.

1. Pour les relations propres aux dérivés de second degré, cf. plus loin, 2.3.1.3.

2.3. DÉFINITIONS SUBPHRASTIQUES.

2.3.1. *Relations isomorphes.*

Après avoir divisé, d'un point de vue syntaxique, les expansions de Df en isomorphes et hétéromorphes, nous allons d'abord constituer un échantillonnage des premières. Il est entendu que, considérés comme des parties de l'énoncé simple, ces syntagmes apparaissent tantôt comme des dérivés de premier degré, tantôt comme des dérivés de second degré.

a) *Dérivés de premier degré.*

(1) Df = Groupe nominal; Dn = A_1 (Sujet)

Objet de menues tricheries — *Age*
Transport médiéval — *Ire*

(2) Df = Groupe verbal; Dn = F (Verbe)

Cherche la petite bête — *Mire*
Prépare la chute — *Sape*

b) *Dérivés de second degré.*

(1) Df = Groupe adjectival; Dn = A_1 (Sujet)

Poli quand il sort du lit — *Galet*
Plus rapide après la question — *Aveu*

(2) Df = Groupe adjectival; Dn = Épithète ou Attribut

Interdit aux moins de quinze ans — *Osé*
Acquis sans nulle peine — *Inné*

Remarques : Bien qu'on découpe habituellement l'énoncé en sujet et prédicat, il ne nous est pas paru possible de considérer ici le syntagme attributif comme assimilable au groupe verbal. Le segment Df, extrait de l'énoncé, peut être considéré tout aussi bien comme attribut que comme sujet en expansion. En généralisant cette remarque, on peut dire, dans la tradition jakobsonienne, que le prédicat attributif pose d'abord l'équivalence (quitte à ce que son contenu apparaisse ensuite comme hyponymique), tandis que le prédicat verbal est d'abord une hypotaxe, même si son contenu peut révéler une équivalence implicite.

2. Il en résulte que la procédure utilisée dans tous ces cas pour créer la distance entre Dn et Df, est une *substitution :* deux contenus, considérés comme équivalents, sont syntaxiquement manifestés à deux niveaux différents de dérivation.

3. Dans cette perspective, le problème des dérivés de second degré pourrait recevoir ici une solution au moins provisoire : les Df de ce genre, bien que substitutives et postulant de ce fait une équivalence syntaxique, sont franchement hyponymiques quant à leur contenu, car la relation entre substantif et épithète paraît comme l'attribution d'une qualification possible, constitutive de la « substance » de l'actant.

2.3.2. *Relations hétéromorphes.*

Le second sous-groupe des Df dont les occurrences possèdent le trait commun d'être des expansions syntaxiques, se distingue du premier par le fait que le cadre de l'énoncé simple n'y est plus le lieu de *substitutions paradigmatiques;* mais il offre les possibilités d'interchangements, de *permutations syntagmatiques.*

Nous allons présenter de la même manière les exemplaires caractéristiques de ce *corpus :*

a) *Dérivés de premier degré.*

(1) Df = Groupe prédicatif; Dn = A_1 (Sujet)

N'eut aucun motif d'être jalouse — *Eve*
Permet un contact dans la clandestinité — *Genou*
Prend la mouche — *Truite*

(2) Df = Groupe circonstantiel; Dn = A_1 (Sujet)

Bien souvent aux deux termes de l'existence — *Lit*
A la place du cœur — *Abîme*

b) *Dérivés de second degré.*

(1) Df = Groupe prédicatif; Dn = Adjectif

A réponse à tout — *Érudit*
Rend certain serrement désagréable — *Moite*

Remarques : 1. Cet échantillonnage ne pouvant rendre compte de l'importance numérique de chaque type de définitions, il faut noter que les Df prédicatives constituent l'essentiel de ce sous-groupe. En effet, les Df circonstantielles sont peu nombreuses, et peuvent toutes être interprétées, par l'explicitation de la copule, comme des Df attributives. D'autre part, les rares Df dont les Dn se présentent comme des dérivés de second degré, sont agrammaticales (Moite), ou bien convertissent le dérivé de second degré en dérivé de premier degré (Érudit). Le sous-groupe se réduit donc, pour l'essentiel, au seul type des Df prédicatives.

2. Nous ne voulons pas pour l'instant, prendre parti dans le débat sur la nature de la relation syntaxique entre le sujet et le prédicat; il suffira de dire que la distance entre Dn et Df peut être interprétée, pour ce sous-groupe, comme une *permutation syntagmatique*, l'énoncé servant de cadre à cette opération.

2.4. DÉFINITIONS MÉTALINGUISTIQUES.

Pour être exhaustif, il nous faut signaler l'existence d'un dernier groupe de Df qu'on peut appeler métalinguistiques :

1. *Explicites.*

Désigne assez légèrement un organisme international — *Machin*
Ne peut s'*appliquer* à Oblomov — *Actif*

2. *Implicites.*

Articule une argumentation — *Car*
Précise un itinéraire — *Par*

On voit que les Dn fonctionnent ici comme des objets métalinguistiques, et non comme des signes linguistiques ordinaires. Du point de vue strictement syntaxique qui est le nôtre ici, elles ne constituent pas un sous-groupe autonome.

2.5. INTERPRÉTATION DE LA DISTANCE SYNTAXIQUE.

Avant de tenter une interprétation des relations que nous venons d'identifier, il faut voir si leur inventaire ne peut pas être davantage réduit. Il semble bien, nous l'avons vu, que le statut des Df ayant les dimensions de l'énoncé soit ambigu. On a vu en effet qu'une telle Df, tout en gardant son statut d'énoncé, se rapproche sémantiquement des Df subphrastiques hétéromorphes. Dans les exemples comme :

On les apprécie dans le corps de garde	— *Crudités*
Il faut l'agiter pour s'en servir	— *Sonnette*
Certains la préfèrent grillée	— *Loge*

et des dizaines d'autres, la présence d'un actant-objet anaphorique entraîne avec elle la manifestation d'un actant-sujet purement grammatical, dépourvu de contenu investi, et fait supporter tout le poids de la définition à un schéma lexical binaire constitué par *a*) le prédicat et *b*) un deuxième élément quelconque de l'énoncé. — Dans la mesure où seul l'hétéromorphisme des fonctions syntaxiques et la procédure de permutation syntagmatique entrent en jeu ici pour l'évaluation de la distance entre Dn et Df, on peut tenter une simplification en assimilant les Df phrastiques aux Df hétéromorphes.

Il ne nous reste plus, dans ce cas, que deux types de définitions que l'on peut présenter schématiquement ainsi :

Unités syntaxiques / Définitions	Éléments constitutifs de l'énoncé	Paliers de dérivation
Substitutives	isomorphes	hétéromorphes
Permutatives	hétéromorphes	hétéromorphes

On voit que la distance syntaxique entre Dn et Df se prête à une double interprétation.

2.6. EXPANSION ET CONDENSATION.

Ainsi, du point de vue des paliers de dérivation, c'est-à-dire, du niveau hiérarchique où les unités considérées, Dn et Df, se trouvent situées, la division des Df en deux groupes n'est pas pertinente : dans un cas comme dans l'autre, la Dn, ayant les dimensions du mot graphique, se transforme en Df en expansion. Ceci revient à dire que la distinctivité de la catégorie syntaxique

condensation vs *expansion*

que nous essayons d'introduire n'est pas rentable à l'intérieur du « genre » cruciverbiste, mais que cela ne l'empêche pas d'être un élément de la définition de ce genre si l'on l'oppose à d'autres genres comparables.

En effet, la stylistique littéraire rencontre cette sorte de problèmes lorsqu'elle essaie de préciser, par exemple, l'opposition entre l'emphase ou l'enflure baroques et la litote classique. De même, lorsque N. Ruwet, par exemple, suggère qu'un sonnet de Louise Labé n'est autre chose qu'un ensemble de transformations de l'énoncé : « je t'aime », il ne fait que poser, à un autre niveau, le problème de l'expansion syntagmatique ou discursive. Le terme d'expansion, une fois admis, présuppose celui de condensation, et l'on en arrive à envisager la possibilité de deux types d'écritures, ou plutôt une distance stylistique à double orientation, allant tantôt dans le sens de l'expansion, tantôt de la condensation.

Si nous avons désigné la catégorie *expansion/condensation* comme étant de nature syntaxique, c'est pour mieux marquer que, bien que mesurable au niveau de la manifestation (en quelque sorte au centimètre, dans le cas de l'expression graphique, ou à la seconde, si l'expression est phonique), elle relève de la structure syntaxique et peut être définie en termes de syntaxe. Mais c'est aussi pour souligner son indépendance par rapport au contenu investi : on n'a qu'à penser à une des définitions courantes de l'esprit français du XVIIIe siècle (il consisterait à parler très peu des choses importantes et à s'étendre sur des futilités) pour voir que les deux catégories peuvent se présenter comme concomitantes et inversées :

$$\frac{\text{Expansion syntaxique}}{\text{Pauvreté sémantique}} \simeq \frac{\text{Condensation syntaxique}}{\text{Richesse sémantique}^{1}}.$$

La catégorie *expansion/condensation* ne doit pas être confondue avec l'évaluation de la distance entre Dn et Df due aux relations syntaxiques agençant les éléments constitutifs de l'énoncé. Ainsi, lorsqu'on parle de l'écriture litotique du classicisme français, on ne distingue pas toujours deux choses : l'usage de la litote, dans la mesure où il est statistiquement significatif, relève d'un souci d'économie des moyens employés et peut être considéré comme une manifestation condensatrice. Mais la fréquence (dans les mêmes textes) des figures anthropomorphiques (où les différentes parties du corps désignées renvoient inlassablement à une nature humaine totale implicite), peut définir une écriture métonymique qui, bien qu'utilisant le réseau d'interrelations du « corps humain » et non de l' « énoncé », présente les caractéristiques dont nous essayons de préciser ici l'aspect syntaxique.

2.7. SUBSTITUTION ET PERMUTATION.

Deux types de Df, substitutives et permutatives, et deux types de relations distanciant Dn et Df semblent apparaître dans l'écriture cruciverbiste. Leur distinction est fondée sur la permanence d'éléments constitutifs de l'énoncé simple, indépendante des expansions dont chacun de ces éléments est susceptible dans le fonctionnement du discours.

Dans le cas de la substitution, il s'agit en somme de poser une relation d'identité syntaxique pour qu'elle puisse servir de base à la différenciation des contenus. La distance entre deux ou plusieurs manifestations différentes étant ainsi formellement déniée, un type d'écriture substitutive, psychotique ou poétique, peut se développer en devenant redondante : si, de plus, elle opte en faveur des syntagmes nominaux, l'effet de sens produit par l'uniformité de cette base

1. Nous avons essayé de donner une définition quantitative de la catégorie « richesse »/« pauvreté » sémantiques, en proposant comme critère le nombre de sèmes présents dans un sémème (cf. notre *Sémantique structurale*).

syntaxique permet de parler d'un réseau de « correspondances » renvoyant toutes à une permanence anagogique.

Le désir d'esquisser une interprétation sémantique des relations dites formelles nous renvoie immanquablement à Jakobson qui, le premier, a posé ce problème dans les termes de la linguistique. S'il est déjà admis que la redondance des contenus révèle l'existence d'une thématique obsessionnelle du discours, on ne voit pas comment la fréquence, statistiquement significative, d'un certain type de relations formelles aux dépens d'autres relations également possibles, pourrait ne pas poser le problème de son interprétation sémantique.

Aux définitions substitutives s'opposent les définitions permutatives qui postulent le remplacement syntagmatique, l'interchangeabilité des éléments constitutifs d'un énoncé. La distance entre Dn et Df ne consiste plus, dans ce cas, dans l'affirmation d'une identité, mais dans celle d'une différence, même si, à partir de cette différence fondamentale, des identités de contenu peuvent être retrouvées. Contrairement à l'écriture substitutive « essentielle », l'écriture permutative est, quant à elle, « événementielle », et sa manifestation se prête à la constitution d'un effet de sens renvoyant à un monde des apparences, fortuites et éphémères.

Le corpus que nous utilisons ne fournit, pour l'essentiel, qu'un type de permutations : les entités que sont les Dn y sont permutées en Df prédicatives, ce qui ne fait que redoubler leur caractère événementiel. La distance, toutefois, n'étant pas, par définition, nécessairement orientée, on peut très bien concevoir, par exemple, tel poème de Verlaine où une manifestation fortement nominale renverrait à une isotopie seconde, verbale et événementielle.

3. ÉQUIVALENCES ET DISTANCES SÉMANTIQUES

3.1. LE SCHÉMA CANONIQUE DE LA DÉFINITION.

Après avoir essayé de mesurer la distance entre Dn et Df considérées comme unités syntaxiques, il nous faut maintenant, avant de faire le pas suivant, rechercher les principes d'organisation interne de la Df.

La monotonie de la lecture d'un millier de définitions cruciverbistes s'explique probablement non seulement par la simplicité relative du « genre » étudié, mais aussi par le nombre réduit des constantes canoniques qui régissent leur articulation. En effet, la majorité de ces Df — si l'on tient compte des réserves faites à propos des Df phrastiques — sont des syntagmes en expansion et ont, de ce fait, l'hypotaxe comme principe de leur construction. En ne prenant en considération que les relations hypotaxiques du premier degré, on peut dire qu'elles sont susceptibles d'un *découpage binaire*. Il suffira d'illustrer ce découpage par quelques exemples très simples :

1. *Définitions substitutives.*

Transport / médiéval	// *Ire*
Objet / d'une fameuse interrogation	// *Etre*
L'art / de faire passer les choses	// *Tact*

2. *Définitions permutatives.*

Terrasse / sa victime	// *Accès*
Jouit / d'un important bassin	// *Ossu*
N'est donc pas resté / sans voix	// *Elu*

Nous ne prétendons pas que toutes les Df soient aussi simples, mais que, malgré les dédoublements, les déterminations de degrés syntaxiques inférieurs, les articulations ternaires apparentes, il est toujours possible de réduire une Df cruciverbiste à une articulation binaire à relation hypotaxique entre ses éléments constitutifs.

La structure hypotaxique ainsi obtenue, si elle ressemble à la définition aristotélicienne, si elle rappelle aussi la définition selon Hjelmslev (ce ne serait que la division syntagmatique du signe en ses parties constitutives), ne nous permet pas de mieux comprendre la nature des relations entre Df et Dn, et surtout ne nous autorise pas à transposer la Df, comme on le fait souvent, sur le plan paradigmatique en transformant, on ne sait pas trop comment, les relations hypotaxiques qui lui sont propres en relations hyponymiques situant la Df à l'intérieur d'un arbre taxinomique. Tout au plus permet-elle d'opérer avec les unités constitutives discrètes, obtenues grâce à ce découpage.

3.2. LA CONVERSION NÉGATIVE.

L'articulation binaire de la Df se trouve indirectement confirmée par le traitement inégal que subit son contenu lors de la transformation négative de Df par rapport à Dn, — procédure fréquente de l'encodage cruciverbiste.

1. Ainsi, en présence d'un couple cruciverbiste du type :

Ne convient pas / au premier venu // *SM*

on voit que la reconversion de la Df négative en Df assertive :

Convient / à quelqu'un d'exceptionnel

exige que l'opération soit appliquée simultanément ou successivement aux deux éléments de la Df.

2. Dans le cas suivant :

Ne fait pas honneur / à la civilisation // *Guerre*

la même reconversion ne s'applique qu'au premier élément :

Déshonore / la civilisation

ce qui montre l'indépendance relative des éléments constitutifs de la Df.

N.B. Il va sans dire qu'il s'agit ici des transformations ou des conversions de contenus, et non de constructions syntaxiques.

Notons que la dénégation fonctionne différemment selon les termes de la structure élémentaire de la signification sur lesquels elle porte. Dans le cas (1), il s'agit du passage de

$$s \rightarrow -s$$

Dans le cas (2), la conversion est toute différente, elle emprunte la voie de

$$\text{non } s \rightarrow -s$$

Les deux aspects de la dénégation que nous venons d'envisager successivement, c'est-à-dire : (1) son caractère total ou partiel et (2) la nature de la sommation qui peut porter aussi bien sur le terme *neutre* (*-s*) que sur le terme *négatif* (non *s*) de la structure élémentaire, se retrouvent dans la transformation de la fameuse séquence antiphrastique de Corneille :

// Va! je ne te hais / point // → // Je t'aime / totalement //

En effet, sans le découpage binaire de la séquence négative, sa reconversion assertive pourrait donner tout aussi bien

/ Je suis indifférente à ton égard /

que

/ Je t'aime /.

Étant donné la catégorie

$$\frac{s}{\text{aimer}}\ vs\ \frac{-s}{\text{être indifférent}}\ vs\ \frac{\text{non } s}{\text{haïr}}$$

(ne pas aimer/ne pas haïr)

la dénégation de *non s* peut emprunter deux parcours différents :

$$(1)\ \text{non } s \rightarrow -s$$
$$(2)\ \text{non } s \rightarrow s$$

L'intervention du deuxième élément de la séquence qui fait partie de la catégorie

$$\frac{(\text{non } s) \vee (-s)}{\text{rien}}\ vs\ \frac{s}{\text{tout}}$$

ne prévoit qu'un seul parcours :

$$(\text{non } s) \vee (-s) \rightarrow s\ //$$

Si l'on reconnaît que la dénégation est totale et qu'elle porte sur les deux éléments de la séquence à la fois, on s'aperçoit que son résultat se présente comme

$$/\ (s) \vee (-s)\ / + /s/ = s\ //$$

Ce qui joue le rôle décisif ici, c'est l'exigence de l'isotopie de la séquence déniée : le résultat de la dénégation doit être homogène. La double lecture possible du premier élément est neutralisée et l'ambiguïté qui en provient se trouve résolue : la redondance du terme positif (aimer totalement) apparaît comme la seule lecture assertive possible.

Si l'on s'est arrêté plus longuement au problème des transformations négatives du contenu, ce n'est pas seulement du fait du rôle relativement important qu'elles jouent, en tant que distanciations supplémentaires, dans l'espace qui s'établit entre Dn et Df. En insistant sur leur caractère en quelque sorte stylistique, sur le fait que ce ne sont que des manifestations gratuites qui laissent les contenus intacts, nous préférons pour les désigner le terme de *conversion* à celui de transformation. Conversions et reconversions, devrait-on dire, car, si l'on accepte notre interprétation, on voit bien qu'elles ne sont pas *orientées*, que tous les parcours leur sont permis à l'intérieur de la structure élémentaire de la catégorie sémantique dont elles relèvent.

Mais cette insistance avait aussi un autre but : en dépassant le cadre malgré tout assez étroit des jeux cruciverbistes, nous avons tenté de soulever, par ce biais, le problème plus général du statut structural de l'antiphrase qui semble se situer à ce stade de procédures de transcodage.

Enfin, comme la distanciation antiphrastique se situe à un niveau de généralité très élevé et comme cette manipulation des contenus met à contribution les relations existant à l'intérieur de la structure élémentaire de la signification, nous avons essayé de faire un pas vers la compréhension des mécanismes qui jouent à l'intérieur de la séquence définitionnelle.

3.3. L'ISOTOPIE SÉMANTIQUE.

En effet, le découpage binaire dont nous avons fait usage pour réfléchir sur les conversions négatives a déjà montré que les éléments constitutifs de la Df, malgré la relation hypotaxique qui les lie, y sont réunis pour et par une fonction de complémentarité, et que leur caractère discret sert justement à mieux établir un lieu sémantique unique, une isotopie sur laquelle se trouve situé le contenu de la Df.

Ce qui est vrai pour la catégorie très générale du posé et du dénié, l'est également pour d'autres catégories sémiques. Le *corpus* un peu particulier des Df cruciverbistes que nous avons choisi, élaboré à l'intention d'un destinataire « cultivé » et spirituel, affectionne, hypostasie même un certain type de Df qui jouent sur de multiples sens des mots. Ainsi, parmi les nombreux exemples qu'on pourrait utiliser,

(1) Un ami / des simples // *Herboriste*

Le deuxième élément (« simples ») est susceptible d'une double interprétation, selon qu'il assumera le terme « humains » ou le terme « choses » d'une seule et même catégorie sémantique. Ce choix détermine l'isotopie de la Df toute entière, l'élément « ami », sélectionné par le second terme, valorisant le sémème dont l'effet de sens serait « celui qui a de l'affection », tandis que le second terme ferait apparaître le sémème avec, pour effet de sens, « amateur ». Ajoutons que, l'isotopie correcte une fois choisie, l'équivalence entre Df et Dn se trouve presque établie.

Le même type d'interprétation rend compte de

(2) Poli / quand il sort du lit // *Galet*

L'élément « poli », caractérisé par la présence de la même catégorie sémantique que dans l'exemple (1), peut sélectionner, en vue de l'établissement de l'isotopie, soit le sémème ayant pour effet de sens le « lit-meuble », rattaché au terme « humains » du fait de la fonctionnalité du lit, soit le sémème « lit de fleuve ». Remarquons que le choix de l'isotopie utile n'établit pas, dans ce cas, l'équivalence entre Df et Dn : la relation syntaxique qui les distancie est, en effet, d'ordre hyponymique.

Le dernier cas,

(3) Permet un contact / dans la clandestinité // *Genou*

présente, à peu de choses près, les mêmes caractéristiques, sauf que la catégorie qui articule l'élément « contact » est celle qu'on pourrait dénommer, imparfaitement : « physique »/« moral ». L'établissement de l'équivalence entre Df et Dn est ici empêché par la distance hypotaxique entre deux encodages.

Si nous passons très rapidement sur ces exemples, et nous contentons d'une analyse sémique plus qu'approximative, c'est que, loin de vouloir reprendre ici les problèmes de la solution des ambiguïtés à l'intérieur des séquences syntagmatiques, nous cherchons à dégager le principe général de l'articulation des Df. Bien que les exemples choisis correspondent, en gros, aux différents types des relations syntaxiques entre les Df et les Dn, nous laissons également de côté le problème de l'établissement de l'isotopie correcte et de la reconnaissance de la Dn à partir de la Df : tout cruciverbiste aura remarqué que la Df ne sert que dans une faible mesure à cette reconnaissance, car l'utilisation mécanique de la grille est beaucoup plus rentable. Dans le langage poétique, d'ailleurs, le problème de reconnaissance se pose en termes très différents : c'est l'existence de l'isotopie générale du texte qui rend possible la lecture homogène des Df, écrites côte à côte mais distanciées par des relations syntaxiques diverses.

Ces illustrations sont, en revanche, destinées à montrer qu'après l'analyse syntaxique de la distance entre Df et Dn, celle de la structure syntaxique de la Df n'est plus en mesure de rendre compte des manifestations des contenus; et que, par conséquent, la définition hjelmslevienne de la Df considérée comme syntagme analytique, n'est plus suffisante.

Tout se passe comme si l'organisation syntaxique du discours, appelée à mettre en place des contenus sémantiques, ne pouvait le faire qu'en les manifestant de façon désaxée, distordue. Si l'articulation hypotaxique des éléments de la Df est propre à la syntaxe, on peut dire que ces relations hypotaxiques se trouvent abolies, *neutralisées* au moment de la lecture, au profit de relations d'équivalence, paradigmatiques dans leur nature (l'équivalence en tant que conjonction étant nécessairement accompagnée de disjonctions). L'intuition de Jakobson à propos de la projection du paradigmatique sur le syntagmatique qui a été proposée pour l'interprétation du langage poétique, possède probablement une portée plus générale : elle pourrait rendre compte du clivage existant entre les structures syntaxiques et les structures sémantiques du discours.

3.4. UNE STYLISTIQUE DE LA MANIFESTATION.

Le fossé entre ces deux types de structures, une fois reconnu, devrait être élargi avant qu'on ne s'occupe de le combler. Ainsi, quitte à reprendre les thèses que nous avons exposées ailleurs, il n'est peut-être pas inutile d'insister sur le caractère non sémantique des unités grammaticales et, plus spécialement, sur les plus dangereuses parmi elles, les lexèmes (= « mots »). Ceux-ci, en effet, possèdent un statut syntaxique incontestable sans que pour autant on puisse les considérer comme des unités sémantiques ou même comme des structures sémantiques plus complexes. Les efforts de Katz et Fodor pour les décrire par des arborescences taxinomiques (à propos de *bachelor*, par exemple) et introduire ainsi des éléments d'ordre à l'intérieur de leur structure interne, n'ont abouti qu'à mieux montrer qu'ils relèvent de systèmes d'exclusion, de groupements de catégories et de termes sémiques agencés, selon le principe de compatibilités et d'incompatibilités (chaque parcours choisi pour la sélection de la signification aboutit à l'apparition d'unités sémantiques que sont les sémèmes, en excluant tous les autres parcours).

Si un lexème est un cadre grammatical (offrant la possibilité de la manifestation de plusieurs sémèmes), la relation hypotaxique entre lexèmes peut-être neutralisée au profit des sémèmes (ou d'unités plus petites encore, des sèmes) situés sur le plan sémantique homogène et reliés par des relations paradigmatiques. Ainsi, à supposer que les deux éléments d'une Df comportent des lexèmes pouvant manifester chacun, disons, quatre sémèmes, et reliés entre eux par une relation de subordination :

Lexème A
1 ....
2 ....
3 ....
4 .... 1 ....
2 ....
3 ....
4 ....
Lexème B

le sémème A4 peut se trouver situé sur la même isotopie que le sémème B2 : la Df, au lieu d'être une hypotaxe entre A et B, sera, au contraire une conjonction de A4 + B2.

Le même type de raisonnement s'applique tout aussi bien aux Dn qui, en tant que lexèmes, sont susceptibles de polysémies. Toutefois, comme ces dernières ne possèdent pas d'articulation binaire pouvant résoudre leurs ambiguïtés, on est bien obligé d'admettre que les Dn sont, en principe, indéterminées quant à leur signification, qu'elles ne signifient qu'en fonction des Df, que du fait des relations qu'elles entretiennent avec les Df correspondantes.

Dès lors, une nouvelle stylistique, indépendante de la tropologie, peut être postulée : une stylistique qui rendrait compte des types de *camouflage* que les contenus sémantiques sont susceptibles de revêtir lorsqu'ils se manifestent à l'aide d'unités grammaticales. Dn, simple lexème, et Df, syntagme lexicalisé, mais aussi les articulations syntaxiques variées des Df sont, de ce point de vue, à considérer comme pouvant être soumises à une classification qui décrirait une typologie des distances entre contenus sémantiques et leurs manifestations à travers les formes grammaticales. Nous rejoignons ainsi, de nouveau, les questions que nous nous sommes déjà posé à propos de l'exploitation de la catégorie *condensation/expansion.*

Qu'une telle stylistique, située à un niveau autonome soit possible, cela montre bien l'existence de langages littéraires définissables par la préférence qu'ils manifestent pour telle ou telle couverture grammaticale du contenu. Ainsi, le langage littéraire qui caractérise le classicisme français semble avoir eu, comme un de ses postulats esthétiques, la recherche du « mot juste » : on doit entendre par là : 1° le choix des Dn (des lexèmes) pour la manifestation du contenu et 2° le désir d'identification du lexème avec le sémème unique. Il suffit de relire quelques-unes des pages que R. Barthes a naguère consacrées à la « clarté française », à la recherche d'un langage qui serait une algèbre de la pensée, pour comprendre, en les comparant avec les préoccupations théoriques de Port-Royal, la beauté onirique et l'inévitable échec d'une telle entreprise. Ce langage lexématique peut facilement être distingué, en tout cas, du langage syntagmatique du romantisme où la recherche de la même vérité emprunte la voie opposée, utilisant la comparaison, la métaphore, l'image, c'est-à-dire les expansions définitionnelles du contenu.

4. EN MATIÈRE DE CONCLUSION

Tout en exprimant la crainte que les limites très étroites de l'objet de cette étude ne nous aient amené à des extrapolations excessives, nous pouvons essayer de résumer les hypothèses auxquelles elle a abouti.

Lors de réflexions sur la distance entre Dn et Df, nous avons cherché à l'interpréter comme une relation syntaxique. La tropologie pourrait étudier les relations formelles et en faire une typologie basée sur le corps des définitions syntaxiques. Ce n'est qu'au niveau de l'écriture, une fois la redondance d'un certain type de relations établie par l'écart statistique significatif, que le problème de la réinterprétation sémantique des relations syntaxiques peut être posé.

A un niveau différent se situe le domaine particulier d'une recherche stylistique qui aurait pour objet la description typologique de ce qu'est la manifestation syntaxique du contenu sémantique. Elle ne ferait d'ailleurs que reprendre, en termes rénovés, la problématique de l'ancienne rhétorique qui, dans son ensemble, ne concevait la mesure des configurations stylistiques qu'à partir d'une isotopie sémantique déjà posée.

La reconnaissance du clivage existant entre les structures syntaxiques et les structures sémantiques des langues naturelles permettrait de dépasser les questions qui se posent à l'intérieur du langage littéraire et d'aborder plus aisément le problème général de la réinterprétation sémantique des systèmes formels.

Les proverbes et les dictons[1]

1.0. Dans la langue parlée, les proverbes et les dictons se distinguent nettement de l'ensemble de la chaîne par le changement d'intonation : on a l'impression que le locuteur abandonne volontairement sa voix et en emprunte une autre pour proférer un segment de la parole qui ne lui appartient pas en propre, qu'il ne fait que citer. Il appartient aux phonéticiens de préciser en quoi consiste exactement ce changement de ton. D'après la seule perception, on peut prétendre qu'un proverbe ou un dicton apparaissent comme des éléments d'un *code particulier*, intercalés à l'intérieur de messages échangés.

1.1. Si l'on considère que les proverbes et les dictons sont des éléments signifiants d'un code particulier, on peut admettre que, choisis dans les limites d'une langue et d'une période historique données, ils constituent des *séries finies*. Dès lors leur étude, conçue comme la description *d'un système de signification fermé*, est possible. Il suffira de les considérer tous comme des signifiants et de leur postuler un signifié global : la description schématique et structurale du plan du signifiant rendra compte des configurations de leur signifié.

Bien plus : l'interrogation sur les caractères formels des proverbes et des dictons, si elle se révèle féconde, donnera déjà de premières indications sur la signification formelle de ce code particulier à l'aide duquel s'exprime, on le dit depuis longtemps, toute la « sagesse des nations ». (De la même manière l'étude des formes littéraires par lesquelles se réalise un « genre », peut nous rendre compte de la signification formelle d'un genre littéraire). C'est cette recherche de caractères formels qui sera ici esquissée.

1. Paru dans *Cahiers de lexicologie*, 1960, nº 2, sous le titre de *Idiotismes, proverbes, dictons*, ce texte possède encore une certaine valeur didactique.

2.0. Les segments de la chaîne syntagmatique, éléments de ce code, peuvent être classés selon *les dimensions* des unités syntaxiques à l'intérieur desquelles ils se réalisent :

a) les dimensions de la *phrase :*

Ce sont les petites pluies qui gâtent les grands chemins
Qui veut tuer son chien, l'accuse de rage

b) les dimensions de la *proposition :*

La caque sent toujours le hareng
A l'impossible nul n'est tenu

c) les dimensions de la *proposition sans verbe :*

Après la pluie, le beau temps
Grand clocher, mauvais voisin

Remarque I : Il faudrait exclure de cet inventaire les *propositions-répliques* du type :
(Le) bon débarras
Et pour cause
A d'autres
qui — pour utiliser la terminologie de Jakobson — ne relèvent pas du code à l'intérieur du message, mais se présentent comme des messages à l'intérieur du récit.
Remarque II : Il faut dès maintenant faire remarquer que ces distinctions selon les dimensions des unités syntaxiques ne paraissent pas pertinentes : en effet, c'est la phrase de modulation binaire qui caractérise tous les éléments sémiologiques envisagés (v. 2.2.3).

2.1. Une autre distinction, en revanche, nous paraît importante : c'est la séparation de tous les éléments sémiologiques en éléments *connotés ou non.* Nous entendons par connotation le transfert du signifié d'un lieu sémantique (celui où il se placerait d'après le signifiant) en un autre.

Les proverbes sont des éléments connotés. Dans les cas de

Bonjour lunettes, adieu fillettes

le signifié ne se situe pas au niveau de la signification de *lunettes* ou de *fillettes,* le sens du proverbe se trouve là où se déroulent les considérations sur la jeunesse et la vieillesse.

Les dictons sont, au contraire, des éléments non connotés; on n'a pas besoin de chercher la signification de

Chose promise, chose due

en dehors de l'intentionnalité linéaire où elle se trouve.

2.2.0. La recherche des caractères formels des proverbes et des dictons semble compromise, parce que les caractères formels qu'on en peut décrire se rencontrent rarement tous dans un seul exemple. Cela n'étonnera pourtant pas le linguiste : l'existence de *leste* (qui ne réalise pas formellement l'opposition masculin *vs* féminin), ou de *voix* (où la distinction singulier *vs* pluriel n'est pas marquée, même graphiquement), ne remet pas en question les catégories du genre ou du nombre; ni l'historien de l'art : les différentes cathédrales gothiques ne réunissent presque jamais non plus tous les traits distinctifs du gothique.

2.2.1. Les proverbes et les dictons se distinguent souvent, du point de vue formel, par le *caractère archaïque* de leur construction grammaticale.

a) Par l'absence de l'article :

Bon chien chasse de race
Mauvaise herbe pousse vite

b) Par l'absence de l'antécédent :

Qui dort dîne
Qui femme a, guerre a

c) Par la non-observation de l'ordre conventionnel des mots :

A l'ongle on connaît le lion

d) Certains caractères *lexicaux* archaïsants permettent également de dater les proverbes ou les dictons :

Contentement passe richesse

A première vue, les traits archaïques des proverbes renvoient à l'époque de leur formation. Une étude historique plus poussée, permettant leur datation exacte, montrerait probablement que *la forme archaïsante leur est nécessaire*, qu'elle constitue un de leurs traits distinctifs intrinsèques.

2.2.2. Par leur statut verbal, par le choix des modes et des temps utilisés (à l'exclusion des autres), les proverbes et dictons se trouvent :

a) au *présent de l'indicatif :*

Le mieux est l'ennemi du bien
Le renard prêche aux poules

b) à l'*impératif :*

Aide-toi, le Ciel t'aidera
Fais ce que tu penses si tu ne peux pas faire ce que tu veux

c) l'*impératif thématisé* au présent de l'indicatif réunit les deux possibilités :

Il faut lier le sac avant qu'il soit plein
Il ne faut pas réveiller le chat qui dort

2.2.3. *La structure rythmique binaire* des proverbes et dictons apparaît comme un trait formel distinctif plus général que les dimensions des unités syntaxiques à l'intérieur desquelles ils se réalisent. C'est donc au niveau des *phrases de modulation* qu'il faut chercher les éléments d'explication de leur statut original.

a) Opposition de deux propositions :

Ce que femme veut / / Dieu le veut

b) Opposition de deux propositions sans verbes :

Aujourd'hui en fleurs / / demain en pleurs

c) Opposition de deux groupes de mots à l'intérieur de la proposition :

A l'ongle / / on connaît le lion

Remarque : La rime ou l'assonance vient parfois souligner cette opposition binaire :

Aux mariages et aux morts // le diable fait son effort
Deux moineaux sur un épi // ne sont pas longtemps amis

2.2.4. La structure rythmique binaire est très souvent renforcée par l'utilisation, dont l'intention paraît évidente, d'oppositions sur le plan lexical.

a) la *répétition* des mots :

Autant *de têtes,* autant *d'avis*
Ce que femme veut, *Dieu le* veut

b) La mise en présence syntagmatique de *couples oppositionnels* de mots :

Bonjour *lunettes*, adieu *fillettes*
Ce sont les petites *pluies qui gâtent les* grands *chemins*
Au long *aller* petit *fardeau pèse*

3.0. Ces quelques indications n'ont pas la prétention d'épuiser la description des caractères formels des proverbes et dictons. On peut cependant trouver qu'elles sont suffisamment caractéristiques et permettent déjà, à ce stade, de formuler quelques remarques provisoires sur la signification de la forme proverbiale et dictonique.

3.1. La formulation archaïsante des proverbes et dictons intercalés dans la chaîne du discours actuel les renvoie, semble-t-il, à un passé non déterminé, leur confère une sorte d'autorité qui relève de la « sagesse des anciens ». Le caractère archaïque des proverbes constitue donc *une mise hors du temps* des significations qu'ils contiennent; c'est un procédé comparable au « il était une fois » des contes et des légendes, destiné à situer dans le temps « des dieux et des héros » les vérités révélées dans le récit.

3.2. L'utilisation du temps présent et des modes indicatif ou impératif, en contradiction apparente avec ce que nous venons de dire, fait mieux ressortir la place insolite du proverbe ou du dicton dans le discours. Le présent employé ici devient le temps anhistorique par excellence qui aide à énoncer, sous forme de simples constatations, des *vérités éternelles*. L'impératif à son tour, en instituant une réglementation hors du temps, assure la permanence *d'un ordre moral* sans variations.

3.3. On ne peut émettre, dans l'état actuel des recherches sur les phrases de modulation, que des hypothèses touchant la signification des structures binaires. Il paraît toutefois suggestif que, conçue sous la forme binaire de la modulation : question *vs* réponse, la phrase se présente comme *une structure à la fois claire et close*. Il faut attendre les résultats des recherches sur l'opposition entre les structures binaires qui caractérisent l'écriture classique, et les rythmes ternaires des romantiques, pour pouvoir les considérer comme les signifiants (dans nos systèmes symboliques, nos représentations ou nos aspirations) d'un monde achevé, équilibré, en repos.

3.4. Le comportement « stylistique » des éléments lexicaux constitutifs des proverbes et des dictons se laisse plus facilement interpréter.

La répétition du même élément lexical dans les deux volets de la structure proverbiale ou dictonique du type :

Autant de têtes, autant d'avis
Loin des yeux, loin du cœur

permet l'établissement de corrélations entre les deux séquences ainsi articulées : ce rapprochement des choses et des comportements qui se ressemblent tend vers la constitution de grandes classes de corrélations et contribue notoirement à la *mise en ordre* du monde moral censé régir une société.

La réalisation, sur le plan syntagmatique, de couples oppositionnels qui sont systématiques par définition, tels que

Aujourd'hui en fleurs, demain en pleurs

en produisant de nouvelles oppositions du type : *fleurs* vs *pleurs* se sert du seul procédé non syntaxique accessible — la succession — afin de mettre en évidence les relations de causalité, de détermination, de dépendance, tout en les faisant participer à la « nature des choses », parce qu'ils appartiennent au système et non aux comportements individualisés.

L'étude des corrélations et des couples de nouvelles oppositions superposables les uns aux autres pourrait permettre d'établir le thématisme et la structure du système de significations fermé que constitue l'ensemble des proverbes et des dictons d'une communauté linguistique à une époque donnée.

4. Les quelques explications qui précèdent sont destinées à postuler l'existence d'un domaine sémantique indépendant, en affirmant le statut formel autonome d'éléments sémiologiques qu'on appelle traditionnellement proverbes et dictons.

Nous sommes persuadé que la description systématique des proverbes et dictons, intéressante en soi, pourrait proposer quelques éléments d'explication aux problèmes de stylistique, et contribuer, par l'inventaire exhaustif des corrélations et des couples oppositionnels rencontrés dans les proverbes, à l'étude d'autres symbolismes : ceux des mythes, des rêves, du folklore.

Table

LE SENS

L'HISTOIRE ET LA COMPARAISON

LE RÉCIT

LA MANIFESTATION

IMP. AUBIN-DUMAS, ST-ÉTIENNE (LOIRE)
D.L. 1er TR. 1970. N°2537.3 (204)
Imprimé en France